2025年度版

中小企業診断士

最速合格のための 第1次試験過去問題集

7 中小企業経営・中小企業政策

TAC中小企業診断士講座

はじめに

日本中小企業診断士協会連合会の発表によれば、令和６年度までの過去５年間の第１次試験の各科目の「科目合格者」等の平均値は次のようになっています。

	科目受験者数(①)	科目合格者数(②)	科目合格率(①/②)
経済学・経済政策	15,086	2,371	15.7%
財務・会計	15,251	2,352	15.4%
企業経営理論	14,884	3,993	26.8%
運営管理(オペレーション・マネジメント)	15,033	2,484	16.5%
経営法務	14,959	2,786	18.6%
経営情報システム	14,704	2,373	16.1%
中小企業経営・中小企業政策	15,761	1,910	12.1%

科目ごとに、科目合格者数および科目合格率は異なりますが、いずれにしても、「科目合格者」の存在は、同時に「科目不合格者」を生じさせる結果となっています。

初学者はもちろんのこと、不合格科目を残した受験経験者にとって、第１次試験の合格を果たすには、各科目の出題傾向を把握し、その対策を立てるということが必要となります。

受験生の皆さんは、次の言葉を一度は耳にしたことがあると思います。

知彼知己者　百戦不殆（彼(かれ)を知り己を知れば、百戦して殆(あやう)からず）

これは「孫子（謀攻篇）」にある名文句ですが、前段の「彼を知(り)る」ためには、これまでの受験生が戦ってきた「過去問」を活用することが必要です。

戦う相手を研究して熟知することは、スポーツや企業活動などの「戦いの場」では当然必要だ、ということはよくご理解いただけると思います。これは試験においても同様で、戦う相手である「試験委員」が作成した「問題」の研究は、勝つためには必要不可欠な作業だと考えてください。

また、「過去問」の活用目的として「己を知る」ということがあります。本試験の出題傾向や内容は極端に変化するものではありません。ですから、受験生の皆さんが常日頃取り組まれている学習の成果を測定するためのひとつの手段として「過去問」

を活用し、その成果をさらなる実力向上につなげていくことが必要であると理解してください。

先程引用した「孫子」の名文句の後には「不知彼不知己　毎戦必殆（彼を知らず己を知らざれば、戦う毎に必ず殆し）」という文が続いています。受験生の皆さんが取り組む戦いでこのような事態にならないように、相手である「本試験（過去問）」をよく研究し、さらに、普段の学習成果の目安として「過去問」を役立てていただければ、本試験での「勝利」は間違いないと確信しています。

2024年10月
ＴＡＣ中小企業診断士講座
講師室、事務局スタッフ一同

本書の利用方法

本書には、過去５年分の第１次試験の問題と詳細な解説を収載しています。

１．本書の問題には、学習における目安として、以下のマークを付していますので、参考としてください。

★ 重要 ★　基本的な論点だったり、過去に繰り返し出題されたりするなど、重要度の高い問題です。過去問はひと通り解くことが望ましいですが、時間的に余裕のない方は、このマークのある問題を優先的に解くとよいでしょう。

参考問題　出題年度以降に法律や制度改正があり、正解肢が変わったり、なくなったりした問題等を示しています。これらの問題は、今年度の第１次試験対策としてふさわしくない問題となりますので、出題形式や出題論点を確認する程度の利用にとどめていただければよいでしょう。

２．各年度の解説の冒頭に、解答・配点・TACデータリサーチによる正答率の一覧表を載せています。学習の際の参考としてください。

３．巻末に、「出題傾向分析表」を載せています。出題領域の区分は、弊社刊の「最速合格のためのスピードテキスト」の章立てに対応しているので、復習する際に便利です。

中小企業診断士
第1次試験
中小企業経営・政策

目　次

令和6年度問題

令和6年度問題

第1問　参考問題

次の文章の空欄A～Dに入る語句の組み合わせとして、最も適切なものを下記の解答群から選べ。

中小企業庁は、「中小企業白書2023年版」において、総務省・経済産業省「平成28年経済センサス－活動調査」に基づき、企業規模別の従業者総数（民営、非一次産業、2016年）を公表している。また、令和５年12月には、総務省・経済産業省「令和３年経済センサス－活動調査」に基づき、企業規模別の従業者総数（民営、非一次産業、2021年）を公表している。

総務省･経済産業省「平成28年経済センサス－活動調査」に基づき、従業者総数（民営、非一次産業、2016年）を見ると、従業者総数全体に占める中小企業の従業者総数の割合は、約［A］割となっている。

また、総務省・経済産業省「平成28年経済センサス－活動調査」に基づき、従業者総数を大企業、中規模企業、小規模企業について見た場合、［B］は［C］を上回り、［D］を下回る。

なお、従業者総数とは、会社及び個人事業者の従業者総数である。また、ここで中規模企業とは、中小企業のうち小規模企業以外を示すものとする。

［解答群］

ア　A：7　B：大企業　C：小規模企業　D：中規模企業
イ　A：7　B：大企業　C：中規模企業　D：小規模企業
ウ　A：7　B：中規模企業　C：小規模企業　D：大企業
エ　A：8　B：小規模企業　C：大企業　D：中規模企業
オ　A：8　B：中規模企業　C：大企業　D：小規模企業

第2問　参考問題

次の文章を読んで、下記の設問に答えよ。

中小企業庁は、「中小企業白書2023年版」において、総務省・経済産業省「平成28年経済センサス－活動調査」に基づき、企業規模別の企業数（民営、非一次産業、2016年）を公表している。また、令和５年12月には、総務省・経済産業省「令和３年経済センサス－活動調査」に基づき、企業規模別の企業数（民営、非一次産業、2021年）を公表している。

総務省・経済産業省「平成28年経済センサス－活動調査」に基づき、小規模企業について見る。

小規模企業の企業数は、全企業の約［ A ］％を占めている。小規模企業を、個人事業者と会社別に見た場合、個人事業者数は小規模企業数全体の［ B ］割を超えている。

小規模企業の付加価値額は、全企業の約［ C ］％を占めている。また、小規模企業の付加価値額を見た場合、業種によって異なっていることが分かる。

なお、企業数は会社数と個人事業者数の合計とする。企業規模区分は中小企業基本法に準ずるものとする。

設問1

文中の空欄A～Cに入る数値の組み合わせとして、最も適切なものはどれか。

ア　A：75　B：5　C：24
イ　A：75　B：7　C：14
ウ　A：85　B：5　C：14
エ　A：85　B：7　C：14
オ　A：85　B：7　C：24

設問2

文中の下線部に関して、付加価値額の総額を、卸売業、小売業、製造業の３つの業種について見た場合、その額が多いものから少ないものへと並べた組み合わせとして、最も適切なものはどれか。

ア　卸売業　－　小売業　－　製造業
イ　小売業　－　卸売業　－　製造業
ウ　小売業　－　製造業　－　卸売業
エ　製造業　－　卸売業　－　小売業
オ　製造業　－　小売業　－　卸売業

第3問　参考問題

中小企業庁「令和４年中小企業実態基本調査（令和３年度決算実績）」に基づき、製造業、卸売業、小売業について、売上高経常利益率と自己資本比率をおのおの比較した場合の記述として、最も適切なものはどれか

ア　売上高経常利益率は卸売業が最も高く、自己資本比率は小売業が最も低い。
イ　売上高経常利益率は小売業が最も高く、自己資本比率は小売業が最も低い。
ウ　売上高経常利益率は小売業が最も高く、自己資本比率は製造業が最も低い。
エ　売上高経常利益率は製造業が最も高く、自己資本比率は卸売業が最も低い。
オ　売上高経常利益率は製造業が最も高く、自己資本比率は小売業が最も低い。

第4問　参考問題

次の文章を読んで、下記の設問に答えよ。

財務省「法人企業統計調査季報」に基づき、2012年から2022年の期間について、中小企業の設備投資額（ソフトウェアを除く）の動向を見ると、2012年から2015年にかけては緩やかな［ A ］傾向にあったが、2016年から2020年にかけては［ B ］傾向で推移してきた。2021年からは緩やかな［ C ］傾向が続いている。

また、内閣府・財務省「法人企業景気予測調査」に基づき、中小企業の今後の設備投資における優先度の推移（複数回答）を2017年度と2022年度で比較した場合、「維持更新」とする回答割合が［ D ］、「生産（販売）能力の拡大」とする回答割合が［ E ］、「製（商）品・サービスの質的向上」とする回答割合が［ F ］していることが分かる。

なお、ここでは、資本金1,000万円以上１億円未満の企業を中小企業とする。

設問１

文中の空欄A～Cに入る語句の組み合わせとして、最も適切なものはどれか。

ア　A：減少　B：増加　C：減少
イ　A：減少　B：横ばい　C：増加
ウ　A：増加　B：減少　C：減少
エ　A：増加　B：減少　C：増加
オ　A：増加　B：横ばい　C：増加

設問2

文中の空欄D～Fに入る語句の組み合わせとして、最も適切なものはどれか。

ア　D：減少　E：減少　F：増加
イ　D：減少　E：増加　F：減少
ウ　D：減少　E：増加　F：増加
エ　D：増加　E：減少　F：増加
オ　D：増加　E：増加　F：減少

第5問　参考問題

厚生労働省「賃金構造基本統計調査」に基づき、中小企業の常用労働者の業種別所定内給与額（2021年）を、卸売業・小売業、建設業、製造業の３つについて見た場合、その額が高いものから低いものへと並べた組み合わせとして、最も適切なものはどれか。

なお、所定内給与額とは、決まって支給する現金給与額から時間外勤務手当、深夜勤務手当、休日出勤手当、宿日直手当、交代手当として支給される超過労働給与額を引いた額を指す。

ア　卸売業・小売業　－　建設業　－　製造業
イ　卸売業・小売業　－　製造業　－　建設業
ウ　建設業　－　卸売業・小売業　－　製造業
エ　建設業　－　製造業　－　卸売業・小売業
オ　製造業　－　卸売業・小売業　－　建設業

第6問　参考問題

財務省「法人企業統計調査年報」に基づき、大企業、中堅企業および中小企業について、１企業当たりの売上高の推移を2009年度比の増減率で見た場合、

2015年度以降の推移に関する記述として、最も適切なものはどれか。

なお、ここでは資本金10億円以上の企業を大企業、資本金1億円以上10億円未満の企業を中堅企業、資本金1,000万円以上1億円未満の企業を中小企業とする。

ア　大企業が中堅企業を下回り、中小企業を上回っている。
イ　大企業が中小企業を下回り、中堅企業を上回っている。
ウ　中堅企業が大企業を下回り、中小企業を上回っている。
エ　中堅企業が中小企業を下回り、大企業を上回っている。
オ　中小企業が大企業を下回り、中堅企業を上回っている。

第7問

「中小企業・小規模事業者人手不足対応ガイドライン」を抜本的に改定し、令和5年6月に公表された「中小企業・小規模事業者人材活用ガイドライン」では、採用や育成に対する具体的な対応策などを提示している。

この改定後のガイドラインに関する記述の正誤の組み合わせとして、最も適切なものを下記の解答群から選べ。

a　人材課題を解決するための人材戦略の方向性として、「中核人材の採用」、「中核人材の育成」、「業務人材の採用・育成」の3つを示している。
b　人材戦略を検討するための3つのステップを、「人材戦略を検討しましょう」、「経営課題を見つめ直しましょう」、「人材戦略を実行しましょう」の順に示している。
c　中核人材を採用するためには、求人像の明確化や、求める人材が「ここで働きたい」と思うような職場環境づくりが必要であり、具体的な対策として、人事評価制度の策定・見直し、キャリアパスの見える化を示している。

[解答群]

ア	a：正	b：正	c：正
イ	a：正	b：誤	c：正
ウ	a：誤	b：正	c：誤
エ	a：誤	b：誤	c：正
オ	a：誤	b：誤	c：誤

第8問

中小企業庁「エクイティ・ファイナンスに関する基礎知識」では、中小企業がどのような場合に、どのようにしてエクイティ・ファイナンスを活用すればよいのかといった情報を提示している。

「エクイティ・ファイナンスに関する基礎知識」に関する記述の正誤の組み合わせとして、最も適切なものを下記の解答群から選べ。

a　エクイティ・ファイナンスについて、会社の事業や取り組みならびに将来性などに対する評価のもと、株式を発行する対価として出資者から資金提供（出資）を受けることであると定義している。

b　エクイティ・ファイナンスの主な利用目的として、返済が伴わないことから、新しい取り組み（新規事業や事業拡大など）や事業の転換（事業再生など）を行うための資金としての活用を挙げている。

c　エクイティ・ファイナンスのメリットとして、返済が伴わないことから、財務基盤の安定につながり、企業としての信用力向上の効果がある点を挙げている。

[解答群]

ア	a：正	b：正	c：正
イ	a：正	b：誤	c：正
ウ	a：誤	b：正	c：誤
エ	a：誤	b：誤	c：正
オ	a：誤	b：誤	c：誤

第9問　参考問題

次の文章を読んで、下記の設問に答えよ。

経済産業省「企業活動基本調査」に基づき、1997年度から2020年度の期間について、中小企業の海外展開の推移を見た場合、直接外国企業との取引を行う企業の割合（直接輸出企業割合）は、直接投資企業割合を一貫して［ A ］いる。大企業と中小企業の直接輸出企業割合の推移を同じ期間で比較すると、中小企業の直接輸出企業割合は大企業を一貫して［ B ］いる。

また、2017年度から2021年度の期間について、中小企業の輸出実施企業と輸出非実施企業の労働生産性の推移を見ると、輸出実施企業の労働生産性は、輸出非実施企業を一貫して[C]いる。

そして、㈱東京商工リサーチが実施したアンケート調査（「中小企業が直面する経営課題に関するアンケート調査」）に基づき、製造業、卸売業、情報通信業について海外展開の実施状況を見ると、「海外展開をしている」割合は、[D]が、[E]よりも高く、[F]よりも低い。

なお、経済産業省「企業活動基本調査」の調査対象企業の規模は、従業者50人以上かつ資本金額または出資金額3,000万円以上である。

また、アンケート調査は、2022年12月において、全国30,000社の中小企業を対象として実施された（有効回答6,278件、回収率20.9％）。アンケート調査における海外展開とは、直接輸出、間接輸出、直接投資、業務提携を指す。

設問1 ●●●

文中の空欄A～Cに入る語句の組み合わせとして、最も適切なものはどれか。

ア　A：上回って　B：上回って　C：上回って
イ　A：上回って　B：下回って　C：上回って
ウ　A：上回って　B：下回って　C：下回って
エ　A：下回って　B：上回って　C：下回って
オ　A：下回って　B：下回って　C：下回って

設問2 ●●●

文中の空欄D～Fに入る語句の組み合わせとして、最も適切なものはどれか。

ア　D：卸売業　E：製造業　F：情報通信業
イ　D：卸売業　E：情報通信業　F：製造業
ウ　D：情報通信業　E：卸売業　F：製造業
エ　D：情報通信業　E：製造業　F：卸売業
オ　D：製造業　E：情報通信業　F：卸売業

第10問　参考問題

次の文章を読んで、下記の設問に答えよ。

厚生労働省「雇用保険事業年報」に基づき、1981年度から2021年度の期間について、わが国の開業率と廃業率の推移を見る。開業率は1988年度以降1998年度まで［ A ］傾向で推移し、2000年代を通じて、増減はあるものの、緩やかな［ B ］傾向で推移、2018年度に［ C ］している。廃業率は1996年度以降上昇傾向が続いたが、2010年度以降は低下傾向で推移している。

もっとも、開業・廃業の動向は業種によっても異なる。2021年度における小売業、情報通信業、製造業の開業率と廃業率を見ると、開業率は［ D ］が最も高く、［ E ］が最も低い。廃業率は［ F ］が最も低い。

なお、開業率は当該年度に雇用関係が新規に成立した事業所数を前年度末の適用事業所数で除して算出する。廃業率は当該年度に雇用関係が消滅した事業所数を前年度末の適用事業所数で除して算出する。適用事業所とは、雇用保険に係る労働保険の保険関係が成立している事業所である（雇用保険法第５条）。

設問1 ●●●

文中の空欄A～Cに入る語句の組み合わせとして、最も適切なものはどれか。

ア　A：上昇　B：上昇　C：低下
イ　A：上昇　B：低下　C：上昇
ウ　A：低下　B：上昇　C：低下
エ　A：低下　B：低下　C：上昇
オ　A：横ばい　B：上昇　C：低下

設問2 ●●●

文中の空欄D～Fに入る語句の組み合わせとして、最も適切なものはどれか。

ア　D：小売業　E：情報通信業　F：小売業
イ　D：小売業　E：製造業　F：製造業
ウ　D：情報通信業　E：小売業　F：小売業
エ　D：情報通信業　E：製造業　F：製造業
オ　D：製造業　E：小売業　F：情報通信業

第11問 参考問題

総務省・経済産業省「平成24年経済センサス－活動調査」と「平成28年経済センサス－活動調査」に基づき、常用雇用者数の純増数を次のａ～ｃの企業の社齢（企業年齢）別に見た場合、大きいものから小さいものへと並べた組み合わせとして、最も適切なものを下記の解答群から選べ。

なお、事業所が複数ある企業の場合は、事業所開設時期が最も古い値を企業年齢とし、以降開設した事業所における雇用者数も集計している。

ａ：０～４年
ｂ：10～21年
ｃ：32年以上

［解答群］

ア　ａ：０～４年　－ｂ：10～21年　－ｃ：32年以上
イ　ａ：０～４年　－ｃ：32年以上　－ｂ：10～21年
ウ　ｂ：10～21年　－ａ：０～４年　－ｃ：32年以上
エ　ｂ：10～21年　－ｃ：32年以上　－ａ：０～４年
オ　ｃ：32年以上　－ａ：０～４年　－ｂ：10～21年

第12問 参考問題

㈱日本政策金融公庫総合研究所「全国中小企業動向調査・中小企業編」に基づき、中小企業における人材確保のための方策（複数回答）を次のａ～ｃで見た場合、回答企業割合が高いものから低いものへと並べた組み合わせとして、最も適切なものを下記の解答群から選べ。

なお、同調査は、2022年１～３月において、全国6,007社の中小企業を対象にアンケート調査として実施されたものである（有効回答2,880件、回収率47.9%）。

ａ：「給与水準の引き上げ」
ｂ：「再雇用などシニア人材の活用」
ｃ：「長時間労働の是正」

［解答群］

ア　a：「給与水準の引き上げ」　－　b：「再雇用などシニア人材の活用」
　－　c：「長時間労働の是正」

イ　a：「給与水準の引き上げ」　－　c：「長時間労働の是正」
　－　b：「再雇用などシニア人材の活用」

ウ　b：「再雇用などシニア人材の活用」　－　a：「給与水準の引き上げ」
　－　c：「長時間労働の是正」

エ　b：「再雇用などシニア人材の活用」　－　c：「長時間労働の是正」
　－　a：「給与水準の引き上げ」

オ　c：「長時間労働の是正」　－　a：「給与水準の引き上げ」
　－　b：「再雇用などシニア人材の活用」

第13問　参考問題

㈱東京商工リサーチ「令和４年度取引条件改善状況調査」に基づき、製造業における直近１年のエネルギー価格、原材料価格および労務費の変動に対する価格転嫁の状況（受注側事業者）について見た場合の記述として、最も適切なものはどれか。

なお、アンケート調査は、2022年10～11月にかけて、全国90,000社（うち発注側事業者10,000社、受注側事業者80,000社）の企業を対象に実施（有効回答22,756件（うち発注側事業者3,026件、受注側事業者19,730件）、回収率25.3%（うち発注側事業者30.3%、受注側事業者24.7%））されたものである。

また、価格転嫁の状況について、「反映された」とは、「おおむね反映された」と「一部反映された」との回答割合の合計とし、「反映されなかった」とは、「あまり反映されなかった」と「反映されなかった」との回答割合の合計とする。

ア　エネルギー価格および原材料価格については、「反映されなかった」とする回答割合が、「反映された」とする回答割合を上回っている。

イ　エネルギー価格および労務費については、「反映されなかった」とする回答割合が、「反映された」とする回答割合を上回っている。

ウ　原材料価格および労務費については、「反映されなかった」とする回答割合が、「反映された」とする回答割合を上回っている。

エ　原材料価格については、「反映されなかった」とする回答割合が、「反映された」とする回答割合を上回っている。

第14問　参考問題

次の文章の空欄A～Cに入る語句の組み合わせとして、最も適切なものを下記の解答群から選べ。

中小企業庁は、「中小企業白書2023年版」において、総務省「平成21年経済センサス－基礎調査」、総務省・経済産業省「平成28年経済センサス－活動調査」に基づき、中小企業の企業数（民営、非一次産業、2009年および2016年）を公表している。また、令和5年12月には、総務省・経済産業省「令和3年経済センサス－活動調査」に基づき、中小企業の企業数（民営、非一次産業、2021年）を公表している。

総務省「平成21年経済センサス－基礎調査」、総務省・経済産業省「平成28年経済センサス－活動調査」に基づき、中小企業の企業数（民営、非一次産業、2016年）を、建設業、小売業、製造業の3つの業種について見た場合、［ A ］が最も多く、［ B ］が最も少ない。また、建設業、小売業、製造業の3つの業種について、2009年と2016年で企業数を比較した場合、建設業では［ C ］、小売業では減少、製造業では減少している。

なお、企業数は会社数と個人事業者の合計とする。また、企業規模区分は中小企業基本法に準ずるものとする。

［解答群］

ア　A：建設業　B：小売業　C：増加
イ　A：建設業　B：製造業　C：横ばい
ウ　A：小売業　B：建設業　C：減少
エ　A：小売業　B：製造業　C：減少
オ　A：製造業　B：小売業　C：横ばい

第15問　参考問題

次の文章を読んで、下記の設問に答えよ。

中小企業庁の委託により、㈱野村総合研究所が実施した中小企業を対象としたアンケート調査（「地域における中小企業のデジタル化及び社会課題解決に向けた取組等に関する調査」）に基づき、地域課題解決事業の取組状況について見る。

現在の取組状況を見ると、「取り組んでいる」企業の割合が「取り組んでいない」企業の割合を［ A ］いる。また、地域課題解決事業に現在取り組んでいると回答した事業者における、地域課題解決事業単体での収支状況を見ると、収支状況が「黒字」または「収支均衡」と回答した事業者の合計割合は、「赤字」と回答した企業の割合を［ B ］いる。

そして、地域課題解決事業に取り組む事業者は、さまざまなルートから資金調達を行っていることが分かる。

なお、アンケート調査は、(株)野村総合研究所が、2022年12月に商工会と商工会議所の会員及び中小企業・小規模事業者10,000社を対象にWebアンケート調査として実施された（有効回答：7,323件）ものである。

また、地域課題解決事業とは、地域課題解決に向けて事業外の活動（慈善活動やCSRなど）として取り組むことではなく、自社の事業の一環として取り組むことを指す。黒字は、「補助金を除いても黒字（補助金をもらっていない場合も含む）」または「補助金を含めれば黒字」のいずれかを回答した事業者を指す。赤字は、「赤字」または「事業単体での収支を見ていない・分からない」のいずれかを回答した事業者を指す。

設問1 ●●●

文中の空欄AとBに入る語句の組み合わせとして、最も適切なものはどれか。

ア　A：上回って　　B：上回って
イ　A：上回って　　B：下回って
ウ　A：下回って　　B：上回って
エ　A：下回って　　B：下回って

設問2 ●●●

文中の下線部について、「地域における中小企業のデジタル化及び社会課題解決に向けた取組等に関する調査」に基づき、地域課題解決事業に取り組む事業者の資金調達方法（複数回答）を次のａ～ｃで見た場合、回答企業割合が高いものから低いものへと並べた組み合わせとして、最も適切なものを下記の解答群から選べ。

ａ：「金融機関等からの借入れ」
ｂ：「クラウド・ファンディングの活用」
ｃ：「別事業の収益等の自己資金」

[解答群]

ア　a：「金融機関等からの借入れ」－
　　b：「クラウド・ファンディングの活用」－
　　c：「別事業の収益等の自己資金」

イ　a：「金融機関等からの借入れ」－
　　c：「別事業の収益等の自己資金」－
　　b：「クラウド・ファンディングの活用」

ウ　b：「クラウド・ファンディングの活用」－
　　a：「金融機関等からの借入れ」－
　　c：「別事業の収益等の自己資金」

エ　b：「クラウド・ファンディングの活用」－
　　c：「別事業の収益等の自己資金」－
　　a：「金融機関等からの借入れ」

オ　c：「別事業の収益等の自己資金」－
　　a：「金融機関等からの借入れ」－
　　b：「クラウド・ファンディングの活用」

第16問　参考問題

財務省「法人企業統計年報」、「法人企業統計季報」に基づき、1980年度と2020年度について、中小企業と大企業・中堅企業の総資本営業利益率を比較した場合の記述として、最も適切なものはどれか。

なお、ここでは、大企業・中堅企業は資本金１億円以上、中小企業は資本金1,000万円以上１億円未満の企業とする。

ア　大企業・中堅企業の総資本営業利益率は上昇し、中小企業の総資本営業利益率は低下している。

イ　大企業・中堅企業の総資本営業利益率は上昇し、中小企業の総資本営業利益率も上昇している。

ウ　大企業・中堅企業の総資本営業利益率は上昇し、中小企業の総資本営業利益率はほぼ横ばいである。

エ　大企業・中堅企業の総資本営業利益率は低下し、中小企業の総資本営業利益率は上昇している。

オ　大企業・中堅企業の総資本営業利益率は低下し、中小企業の総資本営業利益率も低下している。

第17問 ★重要★

次の文章を読んで、下記の設問に答えよ。

中小企業基本法は、中小企業施策について、基本理念・基本方針等を定めるとともに、国及び地方公共団体の責務等を規定することにより、中小企業施策を総合的に推進し、国民経済の健全な発展及び国民生活の向上を図ることを目的としている。

この法律では、第２条で①中小企業者の範囲と②小規模企業者の範囲を定めている。また、第３条では基本理念を述べている。第５条では基本理念を踏まえ、中小企業施策の③基本方針を規定している。

設問1 ●●●

文中の下線部①に基づく、「中小企業者」に含まれる企業に関する正誤の組み合わせとして、最も適切なものを下記の解答群から選べ。

a　常時使用する従業員数が60人の日本料理店（資本金３千万円）
b　常時使用する従業員数が80人の旅館（資本金６千万円）
c　常時使用する従業員数が120人の生活関連サービス業（資本金８千万円）

[解答群]
ア　a：正　b：正　c：誤
イ　a：正　b：誤　c：誤
ウ　a：誤　b：正　c：正
エ　a：誤　b：誤　c：正

設問2 ●●●

文中の下線部②に基づく、「小規模企業者」に含まれる企業に関する正誤の組み合わせとして、最も適切なものを下記の解答群から選べ。

a　常時使用する従業員数が８人の飲食料品の無店舗小売業（個人企業）
b　常時使用する従業員数が10人の貨物軽自動車運送業（資本金１千万円）
c　常時使用する従業員数が15人の造園工事業（資本金３百万円）

［解答群］

ア　a：正　b：正　c：誤
イ　a：正　b：誤　c：誤
ウ　a：誤　b：正　c：正
エ　a：誤　b：誤　c：正

設問3

文中の下線部③に関して、中小企業基本法において、下記の1～4があげられている。

1．中小企業者の経営の革新及び創業の促進並びに創造的な事業活動の促進を図ること。
2．中小企業の経営資源の確保の円滑化を図ること、中小企業に関する取引の適正化を図ること等により、中小企業の［ A ］を図ること。
3．経済的社会的環境の変化に即応し、中小企業の経営の安定を図ること、事業の転換の円滑化を図ること等により、その変化への適応の円滑化を図ること。
4．中小企業に対する資金の供給の円滑化及び中小企業の［ B ］を図ること。

上記2と4の記述の空欄AとBに入る語句の組み合わせとして、最も適切なものはどれか。

ア　A：経営管理の合理化
　　B：事業活動の機会の適正な確保
イ　A：経営管理の合理化
　　B：自己資本の充実
ウ　A：経営基盤の強化
　　B：事業活動の機会の適正な確保
エ　A：経営基盤の強化
　　B：自己資本の充実

第18問　★重要★

次の文章を読んで、下記の設問に答えよ。

中小企業診断士のX氏は、商工会地区で食料品製造業を営む小規模事業者のY氏（業歴５年）から、経営改善のための資金借入の相談を受けた。X氏は、Y氏に対して、通常枠の「マル経融資（小規模事業者経営改善資金融資制度）」を紹介することとした。

以下は、X氏とY氏との会話である。

X氏：「マル経融資の利用を検討してはいかがでしょうか。無担保・無保証人・低利で融資を受けることができます。」

Y氏：「無担保・無保証人・低利ですか。それはいいですね。どのような利用要件があるのでしょうか。」

X氏：「指導要件や居住要件などがあります。」

Y氏：「それは具体的には、どのような要件なのでしょうか。」

X氏：「指導要件とは、商工会の経営指導員による経営指導を原則６カ月以上受けていることです。居住要件とは、原則として同一の商工会の地区内で［ A ］ことです。その他、業種要件や納税要件がありますが、Yさんは、いずれの要件も満たしていますよ。」

Y氏：「それはよかった。融資限度額や返済期間について、教えていただけますか。」

X氏：「融資限度額は［ B ］です。1,500万円超の貸付を受けるには、貸付前に事業計画を作成し、貸付後に残高が1,500万円以下になるまで、経営指導員による実地訪問を半年ごとに１回受けていただく必要があります。返済期間は、設備資金10年以内で、据置期間は２年以内です。運転資金は［ C ］で、据置期間は１年以内です。」

Y氏：「ぜひ、申し込みを検討したいと思います。どこで申し込みをすればよいのでしょうか。」

X氏：「［ D ］へ申し込みをしてください。ここで融資の推薦を行います。」

設問1 ●●●

文中の空欄AとBに入る語句の組み合わせとして、最も適切なものはどれか。

ア　A：６カ月以上事業を行っている　　B：2,000万円
イ　A：６カ月以上事業を行っている　　B：3,000万円
ウ　A：１年以上事業を行っている　　B：2,000万円
エ　A：１年以上事業を行っている　　B：3,000万円

設問2 ●●●

文中の空欄CとDに入る語句の組み合わせとして、最も適切なものはどれか。

ア　C：5年以内　D：地区の商工会
イ　C：5年以内　D：最寄りの日本政策金融公庫
ウ　C：7年以内　D：地区の商工会
エ　C：7年以内　D：最寄りの日本政策金融公庫

第19問　★重要★

次の文章を読んで、下記の設問に答えよ。

中小企業診断士のX氏は、機械器具卸売業（資本金2,000万円、従業員数120人）の社長のY氏から、「われわれ中小企業は、独力では退職金制度をもつことが難しい。退職金制度の整備に関する支援施策があれば教えてほしい。」との相談を受けた。X氏は、一般の中小企業退職金共済制度を、Y氏に紹介することとした。

以下は、X氏とY氏との会話である。

X氏：「中小企業退職金共済制度という支援制度があります。この制度は、独力では退職金制度をもつことが困難な中小企業について、退職金制度の整備を支援するものです。」
Y氏：「中小企業退職金共済制度ですか。初めて聞きました。われわれ中小企業にとって、どのようなメリットがあるのでしょうか。」
X氏：「掛金は全額非課税で、掛金の負担軽減措置も設けられていますよ。」
Y氏：「掛金の負担軽減について、もう少し具体的に教えていただけますか。」
X氏：「［ A ］に対して、［ B ］を従業員ごとに加入後4か月目から1年間、国が助成します。18,000円以下の掛金を増額する事業主に対しては、増額分の3分の1を増額した月から1年間、国が助成してくれます。」
Y氏：「それはいいですね。利用を検討してみたいと思います。」

設問1 ●●●

文中の下線部に関するX氏からY氏に対する説明として、最も適切なものはどれか。

ア　１年以上継続して事業を行っていることが条件になります。

イ　いわば「経営者の退職金制度」です。

ウ　短時間労働者には、一般の従業員より低い特例掛金月額を設けています。

エ　臨時に事業資金を必要とするときは、解約手当金の範囲内で貸付けを受けることができます。

設問2 ● ● ●

文中の空欄AとBに入る語句の組み合わせとして、最も適切なものはどれか。

ア　A：雇用計画の認定を受けた中小企業者
　　B：掛金月額２分の１（上限5,000円）

イ　A：雇用計画の認定を受けた中小企業者
　　B：掛金月額の３分の１（上限10,000円）

ウ　A：初めて加入した事業主
　　B：掛金月額の２分の１（上限5,000円）

エ　A：初めて加入した事業主
　　B：掛金月額の３分の１（上限10,000円）

第20問

次の文章を読んで、下記の設問に答えよ。

下請中小企業振興法の「　　　」とは、同法第３条に基づく大臣告示であり、同法第４条に基づく「指導・助言」の根拠となるとともに、業種別ガイドライン、自主行動計画、パートナーシップ構築宣言のひな形の策定に参照されるものである。

この「　　　」は、「取引適正化に向けた５つの取組」（令和４年２月10日公表）、「転嫁円滑化施策パッケージ」（令和３年12月27日閣議了解）などで決定した取引適正化に向けた取組方針を裏付け・下支えし、産業界に提示するため、2022年度に全面的に改定された。

設問1 ● ● ●

文中の空欄に入る語句として、最も適切なものはどれか。

ア　親事業者の義務

イ　親事業者の禁止行為
ウ　下請ガイドライン
エ　振興基準

設問2 ●●●

文中の下線部の全面的改定による主な新規追加事項に関する記述として、最も適切なものはどれか。

ア　下請代金は、物品などの受領日から起算して90日以内において定める支払期日までに支払うこと。
イ　できる限り、掛け取引を利用せず、現金払いを行うこと。
ウ　パートナーシップ構築宣言を行い、定期的に見直すこと。また、社内担当者や取引先に宣言を浸透させること。
エ　毎年９月及び３月の「価格交渉促進月間」の機会を捉え、少なくとも年に２回以上の価格協議を行うこと。

第21問

次の文章を読んで、下記の設問に答えよ。

Y事業協同組合では、同業種の荷主が企業の壁を超え、共同で物流拠点を整備するとともに、共同配送やITを利用した最新の受発注システムを導入することによって物流コストの削減を図る計画を検討中である。

Y事業協同組合の理事長（以下、「Y理事長」という。）から、上記計画の相談を受けた中小企業診断士のX氏は、「流通業務総合効率化法（令和６年５月１日現在）に基づく支援」を紹介することとした。

以下は、中小企業診断士のX氏とY理事長との会話である。

X　　氏：「事業協同組合が流通業務の効率化を図る際に融資、中小企業信用保険法の特例、中小企業投資育成株式会社法の特例などさまざまな支援を受けることができます。」
Y理事長：「どのような融資制度を利用できるのでしょうか。」
X　　氏：「中小企業基盤整備機構や各都道府県の高度化融資制度による支援があります。組合・任意グループなどが認定計画に基づき実施する事業に対して、[　A　]までの[　B　]を受けることができます。」

Y理事長：「その他に資金調達の支援はあるのでしょうか。」

X　　氏：「中小企業信用保険法の特例や、中小企業投資育成株式会社法の特例があります。たとえば、中小企業投資育成株式会社法の特例では、事業実施のために増資などを行う組合の構成員企業については、［　C　］を超える株式会社であっても中小企業投資育成株式会社の投資対象に追加されます。」

Y理事長：「この支援施策の利用方法を教えていただけますか。」

X　　氏：「組合が国の基本方針に即して、「［　D　］」を作成します。認定された計画に基づき組合が実施する事業に対して、支援を受けることができます。」

設問1 ●●● ★重要★

会話の中の下線部に関する記述として、最も適切なものはどれか。

ア　議決権・選挙権は出資額に比例する。
イ　組合を設立するためには、事業主４人以上の設立発起人が必要である。
ウ　全国に約2,000存在する。
エ　中小企業団体の組織に関する法律に基づく組合である。

設問2 ●●● 参考問題

会話の中の空欄AとBに入る語句の組み合わせとして、最も適切なものはどれか。

ア　A：融資割合60％　　B：低利融資
イ　A：融資割合60％　　B：無利子融資
ウ　A：融資割合80％　　B：低利融資
エ　A：融資割合80％　　B：無利子融資

設問3 ●●● 参考問題

会話の中の空欄CとDに入る語句の組み合わせとして、最も適切なものはどれか。

ア　C：資本金１億円　　D：高度化事業計画
イ　C：資本金１億円　　D：総合効率化計画
ウ　C：資本金３億円　　D：高度化事業計画

エ　C：資本金３億円　　D：総合効率化計画

第22問　★重要★

次の文章を読んで、下記の設問に答えよ。

金属部品製造業のY社は、低単価の部品の大量生産から脱却し、優れた加工技術を用いた付加価値の高い製品づくりへ改革を図りたいと考えている。Y社の経営者（以下、「Y社長」という。）から相談を受けた中小企業診断士のX氏は、Y社長に「経営革新計画」の作成を薦めることにした。

以下は、X氏とY社長との会話である。

X　氏：「経営の向上を図るために新たな事業活動を行う経営革新計画の承認を受けることで、日本政策金融公庫の特別貸付制度や信用保証の特例など多様な支援を受けることができます。」

Y社長：「経営革新計画ですか。それは、どのように作成すればよいのでしょうか。」

X　氏：「経営革新計画には、経営目標が必要になります。ところで、この事業の期間は何年になりますか。」

Y社長：「５年間を予定しています。」

X　氏：「それでしたら、事業期間終了時に付加価値額または従業員１人当たりの付加価値額が［　A　］伸びる計画となっていること、［　B　］、［　C　］が［　D　］伸びる計画となっていることが必要です。」

Y社長：「事業期間内に付加価値額や［　C　］を、着実に伸ばさないといけないのですね。」

X　氏：「御社には優れた技術があり、優秀な従業員もいます。しっかりと計画を定めて実行すれば、十分達成可能だと思いますよ。」

設問1

文中の下線部に関する記述として、最も適切なものはどれか。

ア　生産性向上特別措置法に規定されている。

イ　地域未来投資促進法に規定されている。

ウ　中小企業支援法に規定されている。

エ　中小企業等経営強化法に規定されている。

設問2 ●●●

会話の中の空欄AとBに入る語句の組み合わせとして、最も適切なものはどれか。

ア　A：10％以上　　B：かつ
イ　A：10％以上　　B：または
ウ　A：15％以上　　B：かつ
エ　A：15％以上　　B：または

設問3 ●●●

会話の中の空欄CとDに入る語句の組み合わせとして、最も適切なものはどれか。

ア　C：営業利益　　D：5.0％以上
イ　C：営業利益　　D：7.5％以上
ウ　C：給与支給総額　　D：5.0％以上
エ　C：給与支給総額　　D：7.5％以上

第23問　★重要★

次の文章を読んで、下記の設問に答えよ。

中小企業診断士のX氏は、「下請取引の適正化を図りたい」と考える中小企業者に向けたセミナーを依頼された。X氏は、セミナーの中で、「下請代金支払遅延等防止法（下請代金法）」について、説明を行うこととした。

以下は、この法律の適用範囲に関わるX氏の受講者に対する説明である。

X　氏：「下請代金法は、親事業者が下請事業者に物品の製造・修理、情報成果物の作成、または、役務の提供を委託したときに適用されます。情報成果物とは、ソフトウェアなどで、役務とは、運送、情報処理、ビルメンテナンスなどです。
　『物品の製造・修理委託および政令で定める情報成果物作成・役務提供委託』の取引については、次の２つのパターンが適用対象になります。
　１つが、資本金３億円超の法人が、資本金３億円以下の法人または個人に委託する場合です。
　もう１つが、［　A　］が、［　B　］に委託する場合です。

『政令で定めたものを除く情報成果物作成・役務提供委託』の取引については、次の２つのパターンが適用対象になります。

１つが、資本金5,000万円超の法人が、資本金5,000万円以下の法人または個人に委託する場合です。

もう１つが、［ C ］が、［ D ］に委託する場合です。」

受講者：「ちょっと複雑な感じがします。」

X　氏：「そうかもしれませんね。親事業者と下請事業者との関係を図示してみると、分かりやすくなると思いますよ。」

設問1 ● ● ●

会話の中の空欄AとBに入る語句の組み合わせとして、最も適切なものはどれか。

ア　A：資本金1,000万円超３億円以下の法人
　　B：資本金1,000万円以下の法人または個人

イ　A：資本金1,000万円超３億円以下の法人
　　B：資本金3,000万円以下の法人または個人

ウ　A：資本金3,000万円超３億円以下の法人
　　B：資本金1,000万円以下の法人または個人

エ　A：資本金3,000万円超３億円以下の法人
　　B：資本金3,000万円以下の法人または個人

設問2 ● ● ●

会話の中の空欄CとDに入る語句の組み合わせとして、最も適切なものはどれか。

ア　C：資本金1,000万円超5,000万円以下の法人
　　D：資本金1,000万円以下の法人または個人

イ　C：資本金1,000万円超5,000万円以下の法人
　　D：資本金3,000万円以下の法人または個人

ウ　C：資本金3,000万円超１億円以下の法人
　　D：資本金1,000万円以下の法人または個人

エ　C：資本金3,000万円超１億円以下の法人
　　D：資本金3,000万円以下の法人または個人

第24問

次の文章を読んで、下記の設問に答えよ。

「中小企業省力化投資補助事業」は、中小企業などの売上拡大や生産性向上を後押しするために、IoT、ロボットなどの人手不足解消に効果がある[A]を[B]ようにすることで、人手不足に悩む中小企業などの省力化投資を支援するものである。この事業については、令和6年3月29日付けで公募要領が公表されている。

この事業の対象となる者は、[C]を年平均成長率3％以上向上させる事業計画を策定し実施する中小企業などである。また、賃上げによる補助上限額引き上げを適用する場合、給与支給総額6％以上かつ[D]以上の賃上げに取り組む中小企業などが支援対象となる。

設問1

文中の空欄AとBに入る語句の組み合わせとして、最も適切なものはどれか。

ア　A：専用製品　B：「カタログ」に掲載し、中小企業などが選択して導入できる
イ　A：専用製品　B：中小企業などが、事業環境に合わせて任意に導入できる
ウ　A：汎用製品　B：「カタログ」に掲載し、中小企業などが選択して導入できる
エ　A：汎用製品　B：中小企業などが、事業環境に合わせて任意に導入できる

設問2

文中の空欄CとDに入る語句の組み合わせとして、最も適切なものはどれか。

ア　C：付加価値額　D：事業場内最低賃金30円
イ　C：付加価値額　D：事業場内最低賃金45円
ウ　C：労働生産性　D：事業場内最低賃金30円
エ　C：労働生産性　D：事業場内最低賃金45円

第25問

次の文章を読んで、下記の設問に答えよ。

「産業競争力強化法に基づく創業支援」は、創業支援などの取組を［ A ］と連携して行う事業者を支援するものである。また、［ A ］と創業支援などに取り組む事業者が行う［ B ］創業支援を受けることで、創業者も各種の支援措置を受けることができる。

設問1

文中の空欄AとBに入る語句の組み合わせとして、最も適切なものはどれか。

ア　A：市区町村　　B：３年を限度とする
イ　A：市区町村　　B：継続的な
ウ　A：都道府県　　B：３年を限度とする
エ　A：都道府県　　B：継続的な

設問2

文中の下線部に関する記述として、最も不適切なものはどれか。

ア　支援措置として、「創業関連保証の特例」がある。
イ　支援措置として、「ものづくり・商業・サービス生産性向上促進補助金の補助上限額増額（1,000万円）」がある。
ウ　創業者には、「創業希望者」が含まれる。
エ　創業者には、「創業後５年未満の者」が含まれる。

令和6年度
解答・解説

令和6年度 解答

問題		解答	配点	正答率※
第1問		ア	2	C
第2問	(設問1)	ウ	3	D
	(設問2)	オ	3	C
第3問		オ	3	B
第4問	(設問1)	オ	2	C
	(設問2)	ウ	2	A
第5問		エ	3	A
第6問		ア	2	B
第7問		イ	3	D
第8問		ア	3	C
第9問	(設問1)	イ	2	A
	(設問2)	イ	2	C
第10問	(設問1)	ウ	2	D
	(設問2)	エ	3	D
第11問		ア	2	B
第12問		イ	2	B
第13問		イ	2	B
第14問		エ	2	B
第15問	(設問1)	ウ	2	D
	(設問2)	イ	2	B
第16問		オ	3	E
第17問	(設問1)	ア	2	B
	(設問2)	ウ	2	A
	(設問3)	エ	3	A
第18問	(設問1)	ウ	3	B
	(設問2)	ウ	2	B
第19問	(設問1)	ウ	3	D
	(設問2)	ウ	2	B
第20問	(設問1)	エ	2	D
	(設問2)	ウ	3	C
第21問	(設問1)	イ	2	A
	(設問2)	エ	3	E
	(設問3)	エ	2	D
第22問	(設問1)	エ	2	A
	(設問2)	ウ	2	B
	(設問3)	エ	3	A
第23問	(設問1)	ア	2	A
	(設問2)	ア	2	A
第24問	(設問1)	ウ	3	D
	(設問2)	エ	2	E
第25問	(設問1)	イ	2	D
	(設問2)	イ	3	C

※TACデータリサーチによる正答率
正答率の高かったものから順に、A～Eの５段階で表示。
A：正答率80％以上　B：正答率60％以上80％未満　C：正答率40％以上60％未満
D：正答率20％以上40％未満　E：正答率20％未満

解答・配点は一般社団法人日本中小企業診断士協会連合会の発表に基づくものです。

令和6年度 解説

令和６年度の中小企業経営・中小企業政策は、15年連続で、中小企業経営21問、中小企業政策21問、合計42問の出題となった。また、14年連続で、当年版中小企業白書（令和６年度でいえば2024年版）からの出題はなかった。

中小企業経営は、中小企業白書からの出題が16問、小規模企業白書からの出題が２問、その他（経済財政白書等）からの出題が３問であった。中小企業白書からの出題は、大半が経済センサス、法人企業統計調査年報（季報）、中小企業実態基本調査、雇用保険事業年報、企業活動基本調査等の２次データの出題で、１次データ（中小企業庁委託のアンケート調査等）の出題は３問であった（第９問設問２、第15問設問１・２）。おおむね、例年と同様の出題傾向であった。

一方、中小企業政策は、中小企業基本法および中小企業等経営強化法から各３問出題されたほか、下請代金支払遅延等防止法、小規模事業者経営改善資金融資制度（マル経融資）、中小企業退職金共済制度から各２問出題されるなど、頻出論点の出題が中心で、こちらも、例年と同様の出題傾向であった。

出題傾向に大きな変化はなく、出題傾向を踏まえてきちんと対策を取れたか否かによって、得点に影響したと思われる。

【中小企業経営】

本解説中の図表上に表示されていない数値については、中小企業庁のHPにアップされている当該図表のエクセルファイルから抽出した。

第1問

2023年版中小企業白書（以下「白書」といい、特に発行年度の記載がない場合は2023年版を指す）p.Ⅲ-16、付属統計資料２表「産業別規模別従業者総数（民営、非一次産業、2009年、2012年、2014年、2016年）」⑴企業ベース（会社及び個人の従業者総数）からの出題である。

２表から2016年の非一次産業計の従業者総数を抜き出すと下表になる。下表の構成比は従業者総数合計に占める割合を示す。

	中小企業				大企業	
			うち小規模企業			
	従業者総数（人）	構成比（%）	従業者総数（人）	構成比（%）	従業者総数（人）	構成比（%）
非一次産業計	32,201,032	68.8	10,437,271	22.3	14,588,963	31.2

（2023年版　中小企業白書　p.Ⅲ-16）

従業者総数全体に占める中小企業の従業者総数の割合は68.8%、約「７」（空欄Aに該当）割となっている。

中小企業のうち小規模企業を除いた中規模企業について見ると、従業者総数は21,763,761人（＝32,201,032－10,437,271）、構成比46.5%である。従業者総数を大企業、中規模企業、小規模企業に分けてみると、「大企業」（空欄Bに該当）（14,588,963 人）は、「小規模企業」（空欄Cに該当）（10,437,271 人）を上回り、「中規模企業」（空欄Dに該当）（21,763,761 人）を下回る。

よって、**ア**が正解である。

第2問

小規模企業の企業数や付加価値額に関する出題である。

設問1

白書p.Ⅲ-12～14、付属統計資料１表「産業別規模別企業数（民営、非一次産業、2009年、2012年、2014年、2016年）」⑴企業数（会社数＋個人事業者数）および⑶個人事業者数、p.Ⅲ-28、付属統計資料５表「産業別規模別付加価値額（民営、非一

次産業、2011年、2015年）」(1)企業ベース（会社及び個人の付加価値額）からの出題である。

1表の(1)企業数（会社数＋個人事業者数）と(3)個人事業者数から中小企業数を抜き出すと下表になる。

(1) 企業数（会社数＋個人事業者数）

	中小企業			
			うち小規模企業	
	企業数	構成比（%）	企業数	構成比（%）
非一次産業計	3,578,176	99.7	3,048,390	84.9

（2023年版　中小企業白書　p.Ⅲ-12）

(3) 個人事業者数

	中小企業			
			うち小規模企業	
	企業数	構成比（%）	企業数	構成比（%）
非一次産業計	1,978,740	100.0	1,861,851	94.1

（2023年版　中小企業白書　p.Ⅲ-14）

(1)企業数（会社数＋個人事業者数）によると、小規模企業の企業数は全企業の84.9％と、約「85」（空欄Aに該当）％を占めている。小規模企業を個人事業者と会社で分けると、個人事業者数1,861,851は、小規模企業数全体3,048,390の61.1％を占めており、「５」（空欄Bに該当）割を超えている。

次に、５表から中小企業の付加価値額を抜き出すと下表になる。下表の構成比は全企業の付加価値額に占める割合を示す。

(1) 企業ベース（会社及び個人の付加価値額）

	中小企業			
			うち小規模企業	
	付加価値額（億円）	構成比（%）	付加価値額（億円）	構成比（%）
非一次産業計	1,351,106	52.9	357,443	14.0

（2023年版　中小企業白書　p.Ⅲ-28）

小規模企業の付加価値額は、全企業の約「14」（空欄Cに該当）％を占めている。

よって、**ウ**が正解である。

設問2 ●●●

（設問1）と同じく、白書p.Ⅲ-28、付属統計資料5表「産業別規模別付加価値額（民営、非一次産業、2011年、2015年）」(1)企業ベース（会社及び個人の付加価値額）からの出題である。5表から2015年の小規模企業の付加価値額について、卸売業、小売業、製造業を抜き出すと下表となる。

	付加価値額（億円）
製造業	71,583
卸売業	23,033
小売業	33,413

（2023年版　中小企業白書　p.Ⅲ-28）

多い順に並べると、製造業（71,583億円）－小売業（33,413億円）－卸売業（23,033億円）となる。

よって、**オ**が正解である。

第3問

白書p.Ⅲ-52、付属統計資料15表「中小企業（法人企業）の経営指標（2021年度）」からの出題である。15表から問われている項目について抜き出すと下表になる。

	売上高経常利益率	自己資本比率
製造業	5.10%	44.30%
卸売業	2.59%	39.62%
小売業	2.21%	36.64%

（2023年版　中小企業白書　p.Ⅲ-52）

売上高経常利益率および自己資本比率の両方とも、高い順に製造業－卸売業－小売業となる。

ア　×：自己資本比率は小売業が最も低い点は正しいが、売上高経常利益率は製造業が最も高い。

イ　×：選択肢**ア**の解説参照。

ウ　×：小売業の売上高経常利益率は最も低い。また、製造業の自己資本比率は最も高い。

エ　×：売上高経常利益率は製造業が最も高い点は正しいが、自己資本比率は小売業が最も低い。

オ　○：正しい。売上高経常利益率は製造業が最も高く、自己資本比率は小売業が最も低い。

よって、**オ**が正解である。

第4問

中小企業の設備投資に関する出題である。

設問1

白書p. I -12、第1-1-9図「企業規模別に見た、設備投資の推移」からの出題である。

第1-1-9図　企業規模別に見た、設備投資の推移

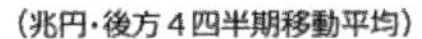

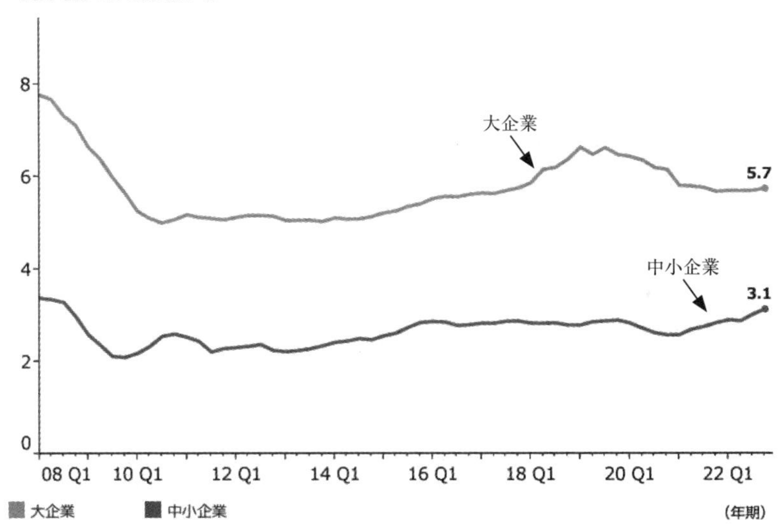

資料：財務省「法人企業統計調査季報」
（注）1.ここでいう大企業とは資本金10億円以上の企業、中小企業とは資本金１千万円以上１億円未満の企業とする。
2.金融業、保険業は含まれていない。
3.設備投資は、ソフトウェアを除く。

（2023年版　中小企業白書　p. I -12）

中小企業の設備投資額は、2012年第４四半期の2.2兆円から2015年の第４四半期の2.8兆円へ緩やかな「増加」（空欄Aに該当）傾向であった。

空欄Bは悩ましい。2016年第４四半期は2.8兆円で、2020年第４四半期が2.6兆円であるため減少している。しかし、白書p. I -12本文には次の記述がある。

「中小企業の設備投資は、2012年以降は緩やかな増加傾向にあったが、**2016年以降はほぼ横ばいで推移**してきた。しかし、2021年から緩やかな増加傾向が続いている」

選択肢に「減少」と「横ばい」の両方があり困惑するが、出題者は白書本文をもとに作問したと考えられ、白書本文を優先する。

2021年第４四半期は2.8兆円で、2022年第４四半期の3.1兆円へと緩やかに「増加」（空欄Cに該当）している。

よって、**オ**が正解である。

設問2 ●●●

白書p.Ⅰ-16、第１-１-13図「今後の設備投資における優先度の推移」からの出題である。

第１-１-13図　今後の設備投資における優先度の推移

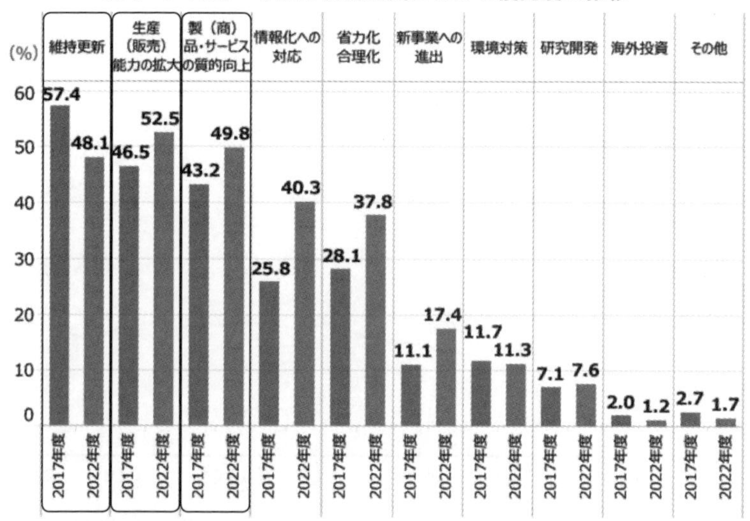

資料：内閣府・財務省「法人企業景気予測調査」
（注）1.データの制約上、2017年度については７～９月、2022年度については10～12月のデータを用いている。
2.各年度における設備投資のスタンスとして、重要度の高い３項目について集計している。
3.複数回答のため、合計は必ずしも100%にはならない。
4.ここでいう中小企業とは資本金１千万円以上１億円未満の企業とする。

（2023年版　中小企業白書　p.Ⅰ-16）

今後の設備投資の優先度について、「維持更新」は2017年度の57.4%から2022年度の48.1%に「減少」（空欄Dに該当）した。一方、「生産（販売）能力の拡大」は46.5%から52.5%に「増加」（空欄Eに該当）し、「製（商）品・サービスの質的向上」も43.2%から49.8%へ「増加」（空欄Fに該当）した。

よって、**ウ**が正解である。

第5問

白書p.Ⅰ-83、第1-3-9図「業種別に見た、所定内給与額の推移（中小企業・常用労働者）」からの出題である。

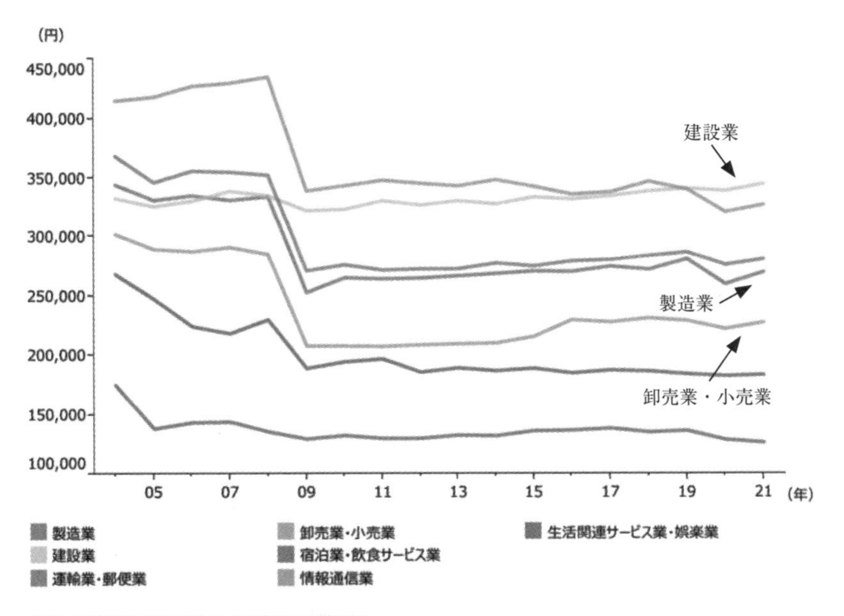

（2023年版　中小企業白書　p.Ⅰ-83）

卸売業・小売業、建設業、製造業の３業種について、2021年の所定内給与額を高い順に並べると、建設業（344,575円）－製造業（269,494円）－卸売業・小売業（227,296円）となる。

よって、**エ**が正解である。

第6問

白書p.Ⅰ-102、第1-3-18図「企業規模別に見た、一企業当たりの売上高・設備投資額の推移（2009年比の増減率）」からの出題である。

第1-3-18図　企業規模別に見た、一企業当たりの売上高・設備投資額の推移（2009年比の増減率）

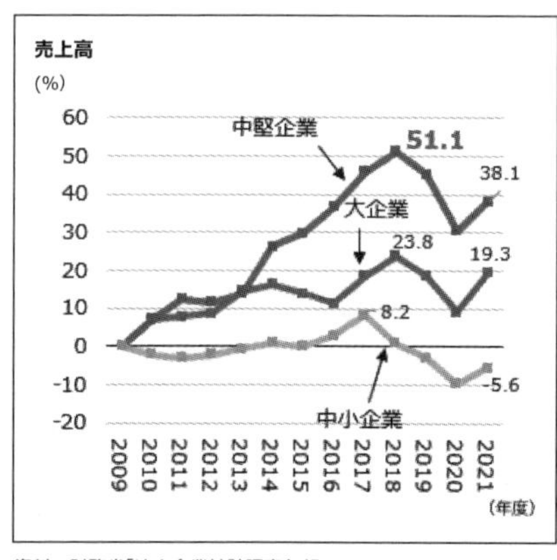

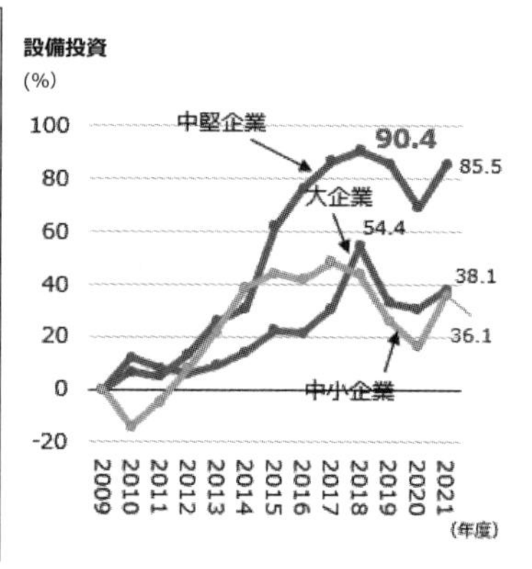

資料：財務省「法人企業統計調査年報」
（注）ここでいう大企業とは資本金10億円以上、中堅企業とは資本金１億円以上10億円未満、中小企業とは資本金１千万円以上１億円未満の企業を指す。

（2023年版　中小企業白書　p.Ⅰ-102）

１企業当たりの売上高の推移を2009年度比の増減率で見ると、中堅企業は2015年度に29.8％の増加となり、2018年度には51.1％と増加が大きい。大企業は2015年度に13.8％の増加で2018年度には23.8％まで伸びたが、中堅企業の増加率を下回っている。中小企業は2015年度に０％で2009年度と同じ売上高である。2017年度に8.2％増加したが、2019年度にはマイナスとなり売上高は減っている。

よって、**ア**が正解である。

第7問

中小企業庁「中小企業・小規模事業者人材活用ガイドライン」（以下「人材活用ガイドライン」という）からの出題である。人材活用ガイドラインは、経営課題の背景に人手不足や人材育成など人材が大きな経営課題になっている可能性があることを指摘し、中核人材の採用、中核人材の育成、業務人材の採用・育成、の3つの人材課題に対する具体的な対応策や支援策を紹介している。

a　〇：正しい。人材活用ガイドラインp.16には「人材戦略の方向性は、確保したい人材のタイプに応じて、大きく（1）「中核人材の採用」（2）「中核人材の育成」（3）「業務人材の採用・育成」の３つに分けられます。」と記述されている。

b **×**：人材活用ガイドラインp.6には、人材戦略を検討するための3ステップとして、**ステップ1：経営課題と人材課題を見つめ直しましょう、ステップ2：人材戦略を検討しましょう、**ステップ3：人材戦略を実行しましょう、を提示している。人材戦略の検討の前に、経営課題や人材課題を見つめ直すことを提案している。

c **○**：正しい。人材活用ガイドラインp.17には「中核人材を採用するためには、求人像の明確化や、求める人材が『ここで働きたい』と思うような職場環境づくりが必要です。」とあり、職場環境づくりの具体的な施策として、人事評価制度の策定・見直し、キャリアパスの見える化などが記述されている。

よって、**a**＝「正」、**b**＝「誤」、**c**＝「正」となり、**イ**が正解である。

第8問

中小企業庁「エクイティ・ファイナンスに関する基礎知識」第一章 中小事業者のエクイティ・ファイナンスからの出題である。「エクイティ・ファイナンスに関する基礎知識」は、中小企業が株式発行による資金調達（エクイティ・ファイナンス）を活用するための情報をまとめたものである。作成した背景には、中小企業は金融機関からの融資を利用することが多いが、新規事業の立ち上げやR&D、他社のM&Aなどのチャレンジに取り組む際には、リスクマネーとしてのエクイティ・ファイナンスの活用余地が大きいと考えられることがある。

a **○**：正しい。「エクイティ・ファイナンスに関する基礎知識」第一章 中小事業者のエクイティ・ファイナンスp.3に「エクイティ・ファイナンスとは、会社の事業や取組みならびに将来性等に対する評価のもと、株式を発行する対価として出資者から資金提供（出資）を受けることを指します」と記述されている。

b **○**：正しい。p.3にエクイティ・ファイナンスの主な利用目的として「新しい取組み（新規事業や事業拡大等）や事業の転換（事業再生等）を行うための投資」と記述されている。

c **○**：正しい。p.3にエクイティ・ファイナンスのメリットとして「返済が伴わないことから、財務基盤の安定に繋がり、企業としての信用力向上の効果がある」ことや「株主から経営や事業運営のサポートを受けられる場合が多い」ことが挙げられている。

よって、**a**＝「正」、**b**＝「正」、**c**＝「正」となり、**ア**が正解である。

第9問

中小企業の海外展開に関する出題である。

設問1

白書p.Ⅱ-104、第2-1-75図「企業規模別に見た、直接輸出・直接投資企業割合の推移」、p.Ⅱ-108、第2-1-79図「輸出実施企業と輸出非実施企業の労働生産性」からの出題である。

第2-1-75図　企業規模別に見た、直接輸出・直接投資企業割合の推移

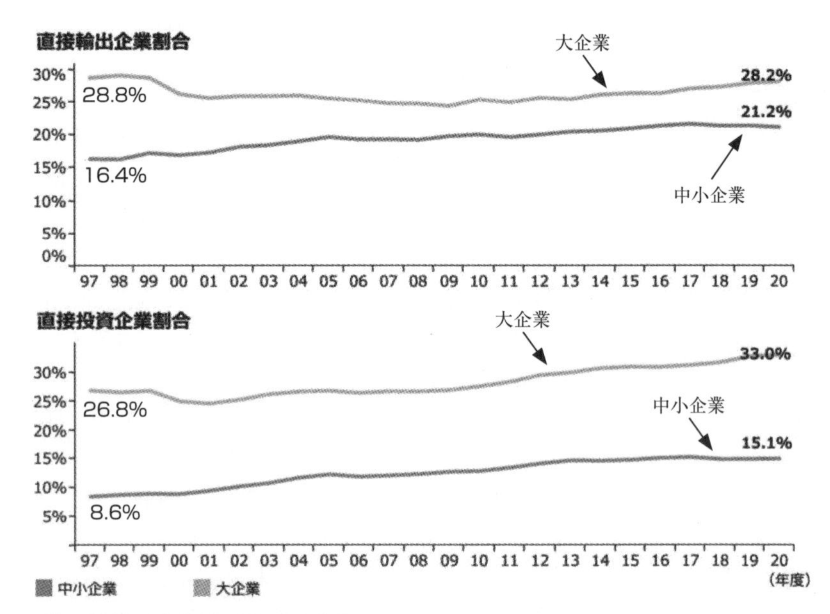

資料：経済産業省「企業活動基本調査」再編加工
（注）ここでいう直接輸出企業とは、直接外国企業との取引を行う企業である。

（2023年版　中小企業白書　p.Ⅱ-104）

第2-1-75図によると、中小企業の直接輸出企業割合は1997年度から2020年度まで16.3～21.7%の間で推移している。中小企業の直接投資企業割合は8.6～15.3%で推移しており、直接輸出企業割合は直接投資企業割合を一貫して「上回って」（空欄Aに該当）いる。同期間の大企業の直接輸出企業割合は24.5～29.2%で推移しており、中小企業の直接輸出企業割合は大企業を一貫して「下回って」（空欄Bに該当）いる。

第2-1-79図　輸出実施企業と輸出非実施企業の労働生産性

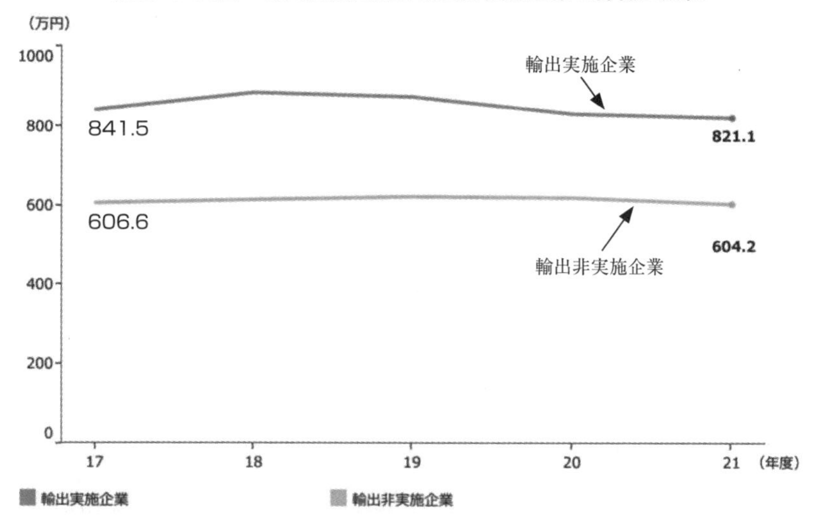

資料：経済産業省「企業活動基本調査」再編加工
（注）1.中小企業基本法の定義に基づく、中小企業のみを対象に集計している。
2.労働生産性＝国内の付加価値額/国内の従業者数で計算している。
3.2017年度から2021年度まで連続して回答している企業を集計している。

(2023年版　中小企業白書　p.Ⅱ-108)

第2-1-79図によると、2017年度から2021年度の期間について、輸出実施企業の労働生産性は800万円台で推移しているのに対し、輸出非実施企業の労働生産性は600万円台で推移し、輸出実施企業の労働生産性が輸出非実施企業の労働生産性を一貫して「上回って」(空欄Cに該当) いる。

よって、**イ**が正解である。

設問2 ●●●

白書p.Ⅱ-105、第2-1-76図「業種別に見た、海外展開の実施状況」からの出題である。

第2-1-76図　業種別に見た、海外展開の実施状況

業種	n	海外展開をしている	海外展開をしていない
建設業	(n=454)	2.4%	94.5%
製造業	(n=1,846)	19.3%	75.9%
情報通信業	(n=463)	8.9%	89.0%
運輸・郵便業	(n=471)	5.9%	91.5%
卸売業	(n=559)	12.0%	84.1%
小売業	(n=521)	2.3%	95.4%
不動産・物品賃貸業	(n=400)	2.0%	95.8%
学術研究、専門・技術サービス業	(n=540)	6.3%	90.0%
宿泊業・飲食サービス業	(n=72)	5.6%	90.3%
生活関連サービス業・娯楽業	(n=130)	6.2%	90.8%
その他	(n=692)	6.1%	90.6%

0%　20%　40%　60%　80%　100%

■ 海外展開をしている
■ 現在はしていないが、今後海外展開をする見込み
■ 海外展開をしていない

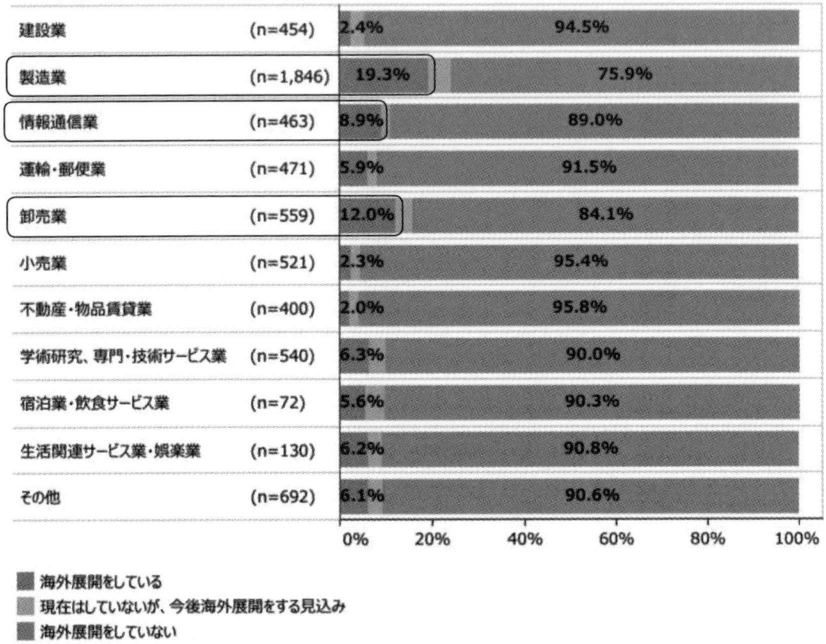

資料：（株）東京商工リサーチ「中小企業が直面する経営課題に関するアンケート調査」

（2023年版　中小企業白書　p.Ⅱ-105）

中小企業の海外展開の実施状況を業種別に見ると、「海外展開をしている」割合は、製造業が19.3%、情報通信業が8.9%、卸売業が12.0%となっている。「卸売業」（空欄Dに該当）が「情報通信業」（空欄Eに該当）よりも高く、「製造業」（空欄Fに該当）よりも低い。

よって、**イ**が正解である。

第10問

開業率、廃業率に関する出題である。

設問1

白書p.Ⅱ-188、第２-２-54図「開業率・廃業率の推移」からの出題である。

第２-２-54図　開業率・廃業率の推移

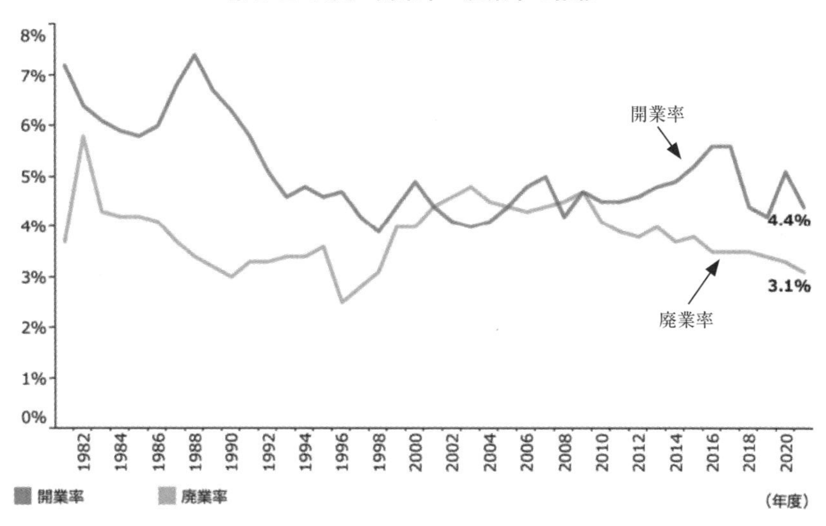

資料：厚生労働省「雇用保険事業年報」のデータを基に中小企業庁が算出
（注）1.開業率は、当該年度に雇用関係が新規に成立した事業所数／前年度末の適用事業所数である。
2.廃業率は、当該年度に雇用関係が消滅した事業所数／前年度末の適用事業所数である。
3.適用事業所とは、雇用保険に係る労働保険の保険関係が成立している事業所数である
（雇用保険法第５条）。

（2023年版　中小企業白書　p.Ⅱ-188）

開業率は1988年度に7.4％であったが、1998年度の3.9％へ「低下」（空欄Aに該当）傾向であった。2000年度から2014年度まで4.0～5.0％で推移したのち2016年度と2017年度には5.6％と上昇した。2018年度は4.4％に「低下」（空欄Cに該当）した。2000年代の傾向を問うている空欄Bに「上昇」か「低下」のどちらを入れるか悩ましいが、白書p.Ⅱ-187本文には次の記述がある。

「開業率は、1988年度をピークとして低下傾向に転じた後、**2000年代を通じて緩やかな上昇傾向**で推移してきたが、2018年度に再び低下。足下では4.4％となっている。」

この文章をもとに空欄Bの語句は「上昇」と判断する。

よって、**ウ**が正解である。

設問2 ●●●

白書p.Ⅱ-189、第２-２-55図「業種別の開廃業率（2021年度）」からの出題である。

第２-２-55図　業種別の開廃業率（2021年度）

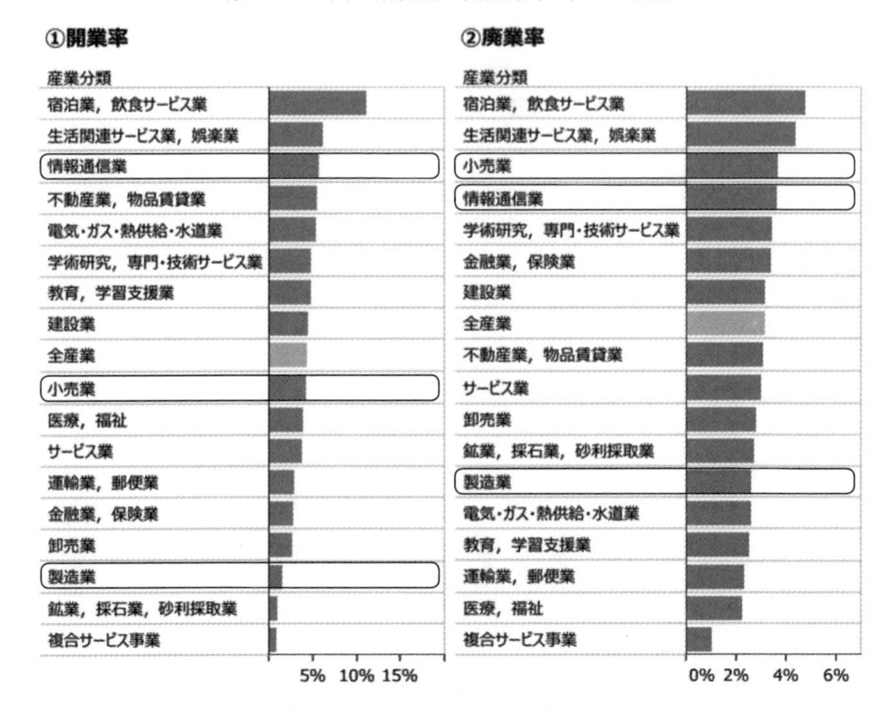

資料：厚生労働省「雇用保険事業年報」のデータを基に中小企業庁が算出
（注）1.開業率は、当該年度に雇用関係が新規に成立した事業所数／前年度末の適用事業所数である。
2.廃業率は、当該年度に雇用関係が消滅した事業所数／前年度末の適用事業所数である。
3.適用事業所とは、雇用保険に係る労働保険の保険関係が成立している事業所数である（雇用保険法第５条）。

（2023年版　中小企業白書　p.Ⅱ-189）

小売業、情報通信業、製造業の３業種の開業率を見ると、小売業（4.2%）、情報通信業（5.7%）、製造業（1.5%）となり、「情報通信業」（空欄Dに該当）が最も高く、「製造業」（空欄Eに該当）が最も低い。３業種の廃業率は、小売業（3.7%）、情報通信業（3.6%）、製造業（2.6%）で「製造業」（空欄Fに該当）が最も低い。

よって、**エ**が正解である。

第11問

白書p.Ⅱ-191、第２-２-57図「企業の社齢別に見た、常用雇用者数の純増数」からの出題である。

第2-2-57図　企業の社齢別に見た、常用雇用者数の純増数

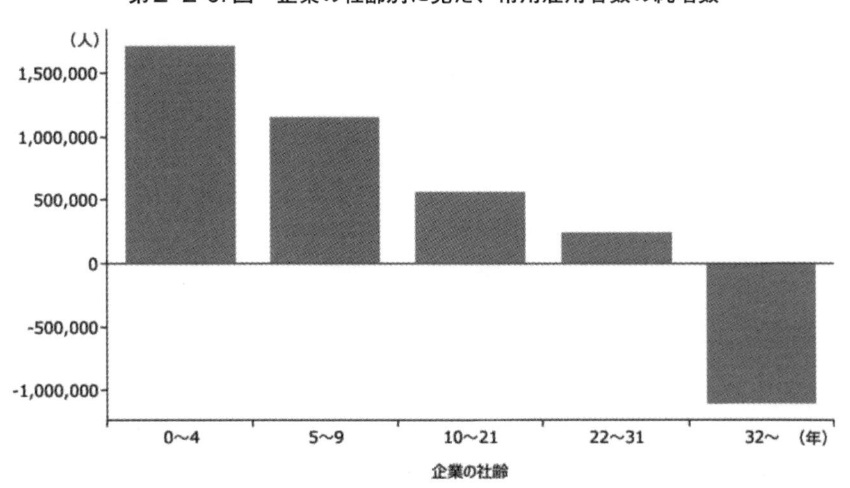

資料：総務省・経済産業省「平成24年、平成28年経済センサス－活動調査」再編加工
（注）1.会社以外の法人及び農林漁業は除いている。
2.事業所が複数ある企業の場合は、事業所開設時期が最も古い値を社齢とし、以降開設した事業所における雇用者数も集計している。
3.経済センサスの事業所開設時期は、「昭和59年以前」、「昭和60～平成6年」、「平成7～平成16年」、「平成17年以降」で調査されている。また、「平成17年以降」については、開設年の数値回答を用いて集計している。
4.社齢が３年以内の企業については、事業所を移転した存続企業による雇用者数の増加が含まれている点に留意する必要がある。
5.社齢が４年の企業については、「平成24年経済センサス－活動調査」で把握できなかった企業の雇用者数が含まれている点に留意する必要がある。

（2023年版　中小企業白書　p.Ⅱ-191）

常用雇用者数の純増数は、社齢０～４年の企業が1,715,703人、10～21年の企業が561,728人、32～年の企業が▲1,094,136人である。図からは企業年齢が若いほど、常用雇用者純増数が大きくなっていることが読み取れる。

よって、多い順に並べると「**a**：０～４年」－「**b**：10～21年」－「**c**：32年以上」となり、**ア**が正解である。

第12問

白書p. I -29、第 1 - 1 -26図「人材確保のための方策」からの出題である。

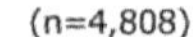

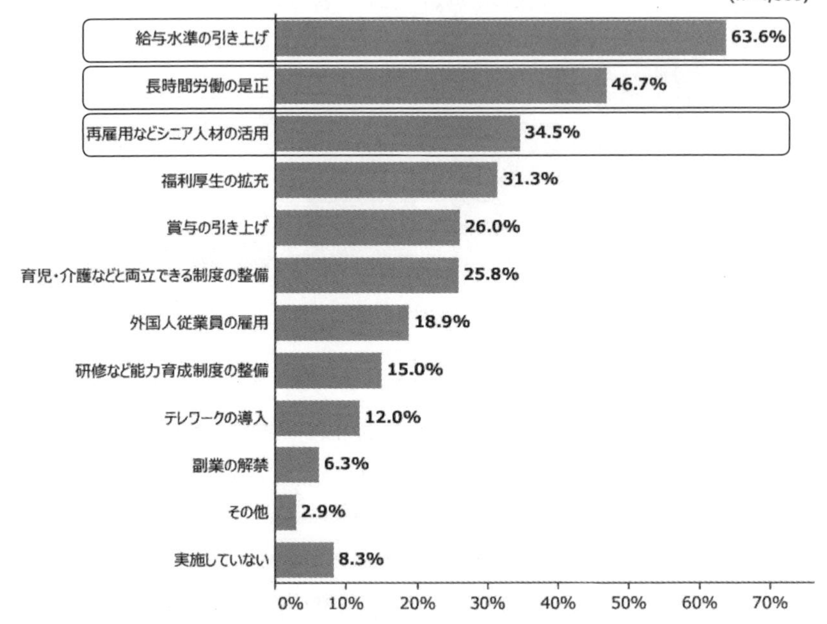

資料：（株）日本政策金融公庫総合研究所「全国中小企業動向調査・中小企業編」（2022年1-3月期付帯調査）
（注） 複数回答のため、合計は必ずしも100%にはならない。

(2023年版　中小企業白書　p. I -29)

回答企業割合が高い順に並べると、**a**:「給与水準の引き上げ」63.6% − **c**:「長時間労働の是正」46.7% − **b**:「再雇用などシニア人材の活用」34.5%となる。

よって、**イ**が正解である。

第13問

白書p.Ⅱ-232、第２-３-６図「直近１年の各コストの変動に対する価格転嫁の状況」からの出題である。

第2-3-6図　直近１年の各コストの変動に対する価格転嫁の状況

原材料価格の変動

		おおむね反映された	一部反映された	あまり反映されなかった	反映されなかった
製造業	(n=6,108)	27.9%	41.1%	20.6%	10.3%
サービス業	(n=7,236)	12.5%	25.4%	33.6%	28.5%
その他業	(n=4,765)	24.6%	38.0%	24.7%	12.7%

労務費の変動

		おおむね反映された	一部反映された	あまり反映されなかった	反映されなかった
製造業	(n=6,118)	12.8%	28.7%	36.9%	21.6%
サービス業	(n=7,371)	13.6%	26.3%	35.0%	25.2%
その他業	(n=4,757)	14.5%	28.3%	36.7%	20.6%

エネルギー価格の変動

		おおむね反映された	一部反映された	あまり反映されなかった	反映されなかった
製造業	(n=6,099)	12.0%	27.9%	38.8%	21.3%
サービス業	(n=7,280)	10.5%	20.5%	37.2%	31.9%
その他業	(n=4,742)	14.1%	26.6%	38.3%	21.0%

0%　10%　20%　30%　40%　50%　60%　70%　80%　90%　100%

おおむね反映された（81～100%）　あまり反映されなかった（1～40%）
一部反映された（41～80%）　反映されなかった（0%）

資料：（株）東京商工リサーチ「令和４年度取引条件改善状況調査」
（注）1.受注側事業者向けアンケートを集計したもの。
2.労務費については、最低賃金の引上げ、人手不足への対処等、外的要因による労務費の上昇を含む。

（2023年版　中小企業白書　p.Ⅱ-232）

製造業の価格転嫁の状況について、原材料価格の変動は「おおむね反映された」27.9%、「一部反映された」41.1%、「あまり反映されなかった」20.6%、「反映されなかった」10.3%となっている。本問の条件に照らすと、「反映された」69.0%（＝「おおむね反映された」27.9%＋「一部反映された」41.1%）が、「反映されなかった」30.9%（＝「あまり反映されなかった」20.6%＋「反映されなかった」10.3%）を上回っている。

同様に見ると、労務費の変動は、「反映された」が41.5%（＝「おおむね反映された」12.8%＋「一部反映された」28.7%）にとどまり、「反映されなかった」58.5%（＝「あまり反映されなかった」36.9%＋「反映されなかった」21.6%）が「反映された」を上回っている。

また、エネルギー価格の変動は、「反映された」が39.9%（＝「おおむね反映された」

12.0%＋「一部反映された」27.9%）であり、「反映されなかった」60.1%（＝「あまり反映されなかった」38.8%＋「反映されなかった」21.3%）が「反映された」を上回っている。労務費、エネルギー価格の変動は、原材料価格の変動に比べて価格に反映されていない状況にある。

よって、**イ**が正解である。

第14問

白書p.Ⅲ-12、付属統計資料1表「産業別規模別企業数（民営、非一次産業、2009年、2012年、2014年、2016年）」⑴企業数（会社数＋個人事業者数）からの出題である。1表から問われている項目について抜き出してまとめると下表になる。

	2009年	2012年	2014年	2016年
建設業	519,259	467,119	455,269	430,727
製造業	446,499	429,468	413,339	380,517
小売業	805,162	694,072	668,194	623,072

（2023年版　中小企業白書　p.Ⅲ-12をもとに作成）

2016年の中小企業の企業数を見ると、「小売業」（空欄Aに該当）が623,072と最も多く、次いで建設業（430,727）が多く、「製造業」（空欄Bに該当）が380,517と最も少ない。2009年と2016年で比較すると建設業では519,259から430,727へ「減少」（空欄Cに該当）している。3業種とも減少が続いている。

よって、**エ**が正解である。

第15問

小規模企業白書から地域課題解決事業に関する出題である。

設問1

2023年版小規模企業白書p.Ⅱ-8、第２-１-７図「地域課題解決事業の取組状況」、2023年版小規模企業白書p.Ⅱ-15、第２-１-11図「地域課題解決事業単体での収支状況」からの出題である。

第2-1-7図　地域課題解決事業の取組状況

（1）現在の取組状況

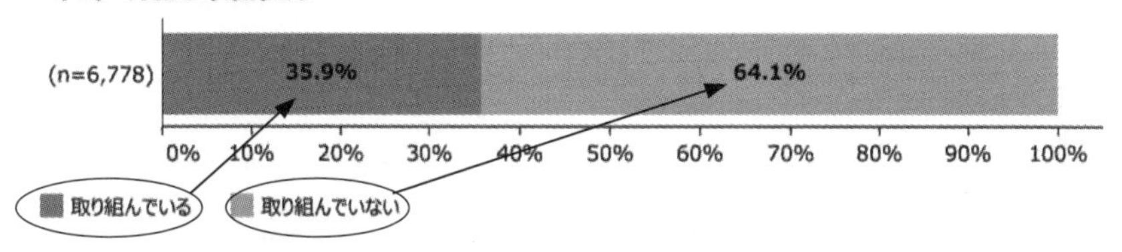

（2）今後の取組意向

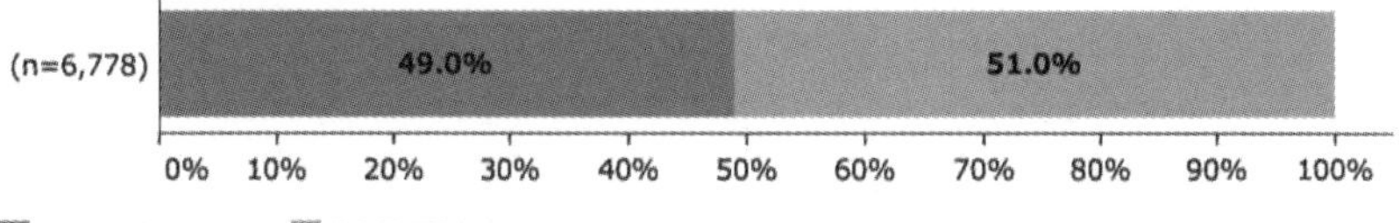

資料：（株）野村総合研究所「地域における中小企業のデジタル化及び社会課題解決に向けた取組等に関する調査」
（注）ここでいう地域課題解決事業とは、地域課題解決に向けて事業外の活動（慈善活動やCSR等）として取り組むことではなく、自社の事業の一環として取り組むことを指す。

（2023年版　小規模企業白書　p.Ⅱ-８）

第２-１-７図によると、現在の取組状況は、「取り組んでいる」企業が35.9％で、「取り組んでいない」企業64.1％を「下回って」（空欄Aに該当）いる。

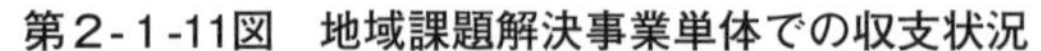

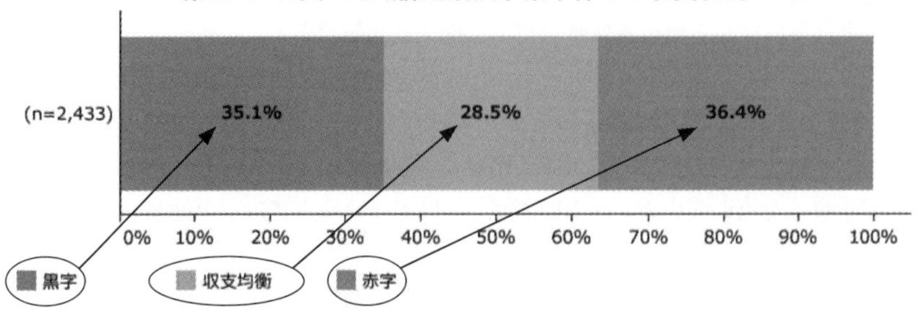

資料：（株）野村総合研究所「地域における中小企業のデジタル化及び社会課題解決に向けた取組等に関する調査」
（注）1.ここでいう地域課題解決事業とは、地域課題解決に向けて事業外の活動（慈善活動やCSR等）として取り組むことではなく、自社の事業の一環として取り組むことを指す。
2.地域課題の解決に向けて現在、取り組んでいる分野のいずれかについて回答した事業者に聞いている。
3.ここでいう黒字は「補助金を除いても黒字（※補助金をもらっていない場合も含む）」又は「補助金を含めれば黒字」のいずれかを回答した事業者を指す。また、赤字は「赤字」又は「事業単体での収支を見ていない・分からない」のいずれかを回答した事業者を指す。

（2023年版　小規模企業白書　p.Ⅱ-15）

第2-1-11図を見ると、地域課題解決事業単体の収支は、「黒字」35.1%、「収支均衡」28.5%、「赤字」36.4%であり、「黒字」と「収支均衡」の合計63.6%は「赤字」36.4%を「上回って」（空欄Bに該当）いる。

よって、**ウ**が正解である。

設問2

2023年版小規模企業白書p.Ⅱ-25、第２-１-18図「地域課題解決事業に取り組む事業者の資金調達方法」からの出題である。

第２-１-18図　地域課題解決事業に取り組む事業者の資金調達方法

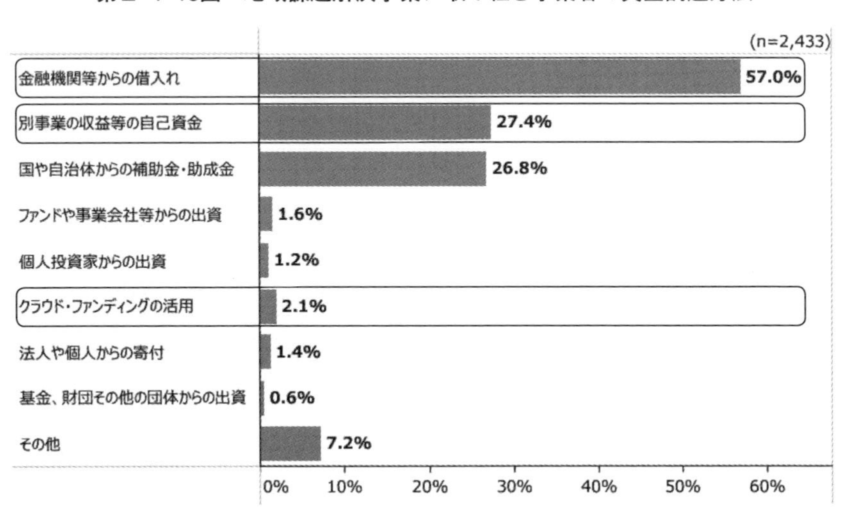

資料：（株）野村総合研究所「地域における中小企業のデジタル化及び社会課題解決に向けた取組等に関する調査」
（注）1.複数回答のため、合計は必ずしも100%にはならない。
2.地域課題の解決に向けて現在、取り組んでいる分野のいずれかについて回答した事業者に聞いている。

（2023年版　小規模企業白書　p.Ⅱ-25）

回答企業割合が高い順に並べると、**a**：「金融機関等からの借入れ」57.0％－**c**：「別事業の収益等の自己資金」27.4％－**b**：「クラウド・ファンディングの活用」2.1％となる。

よって、**イ**が正解である。

第16問

内閣府「令和5年度年次経済財政報告」p.44、第１-１-15図「資本装備率、資本係数、資本ヴィンテージ」⑺ROA長期推移からの出題である。年次経済財政報告は「経済財政白書」と呼ばれることもある。

第１-１-15図　資本装備率、資本係数、資本ヴィンテージ

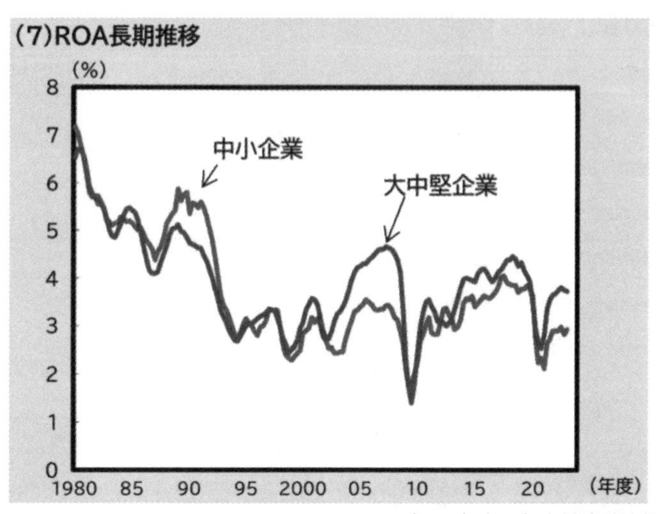

（2023年度　年次経済財政報告　p.44）

1980年度第４四半期のROA（総資本営業利益率）は大企業・中堅企業が6.6%、中小企業が6.5%である。2020年度第４四半期は大企業・中堅企業が2.6%、中小企業が2.4%である。大企業・中堅企業、中小企業ともに長期的に総資本営業利益率は低下している。なお、第１-１-15図⑺ROA長期推移のデータは後方４四半期移動平均で算出されているため第４四半期の値をもとに解説した。数値は内閣府のHPにアップされている当該図表のCSVファイルから抽出している。

よって、**オ**が正解である。

【中小企業政策】

第17問

中小企業基本法についての出題である。基本的な事項が問われており、3問とも確実に正解したい。

設問1 ●●●

中小企業基本法の中小企業者の範囲（定義）についての出題である。本問は基本的な事項が問われており、必ず正解しなくてはならない問題である。

下記に中小企業者の定義を掲載する。

業種分類	定義（基準）
製造業その他 （建設業、運輸業など）	資本金3億円以下または 従業員数300人以下
卸売業	資本金1億円以下または 従業員数100人以下
小売業、飲食店	資本金5千万円以下または 従業員数50人以下
サービス業	資本金5千万円以下または 従業員数100人以下

a ○：正しい。「日本料理店」は、日本標準産業分類では、大分類の「宿泊業、飲食サービス業」のうち、中分類の「飲食店」に該当する。「飲食店」は、中小企業者の定義では「小売業、飲食店」で判定する。そうすると、資本金基準を満たしており、中小企業者に含まれる。なお、中小企業者の判定においては、資本金基準、従業員基準のどちらかの条件が満たされていれば、中小企業者に該当する（以下同じ）。

b ○：正しい。「旅館」は、日本標準産業分類では、大分類の「宿泊業、飲食サービス業」のうち、中分類の「宿泊業」に該当する。「宿泊業」は、中小企業者の定義では「サービス業」で判定する。そうすると、従業員基準を満たしており、中小企業者に含まれる。

c ×：「生活関連サービス業」は、日本標準産業分類では、大分類の「生活関連サービス業、娯楽業」に該当する（本問の問題文からは中分類は不明である）。「生活関連サービス業」は、中小企業者の定義では「サービス業」で判定する。そうすると、資本金基準、従業員基準ともに満たしていないので、中小企業者の範囲に含まれない。

よって、**a**=「正」、**b**=「正」、**c**=「誤」となり、**ア**が正解である。

設問2 ●●●

中小企業基本法の小規模企業者の範囲（定義）についての出題である。本問は基本的な事項が問われており、必ず正解しなくてはならない問題である。

下記に、小規模企業者の定義を掲載する。

業種分類	定義（基準）
製造業その他	従業員数20人以下
商業（卸売業、小売業、飲食店）・サービス業	従業員数5人以下

a **×**：「無店舗小売業」は、小規模企業者の定義では「商業・サービス業」で判定する。小規模企業者の定義では、従業員基準を満たしていないので、小規模企業者に含まれない。なお、小規模企業者の判定においては、資本金は一切考慮しなくてよいことに注意すること（以下同じ）。

b **○**：正しい。「貨物軽自動車運送業」は、小規模企業者の定義では「製造業その他」で判定する。小規模企業者の定義では、従業員基準を満たしており、小規模企業者に含まれる。

c **○**：正しい。「造園工事業」は、小規模企業者の定義では「製造業その他」で判定する。小規模企業者の定義では、従業員基準を満たしており、小規模企業者に含まれる。

よって、**a**=「誤」、**b**=「正」、**c**=「正」となり、**ウ**が正解である。

設問3 ●●●

中小企業基本法の基本方針についての出題である。本問は基本的な事項が問われており、必ず正解しなくてはならない問題である。

中小企業基本法第5条について、法律の条文を下記に示すことにする。

＜中小企業基本法第5条（基本方針）＞

政府は、次に掲げる基本方針に基づき、中小企業に関する施策を講ずるものとする。

一　中小企業者の経営の革新及び創業の促進並びに創造的な事業活動の促進を図ること。

二　中小企業の経営資源の確保の円滑化を図ること、中小企業に関する取引の適正化を図ること等により、中小企業の**経営基盤の強化**（空欄Aに該当）を図ること。

三　経済的社会的環境の変化に即応し、中小企業の経営の安定を図ること、事業の転換の円滑化を図ること等により、その変化への適応の円滑化を図ること。

四　中小企業に対する資金の供給の円滑化及び中小企業の**自己資本の充実**（空欄Bに該当）を図ること。

よって、空欄Aには「経営基盤の強化」、空欄Bには「自己資本の充実」が入り、**エ**が正解である。

第18問

「マル経融資（小規模事業者経営改善資金融資制度）」についての出題である。問われている事項はいずれも基本事項であり、確実に正解したい。

マル経融資（小規模事業者経営改善資金融資制度）の内容は下記のとおりである。

＜支援内容＞

1）対象資金
　設備資金、運転資金

2）貸付限度額
　2,000万円（空欄Bに該当）

3）貸付期間
　運転資金**７年以内**（空欄Cに該当）（据置期間１年以内）
　設備資金10年以内（据置期間２年以内）

4）貸付条件
　無担保・無保証人（本人保証もなし）

＜利用要件＞

常時使用する従業員が20人以下（商業・サービス業の場合は５人以下。ただし、宿泊・娯楽業は20人以下）の法人・個人事業主等で、以下の要件をすべて満たす者が利用できる。

1）商工会・商工会議所の経営指導員による経営指導を原則６か月以上受けていること

2）所得税、法人税、事業税、都道府県民税などの税金を完納していること

3）原則として同一の商工会等の地区内で**１年以上事業を行っている**（空欄Aに該当）こと

4）商工業者であり、かつ、日本政策金融公庫の融資対象業種を営んでいること

＜利用方法＞

1）主たる事業所の所在する**地区の商工会**（空欄Dに該当）・商工会議所へ申込みをする。

2） 申込みを受け付けた商工会・商工会議所において審査し、日本政策金融公庫に融資の推薦をする。

3） 日本政策金融公庫の審査を経て、融資が実施される。

設問1 ●●●

利用要件と融資限度額についての出題である。上記解説の<利用要件>のうち3）の内容と<支援内容>のうち2）の内容が問われた。基本事項であり、必ず正解したい。

よって、空欄Aには「1年以上事業を行っている」、空欄Bには「2,000万円」が入り、**ウ**が正解である。

設問2 ●●●

返済期間（貸付期間）と申込先についての出題である。上記解説の<支援内容>のうち3）の内容と<利用方法>のうち1）の内容が問われた。基本事項であり、必ず正解したい。

よって、空欄Cには「7年以内」、空欄Dには「地区の商工会」が入り、**ウ**が正解である。

第19問

「中小企業退職金共済制度」についての出題である。やや細かい事項も問われたが、3類型の共済制度に関する過去問を丁寧に解いた受験生であれば、正解できる問題である。

設問1 ●●●

初めて見る記述もあったと思われるが、過去問を丁寧に復習した方であれば消去法で正解できる問題である。小規模企業共済制度や中小企業倒産防止共済制度（経営セーフティ共済）と混同しないように注意すること。

ア ×：中小企業倒産防止共済制度（経営セーフティ共済）に関する記述である。

イ ×：小規模企業共済制度に関する記述である。中小企業退職金共済制度は「中小企業で働く従業員の退職金制度」である。

ウ ○：正しい。短時間労働者には、一般の従業員より低い特例掛金月額を設けている。

エ ×：中小企業倒産防止共済制度（経営セーフティ共済）に関する記述である。

よって、**ウ**が正解である。

設問2 ●●●

一般の中小企業退職金共済制度では、**初めて加入した事業主**（空欄Aに該当）に対して、**掛金月額の２分の１（上限5,000円）**（空欄Bに該当）を従業員ごとに加入後４か月目から１年間、国が助成している。

よって、空欄Aには「初めて加入した事業主」、空欄Bには「掛金月額の２分の１（上限5,000円）」が入り、**ウ**が正解である。

第20問

下請中小企業振興法の振興基準についての出題である。頻出論点ではないので、ここまで対策が進んでいない受験生も多いと考えられ、２問とも正解することは困難な問題といえる。

設問1 ●●●

下請中小企業振興法は、下請取引の一般的な基準（振興基準）の周知や下請中小企業の経営基盤の強化のために取引あっせんを行うことにより、下請中小企業の振興を図るものである。そのうち下請中小企業振興法の「**振興基準**」（空欄に該当）とは、同法第３条に基づく経済産業大臣告示であり、同法第４条に基づく「指導・助言」の根拠となるとともに、業種別ガイドライン、自主行動計画、パートナーシップ構築宣言のひな形の策定に参照されるものである。

「振興基準」は、下請中小企業振興法第３条２項により、下記の事項を定めることになっている。

1．下請事業者の生産性の向上及び製品若しくは情報成果物の品質若しくは性能又は役務の品質の改善に関する事項
2．発注書面の交付その他の方法による親事業者の発注分野の明確化及び親事業者の発注方法の改善に関する事項
3．下請事業者の施設又は設備の導入、技術の向上及び事業の共同化に関する事項
4．対価の決定の方法、納品の検査の方法その他取引条件の改善に関する事項
5．下請事業者の連携の推進に関する事項
6．下請事業者の自主的な事業の運営の推進に関する事項
7．下請取引に係る紛争の解決の促進に関する事項
8．下請取引の機会の創出の促進その他下請中小企業の振興のため必要な事項

なお、「業種別ガイドライン」とは「下請適正取引等の推進のためのガイドライン（下請ガイドライン）」のことであり、下請事業者と親事業者との間で、適正な下請取引が行われるよう、国が策定したガイドラインである。

よって、空欄には「振興基準」が入り、**エ**が正解である。

設問2 ●●●

下請中小企業振興法の「振興基準」の改正内容についての出題である。問題文にもあるとおり、2022年（令和4年7月29日）に全面的に改定された、なお、2024年3月25日にさらに一部改正が行われている（2022年の改定内容そのものに変更はない）。

ア ×：振興基準第4「対価の決定の方法、納品の検査の方法その他取引条件の改善に関する事項」の規定に、「下請代金は、物品等の受領日から起算して**60日以内**において定める支払期日までに支払うこと」が追加された。

イ ×：振興基準第4「対価の決定の方法、納品の検査の方法その他取引条件の改善に関する事項」の規定に、「親事業者及び下請事業者は、令和8年（2026）年の約束手形の利用廃止に向け、できる限り、**約束手形**を利用せず、また現金払いを行うこと」が追加された。

ウ ○：正しい。振興基準第8「下請取引の機会の創出の促進その他下請中小企業の振興のため必要な事項」の規定に、「パートナーシップ構築宣言を行い、定期的に見直すこと。また、社内担当者・取引先に宣言を浸透させること」が追加された。なお、パートナーシップ構築宣言とは、サプライチェーンの取引先や価値創造を図る事業者との連携・共存共栄を進めることで、新たなパートナーシップを構築することを、企業の代表者の名前で宣言するものである。

エ ×：振興基準第4「対価の決定の方法、納品の検査の方法その他取引条件の改善に関する事項」の規定に、「親事業者及び下請事業者は、毎年9月及び3月の「価格交渉促進月間」の機会を捉える等により、少なくとも**年に1回以上**の協議を行うこと」が追加された。

よって、**ウ**が正解である。

第21問

流通業務総合効率化法（正式名称：流通業務の総合化及び効率化の促進に関する法律）についての出題である。流通業務総合効率化法に基づき、事業協同組合や任意グループ等が流通業務の効率化を図る際に融資、中小企業信用保険法の特例、中小企業投資育成株式会社法の特例などの支援を受けることができる。

同法は本試験では初出題となる。なお、法律の正式名称が「物資の流通の効率化に関する法律」に変更され、その改正法が令和6年5月15日に公布された（公布日から1年以内に施行予定)。今回の本試験から、試験が行われる年度の5月1日現在において施行されている法令等に基づいて出題されることが診断協会から公表されており、本問にある「流通業務総合効率化法」の記述は、診断協会から公表された基準に基づいた記述となっているといえる。

設問1

中小企業組合のうち「事業協同組合」についての出題である。基本事項であり確実に正解したい。

ア　×：議決権·選挙権は１人１票である。なお、協業組合は、原則は「平等」（１人１票）であるが、定款で定めれば出資比例の議決権も認められる。

イ　○：正しい。発起人数は、事業協同組合、企業組合、協業組合、商工組合において「４人以上」で同じである。なお、商店街振興組合では発起人数は７人以上必要である。

ウ　×：事業協同組合は、全国に約28,000存在する。

エ　×：事業協同組合は企業組合等と同様に、中小企業等協同組合法を根拠法令としている。

よって、**イ**が正解である。

設問2

流通業務総合効率化法の支援策のうち、高度化事業についての出題である。高度化事業の融資割合は基本事項であるので、選択肢**ウ**と**エ**の二者択一にはできる問題であった。

流通業務総合効率化法の支援策の一つである高度化事業（高度化融資制度）では、組合・任意グループ等が、流通業務総合効率化法の認定計画に基づき実施する事業に対して、**融資割合80%**（空欄Aに該当）までの**無利子融資**（空欄Bに該当）を受けることができる。

よって、空欄Aには「融資割合80%」、空欄Bには「無利子融資」が入り、**エ**が正解である。

設問3

流通業務総合効率化法の支援策のうち中小企業投資育成株式会社法の特例と、流通業務総合効率化法の支援策を受けるための要件についての出題である。中小企業投資育成株式会社法の特例は基本事項であるので、選択肢**ウ**と**エ**の二者択一にはできる問題であった。

流通業務総合効率化法の支援策の一つである中小企業投資育成株式会社法の特例

では、流通業務総合効率化法の認定計画に基づく事業実施のために増資等を行う組合・任意グループ等の構成員企業については、**資本金３億円**（空欄Cに該当）を超える株式会社であっても投資育成株式会社の投資対象に追加される。

そして、制度の利用にあたっては、組合・任意グループ等が基本方針（経済産業大臣、国土交通大臣および農林水産大臣が策定した流通業務総合効率化計画についてのガイドライン）に即して、「**総合効率化計画**」（空欄Dに該当）を作成し、認定された計画に基づき組合が実施する事業に対して、支援を受けることができる。

よって、空欄Cには「資本金３億円」、空欄Dには「総合効率化計画」が入り、**エ**が正解である。

第22問

経営革新計画についての出題である。経営革新計画については、本試験では出題が頻出している重要論点である。３問とも基本事項が問われており、多くの受験生が正解できる問題といえる。

設問1 ●●●

経営革新計画の根拠法令についての出題である。基本事項が問われており、確実に正解したい問題である。

ア　×：先端設備等導入計画制度を規定した生産性向上特別措置法は令和３年に廃止され、その内容は中小企業等経営強化法に統合された。

イ　×：地域未来投資促進法に主に規定されているのは、「地域経済牽引事業計画」である。

ウ　×：「経営革新計画」の根拠法規ではない。中小企業支援法は、中小企業診断士の根拠法規である。

エ　○：正しい。中小企業等経営強化法は「経営革新計画」の根拠法規である。なお、同法は「経営力向上計画」「事業継続力強化計画」「先端設備等導入計画」の根拠法規でもある。

よって、**エ**が正解である。

設問2 ● ● ●

経営革新計画の承認要件については、過去に何度も問われている論点であり、確実に正解する必要がある。

経営革新計画が承認されるためには、経営目標の指標として、3から5年の事業期間において付加価値額または従業員1人当たりの付加価値額が年率3％以上伸び、**かつ**（空欄Bに該当）、**給与支給総額**（空欄Cに該当）が年率1.5％以上伸びる計画となっていることが要件となっている。表にまとめると、以下のとおりである。

事業期間終了時	「付加価値額」または「従業員1人当たりの付加価値額」の伸び率（年率3％以上）	「給与支給総額」の伸び率※（年率1.5％以上）
3年計画の場合	9％以上	4.5％以上
4年計画の場合	12％以上	6％以上
5年計画の場合	15％以上（空欄Aに該当）	7.5％以上（空欄Dに該当）

※「給与支給総額」の伸び率は「加価値額または従業員1人当たりの付加価値額」の伸び率の半分と覚えておけばよい。

よって、空欄Aには「15％以上」、空欄Bには「かつ」が入り、**ウ**が正解である。

設問3 ● ● ●

経営革新計画の承認要件の一つである「給与支給総額」とその伸び率についての出題である。基本事項であり、確実に正解する必要がある。

詳細は（設問2）の解説を参照のこと。

よって、空欄Cには「給与支給総額」、空欄Dには「7.5％以上」が入り、**エ**が正解である。

第23問

下請代金支払遅延等防止法についての出題である。問われている事項はいずれも基本事項であり、確実に正解したい。

設問1 ● ● ●

下請代金支払遅延等防止法の適用範囲についての出題である。過去頻繁に出題実績がある基本事項であり、確実に正解する必要がある。

まず、解答の手順として最初に、(1)「物品の製造・修理委託および政令で定める情報成果物作成・役務提供委託」か、(2)「(1)以外の情報成果物作成・役務提供委託」

かを見極めなければならない。なお、政令で定める情報成果物作成・役務提供委託とは、「プログラムの作成、運送・物品の倉庫における保管、情報処理」をいう。

本設問では(1)に該当することがわかる。(1)に該当する場合、下記の図表の範囲に委託者（親事業者）と受託者（下請事業者）が含まれるかを判断する。

(1) 物品の製造・修理委託および政令で定める情報成果物作成・役務提供委託の場合の対象者

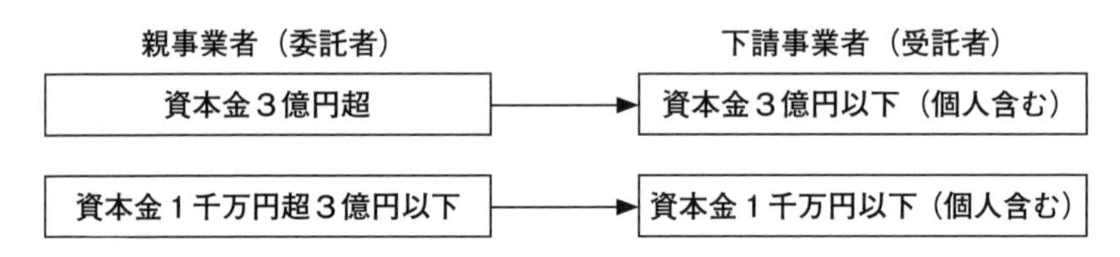

上記の図のうち下段の、**資本金1,000万円超３億円以下の法人**（空欄Aに該当）が、**資本金1,000万円以下の法人または個人**（空欄Bに該当）に委託するパターンが、空欄穴埋めとなっている。

よって、空欄Aには「資本金1,000万円超３億円以下の法人」、空欄Bには「資本金1,000万円以下の法人または個人」が入り、**ア**が正解である。

設問2

（設問１）の解説で、解答の手順として最初に、(1)「物品の製造・修理委託および政令で定める情報成果物作成・役務提供委託」か、(2)「(1)以外の情報成果物作成・役務提供委託」かを見極めなければならないことを説明した。そして、本設問では、(2)「(1)以外の情報成果物作成・役務提供委託」の場合の適用範囲が問われ、この部分に限っていえば初出題となる。

(2)に該当する場合、下記の図表の範囲に委託者（親事業者）と受託者（下請事業者）が含まれるかを判断する。

(2) (1)以外の情報成果物作成・役務提供委託の場合の対象者

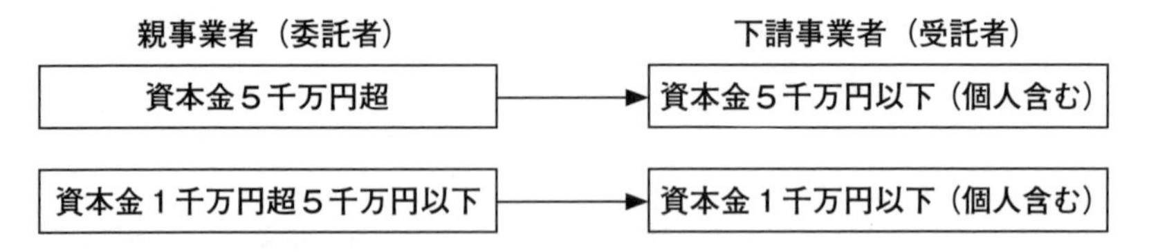

上記の図のうち下段の、**資本金1,000万円超5,000万円以下の法人**（空欄Cに該当）が、**資本金1,000万円以下の法人または個人**（空欄Dに該当）に委託するパターンが、空欄穴埋めとなっている。

よって、空欄Cには「資本金1,000万円超5,000万円以下の法人」、空欄Dには「資本金1,000万円以下の法人または個人」が入り、**ア**が正解である。

第24問

中小企業省力化投資補助事業についての出題である。2024年３月に公募要領が公開され、６月に申請が開始された新設の補助金制度で、本試験では初出題となる。中小企業省力化投資補助事業については新設されたばかりの制度で対策ができなかった受験生が多く、正解が難しい問題であった。

設問1 ●●●

中小企業省力化投資補助事業の概要についての出題である。

中小企業省力化投資補助事業は、中小企業等の売上拡大や生産性向上を後押しするために、IoT、ロボット等の人手不足解消に効果がある**汎用製品**（空欄Aに該当）を**「カタログ」に掲載し、中小企業等が選択して導入できる**（空欄Bに該当）ようにすることで、人手不足に悩む中小企業等の省力化投資を支援する補助金制度である。

よって、空欄Aには「汎用製品」、空欄Bには「「カタログ」に掲載し、中小企業などが選択して導入できる」が入り、**ウ**が正解である。

設問2 ●●●

中小企業省力化投資補助事業の支援対象者についての出題である。対象要件として、以下がある。

＜対象要件＞

(1) **労働生産性**（空欄Cに該当）を年平均成長率３％以上向上させる事業計画を策定し実施する中小企業等であること。

(2) 賃上げによる補助上限額引き上げを適用する場合、給与支給総額年率６％、かつ、**事業場内最低賃金45円**（空欄Dに該当）以上の賃上げに取り組む中小企業等であること。

よって、空欄Cには「労働生産性」、空欄Dには「事業場内最低賃金45円」が入り、**エ**が正解である。

第25問

産業競争力強化法に基づく創業支援についての出題である。本試験では初出題となる。難しい問題であった。

設問1

「産業競争力強化法に基づく創業支援」とは、経営指導、ビジネススキル研修、経営力向上セミナー等の創業支援等の取組を**市区町村**（空欄Aに該当）と連携して行う事業者を支援するものである。また、市区町村と創業支援等の取組を行う事業者が行う、経営、財務、人材育成、販路開拓の知識が身につく、**継続的な**（空欄Bに該当）創業支援を受けることで、創業者も、各種支援措置を受けることができる。

よって、空欄Aには「市区町村」、空欄Bには「継続的な」が入り、**イ**が正解である。

設問2

「産業競争力強化法に基づく創業支援」の具体的な支援内容と支援対象者が問われており、難問である。

ア　○：正しい。「創業関連保証の特例」とは、無担保、第三者保証人なしの創業関連保証が、事業開始6か月前（本来は創業2か月前）から利用の対象となる特例である。

イ　×：このような支援措置はない。なお、小規模事業者持続化補助金の補助上限額増額（200万円）がある。

ウ　○：正しい。支援対象となる創業者には、「創業希望者」が含まれる。

エ　○：正しい。支援対象となる創業者には、「創業後5年未満の者」が含まれる。

よって、**イ**が正解である。

令和5年度問題

令和5年度問題

第1問　参考問題

総務省・経済産業省「平成28年経済センサス－活動調査」に基づき、建設業、小売業、製造業について、小規模企業の売上高（会社及び個人の売上高、2015年時点）を比較した場合の記述として、最も適切なものはどれか。なお、企業規模区分は中小企業基本法に準ずるものとする。

ア　建設業の売上高は、小売業よりも多く、製造業よりも少ない。
イ　建設業の売上高は、製造業よりも多く、小売業よりも少ない。
ウ　小売業の売上高は、建設業よりも多く、製造業よりも少ない。
エ　小売業の売上高は、製造業よりも多く、建設業よりも少ない。
オ　製造業の売上高は、小売業よりも多く、建設業よりも少ない。

第2問　参考問題

総務省・経済産業省「平成28年経済センサス－活動調査」に基づき、産業別企業規模別企業数（民営、非一次産業、2016年）を見た場合の記述として、最も適切なものはどれか。

なお、企業数は会社数と個人事業者数の合計とする。企業規模区分は中小企業基本法に準ずるものとする。小規模企業数割合は産業別の全企業数に占める割合とする。

ア　建設業の小規模企業数割合は、小売業を上回り、製造業を下回っている。
イ　建設業の中小企業数は、製造業を上回り、小売業を下回っている。
ウ　小売業の小規模企業数割合は、製造業を上回り、建設業を下回っている。
エ　製造業の中小企業数は、小売業を上回り、建設業を下回っている。

第3問　参考問題

中小企業庁「令和３年中小企業実態基本調査（令和２年度決算実績）」に基づき、小売業、宿泊業・飲食サービス業、製造業について、売上高経常利益率と自己資本比率を全業種平均と比較した場合の記述として、最も適切なものはどれか。

ア　小売業では、売上高経常利益率、自己資本比率とも全業種平均を下回っている。
イ　小売業では、売上高経常利益率は全業種平均を上回り、自己資本比率は全業種平均を下回っている。
ウ　宿泊業・飲食サービス業では、売上高経常利益率は全業種平均を上回り、自己資本比率は全業種平均を下回っている。
エ　製造業では、売上高経常利益率、自己資本比率とも全業種平均を下回っている。
オ　製造業では、売上高経常利益率は全業種平均を上回り、自己資本比率は全業種平均を下回っている。

第4問　参考問題

厚生労働省「雇用保険事業年報」に基づき、小売業、宿泊業・飲食サービス業、製造業について、2020年度の開業率と廃業率を全産業平均と比較した場合の記述として、最も適切なものはどれか。

なお、開業率は、当該年度に雇用関係が新規に成立した事業所数を前年度末の適用事業所数で除して算出する。廃業率は、当該年度に雇用関係が消滅した事業所数を前年度末の適用事業所数で除して算出する。適用事業所とは、雇用保険に係る労働保険の保険関係が成立している事業所である（雇用保険法第５条）。

ア　小売業は、開業率、廃業率とも全産業平均を下回っている。
イ　小売業は、開業率は全産業平均を上回り、廃業率は全産業平均を下回っている。
ウ　宿泊業・飲食サービス業は、開業率、廃業率とも全産業平均を上回っている。
エ　宿泊業・飲食サービス業は、開業率は全産業平均を上回り、廃業率は全産業平均を下回っている。
オ　製造業は、開業率、廃業率とも全産業平均を上回っている。

第5問　参考問題

交易条件指数の変化は、企業を取り巻く取引環境の変化を反映する。日本銀行「全国企業短期経済観測調査」に基づき、2018年から2021年の期間について、中小企業の交易条件指数の推移を見た場合、2020年後半から悪化傾向にある。その理由として、最も適切なものはどれか。

なお、交易条件指数とは、販売価格DIから仕入価格DIを差し引いたものである。販売価格DIは、回答企業の主要製品・サービスの販売価格が前期と比べ、「上昇」と答えた企業の割合から「下落」と答えた企業の割合を引いたものである。仕入価格DIは、回答企業の主要原材料購入価格または主要商品の仕入価格が前期と比べ、「上昇」と答えた企業の割合から「下落」と答えた企業の割合を引いたものである。中小企業とは資本金2千万円以上1億円未満の企業を指す。

ア　仕入価格DIの上昇が、販売価格DIの上昇を上回っているため。
イ　仕入価格DIの低下が、販売価格DIの低下を下回っているため。
ウ　仕入価格DIは上昇、販売価格DIは低下しているため。
エ　仕入価格DIは上昇、販売価格DIは横ばいだったため。

第6問　参考問題

財務省「法人企業統計調査季報」に基づき、2018年から2021年の期間について、業種別に借入金月商倍率の推移を比較した場合の記述として、最も適切なものはどれか。

なお、中小企業とは資本金1千万円以上1億円未満の企業とする。借入金月商倍率は、金融機関短期借入金、その他の短期借入金、金融機関長期借入金、その他の長期借入金、社債の合計を月商で除して算出する。業種は、卸売業、小売業、サービス業で比較する。

ア　小売業は、卸売業を上回り、サービス業を下回って推移している。
イ　小売業は、サービス業を上回り、卸売業を下回って推移している。
ウ　サービス業は、卸売業を上回り、小売業を下回って推移している。
エ　サービス業は、小売業を上回り、卸売業を下回って推移している。

第7問　参考問題

次の文章の空欄A～Cに入る語句の組み合わせとして、最も適切なものを下記の解答群から選べ。

わが国経済において、製造業は付加価値の創出に加えて、雇用面からも大きな役割を果たしてきた。

総務省「労働力調査（2022年3月）」に基づき、2002年から2021年の期間について、わが国の就業者数の推移を見た場合、全産業に占める製造業の就業者数の割合は［　A　］傾向で推移している。

製造業の就業者数に占める高齢就業者数（65歳以上）の割合は、全産業の就業者数に占める高齢就業者数の割合を［B］推移している。

製造業の就業者数に占める女性就業者数の割合は、全産業の就業者数に占める女性就業者数の割合を［C］推移している。

[解答群]
ア　A：上昇　B：上回って　C：上回って
イ　A：上昇　B：上回って　C：下回って
ウ　A：低下　B：上回って　C：上回って
エ　A：低下　B：下回って　C：上回って
オ　A：低下　B：下回って　C：下回って

第8問　参考問題

次の文章の空欄AとBに入る語句の組み合わせとして、最も適切なものを下記の解答群から選べ。

総務省「労働力調査」、厚生労働省「外国人雇用状況」の届出状況まとめに基づき、2015年から2021年の期間について、外国人労働者数と就業者全体に占める割合の推移を見ると、いずれも増加基調であり、外国人労働者の労働市場に占める存在感は大きくなっている。

厚生労働省「外国人雇用状況」の届出状況まとめに基づき、技能実習と資格外活動（留学）の在留資格別に、2021年の就労業種を建設業、製造業、宿泊業・飲食サービス業で比較した場合、技能実習では［A］、資格外活動（留学）では［B］の割合が最も高くなっている。

[解答群]
ア　A：建設業　B：宿泊業・飲食サービス業
イ　A：建設業　B：製造業
ウ　A：宿泊業・飲食サービス業　B：製造業
エ　A：製造業　B：建設業
オ　A：製造業　B：宿泊業・飲食サービス業

第9問

次の文章の空欄AとBに入る語句の組み合わせとして、最も適切なものを下記の解答群から選べ。

中小企業を取り巻く経営環境の変化の度合いとスピードが高まり、環境変化に迅速、柔軟に対応する自己変革力の重要性が大きくなる中で、国は中小企業支援策の一環として、経営力再構築伴走支援の強化に取り組んでいる。

国は、経営力再構築伴走支援を実施するに当たり、支援者が踏まえるべき要素として、以下の３つを挙げている。第一は、支援に当たっては［　A　］を基本的な姿勢とすることが望ましいことである。第二は、経営者の「自走化」のための［　B　］を行い、「潜在力」を引き出すことである。第三は、具体的な支援手法（ツール）は自由であり多様であるが、相手の状況や局面によって使い分けることである。

[解答群]

ア　A：対話と協調　　B：外発的動機づけ
イ　A：対話と協調　　B：内発的動機づけ
ウ　A：対話と傾聴　　B：外発的動機づけ
エ　A：対話と傾聴　　B：内発的動機づけ

第10問 参考問題

次の文章を読んで、下記の設問に答えよ。

経済産業省「企業活動基本調査」に基づき、2010年度から2019年度の期間について、企業規模別、製造業・非製造業別に、売上高に占める研究開発費の割合（研究開発費割合）と能力開発費の割合（能力開発費割合）の推移を見た場合、業種にかかわらず、中小企業の研究開発費割合と能力開発費割合とも大企業を下回っている。2019年度の研究開発費割合と能力開発費割合の規模間格差を見ると、研究開発費割合の規模間格差は、製造業では能力開発費割合の格差より［　A　］、非製造業では能力開発費割合の格差より［　B　］。

次に、製造業・非製造業別に、中小企業の研究開発費と能力開発費の推移を見ると、違いも見受けられる。

なお、経済産業省「企業活動基本調査」は、従業者数50人以上かつ資本金または出資金３千万円以上の法人企業を対象としている。

設問1 ●●●

文中の空欄AとBに入る語句の組み合わせとして、最も適切なものはどれか。

ア　A：大きく　　B：大きい
イ　A：大きく　　B：小さい
ウ　A：小さく　　B：大きい
エ　A：小さく　　B：小さい

設問2 ●●●

文中の下線部について、経済産業省「企業活動基本調査」に基づき、2010年度から2019年度の期間について、製造業・非製造業別に、中小企業の研究開発費と能力開発費の推移を見た場合の記述として、最も適切なものはどれか。

ア　製造業の研究開発費は、非製造業を一貫して上回って推移している。
イ　製造業の研究開発費は、非製造業を一貫して下回って推移している。
ウ　製造業の能力開発費は、非製造業を一貫して上回って推移している。
エ　製造業の能力開発費は、非製造業を一貫して下回って推移している。

第11問　参考問題

次の文章の空欄AとBに入る語句の組み合わせとして、最も適切なものを下記の解答群から選べ。

㈱帝国データバンク「事業継続計画（BCP）に対する企業の意識調査」（2019年５月、2020年５月、2021年５月）に基づき、中小企業における直近３年間のBCPの策定状況を見ると、BCPを策定している企業は［　A　］傾向にある。また、半数近くは、いずれの調査時点でも［　B　］という回答となっている。

［解答群］
ア　A：減少　　B：策定していない
イ　A：減少　　B：策定を検討している
ウ　A：増加　　B：策定していない
エ　A：増加　　B：策定を検討している

第12問　参考問題

次の文章を読んで、下記の設問に答えよ。

財務省「法人企業統計調査年報」に基づき、2003年度から2020年度の期間について、中小企業の従業員一人当たり付加価値額（労働生産性）の推移を見た場合、製造業、非製造業ともに［A］傾向にある。また、企業規模別に上位10％、中央値、下位10％の労働生産性の水準（2020年度）を見ると、中小企業の上位10％の水準は、大企業の中央値を［B］いる。大企業の下位10％の水準は、中小企業の中央値を［C］いる。

そして、<u>2007年度から2020年度の期間について、企業規模別に労働分配率の推移を見ると、企業規模による違いがみられる</u>。

なお、ここで大企業とは資本金10億円以上、中小企業とは資本金１億円未満の企業とする。また、労働分配率とは、付加価値額に占める人件費の比率とする。

設問1

文中の空欄A～Cに入る語句の組み合わせとして、最も適切なものはどれか。

ア　A：減少　B：上回って　C：下回って
イ　A：減少　B：下回って　C：下回って
ウ　A：増加　B：下回って　C：上回って
エ　A：横ばい　B：上回って　C：下回って
オ　A：横ばい　B：下回って　C：上回って

設問2

文中の下線部について、企業規模別に労働分配率の推移を見た場合の記述として、最も適切なものはどれか。

なお、ここで大企業とは資本金10億円以上、中規模企業とは資本金１千万円以上１億円未満、小規模企業とは資本金１千万円未満の企業とする。

ア　小規模企業は、大企業よりも低く、中規模企業よりも高い。
イ　小規模企業は、中規模企業よりも低く、大企業よりも高い。
ウ　大企業は、小規模企業よりも低く、中規模企業よりも高い。
エ　大企業は、中規模企業よりも低く、小規模企業よりも高い。

オ　中規模企業は、小規模企業よりも低く、大企業よりも高い。

第13問

中小企業庁では、2022年３月、中小企業のM&AにおけるPMI（Post Merger Integration）の成功事例や失敗事例を分析するなどして、現時点の知見として譲受側が取り組むべきと考えられるPMIの取組を整理し、「中小PMIガイドライン」として取りまとめている。

「中小PMIガイドライン」に関する記述の正誤の組み合わせとして、最も適切なものを下記の解答群から選べ。

a　PMIの主な構成要素を、「経営統合」「信頼関係構築」「業務統合」の３領域と定義している。

b　M&Aの検討段階ではなく、M&Aの成立後からPMIに向けた準備を進めることがPMIを円滑に実行する上で欠かせない。

c　M&A成立後概ね１年の集中実施期間を経て、それ以降も継続的に取組を実施することが重要である。

[解答群]

	a	b	c
ア	a：正	b：正	c：誤
イ	a：正	b：誤	c：正
ウ	a：正	b：誤	c：誤
エ	a：誤	b：正	c：誤
オ	a：誤	b：誤	c：正

第14問　参考問題

次の文章の空欄AとBに入る語句の組み合わせとして、最も適切なものを下記の解答群から選べ。

財務省「法人企業統計調査季報」に基づき、2007年から2020年の期間について、中小企業の設備投資（ソフトウェアを除く）の推移を見ると、2020年の設備投資の水準は、リーマン・ショック前の2007年の水準を［　A　］。

また、中小企業にとってIT投資の重要性は増しているが、同期間について中小企業のソフトウェア投資額を見ると、［　B　］傾向で推移している。

なお、中小企業は資本金１千万円以上１億円未満の企業とする。

[解答群]
ア　A：上回る　B：大幅な減少
イ　A：上回る　B：横ばい
ウ　A：下回る　B：大幅な増加
エ　A：下回る　B：大幅な減少
オ　A：下回る　B：横ばい

第15問

企業を取り巻く環境が大きく変化する中、これまでの事業の常識や経験が通用しにくい状況が生まれている。こうした状況下で企業が生き残るために重要性を増しているのが、デザインの考え方や手法を経営の中に取り入れる「デザイン経営」である。

特許庁は、既にデザイン経営を実践し、一定の実績をあげている中小企業にインタビューを行い、デザイン経営の要素や実践例をまとめた『中小企業のためのデザイン経営ハンドブック　みんなのデザイン経営』を2021年に取りまとめた。

本ハンドブックに関する記述の正誤の組み合わせとして、最も適切なものを下記の解答群から選べ。

a　中小企業のデザイン経営に対する取り組み方を、「会社の人格形成」「企業文化の醸成」「価値の創造」という３つのフレームで整理している。

b　デザイン経営を実行するためには、経営者の決断が重要であるが、成果を上げるためには社員一人一人の意識改革が欠かせない。

[解答群]
ア　a：正　b：正
イ　a：正　b：誤
ウ　a：誤　b：正
エ　a：誤　b：誤

第16問　参考問題

次の文章の空欄AとBに入る語句の組み合わせとして、最も適切なものを下記の解答群から選べ。

日本政策金融公庫総合研究所が毎年実施している「新規開業実態調査」に基づき、新規開業の状況について見る。

開業の動機について見ると、開業者は、さまざまな動機から開業していることがわかる。

開業時の平均年齢を1991年度と2022年度で比較した場合、[　A　]傾向にある。また、開業者に占める女性の割合を、1991年度と2022年度で比較した場合、[　B　]傾向にある。

[解答群]

ア　A：下降　　B：横ばい
イ　A：上昇　　B：増加
ウ　A：上昇　　B：横ばい
エ　A：横ばい　B：減少
オ　A：横ばい　B：増加

第17問　参考問題

次の文章の空欄AとBに入る語句の組み合わせとして、最も適切なものを下記の解答群から選べ。

㈱東京商工リサーチ「全国企業倒産状況」に基づき、2009年から2021年の期間について、倒産件数の推移を見た場合、[　A　]傾向にある。

また、企業規模別に倒産件数を見た場合、大部分を[　B　]が占めていることがわかる。

なお、企業規模は、小規模企業、中規模企業、大企業で比較する。中規模企業とは、中小企業基本法上の中小企業のうち、同法上の小規模企業に当てはまらない企業をいう。

ここでは、倒産とは、企業が債務の支払不能に陥ったり、経済活動を続けることが困難になった状態となることであり、私的整理（取引停止処分、内整理）も倒産に含まれる。負債総額１千万円以上の倒産が集計対象である。

[解答群]

ア　A：減少　　　B：小規模企業
イ　A：減少　　　B：大企業
ウ　A：減少　　　B：中規模企業
エ　A：横ばい　　B：小規模企業
オ　A：横ばい　　B：中規模企業

第18問　参考問題

次の文章を読んで、下記の設問に答えよ。

わが国の中小企業金融において、公的信用保証制度は大きな役割を果たしている。全国信用保証協会連合会の調べによれば、中小企業者数に占める信用保証利用企業者数の割合は、2021年度末時点で約[A]割となっている。

また、2012年度から2021年度の期間について、全国の信用保証協会の保証債務残高（金額）の推移を見た場合、2019年度までは[B]傾向にあり、2020年度には大きく増加している。

2021年度の保証承諾実績を見ると、資金使途別では[C]が多い。

なお、資金使途は、運転資金と設備資金で比較する。また、中小企業者数は、総務省・経済産業省「平成28年経済センサス－活動調査」に基づく。

設問1

文中の空欄Aに入る数値として、最も適切なものはどれか。

ア　2
イ　4
ウ　6
エ　8

設問2

文中の空欄BとCに入る語句の組み合わせとして、最も適切なものはどれか。

ア　B：減少　　C：運転資金
イ　B：減少　　C：設備資金
ウ　B：増加　　C：運転資金
エ　B：横ばい　C：運転資金
オ　B：横ばい　C：設備資金

第19問

次の文章を読んで、下記の設問に答えよ。

中小企業基本法は、中小企業施策について、基本理念・基本方針などを定めるとともに、国及び地方公共団体の責務などを規定することにより、中小企業施策を総合的に推進し、国民経済の健全な発展及び国民生活の向上を図ることを目的としている。

設問1　★重要★

この法律では、中小企業者の範囲が定められている。中小企業者の範囲に含まれる企業に関する正誤の組み合わせとして、最も適切なものを下記の解答群から選べ。

a　従業員数200人、資本金1億円の広告制作業
b　従業員数500人、資本金2億円の建築リフォーム工事業

[解答群]
ア　a：正　b：正
イ　a：正　b：誤
ウ　a：誤　b：正
エ　a：誤　b：誤

設問2

以下の記述の空欄AとBに入る語句の組み合わせとして、最も適切なものを下記の解答群から選べ。

この法律において「経営の革新」とは、新商品の開発又は生産、新役務の開発又は提供、商品の新たな生産又は販売の方式の導入、役務の新たな提供の方式の

導入、新たな経営管理方法の導入その他の新たな事業活動を行うことにより、［ A ］ことをいう。

また、「創造的な事業活動」とは、経営の革新又は創業の対象となる事業活動のうち、［ B ］又は著しく創造的な経営管理方法を活用したものをいう。

[解答群]

ア　A：新たな価値を創造する
　　B：著しい新規性を有する技術

イ　A：新たな価値を創造する
　　B：創意工夫を凝らして生み出す経営資源

ウ　A：その経営の相当程度の向上を図る
　　B：著しい新規性を有する技術

エ　A：その経営の相当程度の向上を図る
　　B：創意工夫を凝らして生み出す経営資源

設問3　★重要★

以下の記述の空欄AとBに入る語句の組み合わせとして、最も適切なものを下記の解答群から選べ。

この法律においては、「小規模企業」が有する意義も示されている。具体的には、［ A ］に寄与するとともに、［ B ］に寄与するという2つの重要な意義を、小規模企業は有しているとされている。

[解答群]

ア　A：高齢化、過疎化、環境問題など地域社会が抱える課題の解決
　　B：雇用の大部分を支え、暮らしに潤いを与えること

イ　A：高齢化、過疎化、環境問題など地域社会が抱える課題の解決
　　B：将来における我が国の経済及び社会の発展

ウ　A：地域における経済の安定並びに地域住民の生活の向上及び交流の促進
　　B：雇用の大部分を支え、暮らしに潤いを与えること

エ　A：地域における経済の安定並びに地域住民の生活の向上及び交流の促進
　　B：将来における我が国の経済及び社会の発展

第20問　参考問題

次の文章を読んで、下記の設問に答えよ。

飲食業の創業を予定しているX氏（現在、飲食業とは別業種に勤務中）から、「創業資金を借り入れたい」との相談を受けた中小企業診断士のY氏は、「新創業融資制度」を紹介することとした。

以下は、X氏とY氏との会話である。

X氏：「新創業融資制度ですか。初めて聞きました。それは、どのような融資なのでしょうか。」

Y氏：「この制度における対象者は、これから創業する方や税務申告を2期終えていない方です。Xさんは対象に含まれますね。［　A　］、［　B　］で融資を受けることができます。」

X氏：「そうですか。私が、この融資を受けるための要件を教えてください。」

Y氏：「自己資金に関する要件があります。具体的には、創業時において、創業資金総額の［　C　］の自己資金が確認できることが必要です。自己資金とは、事業に使用される予定の資金です。」

X氏：「創業に向けて貯金をしてきたので、この要件はクリアできると思います。」

設問1 ●●●

会話の中の空欄AとBに入る語句の組み合わせとして、最も適切なものはどれか。

ア　A：事業計画などの審査を通じ　　B：無担保・経営者保証
イ　A：事業計画などの審査を通じ　　B：無担保・無保証人
ウ　A：商工会・商工会議所の推薦により　　B：無担保・経営者保証
エ　A：商工会・商工会議所の推薦により　　B：無担保・無保証人

設問2 ●●●

会話の中の空欄Cに入る語句として、最も適切なものはどれか。

ア　10分の1以上
イ　5分の1以上
ウ　3分の1以上

エ　2分の1以上

第21問　★重要★

次の文章を読んで、下記の設問に答えよ。

小規模企業共済制度は、掛け金を納付することで、［ A ］である。
納付した掛金合計額の［ B ］で、事業資金などの貸付けを受けることができる。

設問1

文中の空欄AとBに入る語句の組み合わせとして、最も適切なものはどれか。

ア　A：簡単に従業員の退職金制度を設けることができる共済制度
　　B：2分の1以内
イ　A：簡単に従業員の退職金制度を設けることができる共済制度
　　B：範囲内
ウ　A：経営者が生活の安定や事業の再建を図るための資金をあらかじめ準備しておくための共済制度
　　B：2分の1以内
エ　A：経営者が生活の安定や事業の再建を図るための資金をあらかじめ準備しておくための共済制度
　　B：範囲内

設問2

小規模企業共済制度に関する記述として、最も適切なものはどれか。

ア　18,000円以下の掛金を増額する事業主に対して、増額分の3分の1を増額した月から1年間、国が助成する。
イ　共済金の受け取り方は、「一括」「分割」「一括と分割の併用」が可能である。
ウ　その年に納付した掛金の50%は、その年分の総所得金額から所得控除できる。
エ　初めて加入した事業主に対して、掛金月額の2分の1を4カ月目から1年間、国が助成する。

第22問 ★重要★

次の文章を読んで、下記の設問に答えよ。

高度化事業では、工場団地・卸団地、ショッピングセンター等の整備、商店街のアーケード・カラー舗装等の整備などを行う中小企業組合等に対して、[A]と中小企業基盤整備機構が協調して[B]の貸付けを行う。貸付けに際しては、事前に事業計画について専門的な立場から診断・助言を行う。

設問1 ●●●

文中の空欄AとBに入る語句の組み合わせとして、最も適切なものはどれか。

ア　A：市区町村　B：設備資金
イ　A：市区町村　B：設備資金と運転資金
ウ　A：都道府県　B：設備資金
エ　A：都道府県　B：設備資金と運転資金

設問2 ●●●

高度化事業の貸付条件などに関する記述として、最も適切なものはどれか。

ア　貸付割合は原則として50％以内、貸付期間は10年以内である。
イ　貸付割合は原則として50％以内、貸付期間は20年以内である。
ウ　貸付割合は原則として80％以内、貸付期間は10年以内である。
エ　貸付割合は原則として80％以内、貸付期間は20年以内である。

第23問 参考問題

次の文章を読んで、下記の設問に答えよ。

社会環境対応施設整備資金融資制度（BCP融資）は、防災のための施設整備に必要な資金の融資を行うものである。

この制度の対象となるのは、以下のとおりである。

・[A]に基づく、「事業継続力強化計画」または「[B]」の認定を受けている中小企業者
・中小企業BCP策定運用指針に則り、自ら策定したBCPに基づいて、施設の耐震化、

消防用設備やデータバックアップサーバの整備などの防災のための施設等の整備を行う中小企業者

設問1 ● ● ●

文中の空欄Aに入る法律として、最も適切なものはどれか。

ア　産業競争力強化法
イ　新エネルギー利用等の促進に関する特別措置法
ウ　地域未来投資促進法
エ　中小企業等経営強化法

設問2 ● ● ●

文中の空欄Bに入る計画として、最も適切なものはどれか。

ア　共同振興計画
イ　経営革新計画
ウ　経営力向上計画
エ　連携事業継続力強化計画

第24問

次の文章を読んで、下記の設問に答えよ。

先端設備等導入計画に係る固定資産税の特例は、[　　]により先端設備等導入計画の認定を受けた中小企業の設備投資を支援するものである。

認定を受けた中小企業の設備投資に対して、地方税法における償却資産に係る固定資産税の特例などを講じる。

対象となるのは、一定期間内に労働生産性を一定程度向上させるため、先端設備などを導入する計画を策定し、新たに導入する設備などが存在する[　　]の「導入促進基本計画」などに基づき認定を受けた中小企業者である。

設問1 ● ● ●

文中の空欄に入る語句として、最も適切なものはどれか。

ア　経済産業局

イ　国税局

ウ　市町村（特別区を含む）

エ　都道府県

設問2 ●●●

この制度において、文中の下線部で示した労働生産性は、どのように計算するか。最も適切なものを選べ。

ア　（売上高－外部購入費）÷労働投入量

イ　（営業利益＋人件費＋減価償却費）÷労働投入量

ウ　（経常利益＋人件費）÷労働投入量

エ　生産量÷労働投入量

第25問　参考問題

次の文章を読んで、下記の設問に答えよ。

IT導入補助金は、売上や業務効率を高めるITツールを導入する中小企業や小規模事業者などを支援するものである。

この補助金には用途や対象物などに応じて、「通常枠」、「デジタル化基盤導入類型」、「複数社連携IT導入類型」などがある。

「通常枠」の補助率は、［　A　］である。「複数社連携IT導入類型」は、地域DXの実現や生産性の向上を図るため、［　B　］の複数の中小企業や小規模事業者などが連携してITツール及びハードウェアを導入する取組について補助を行う。

設問1 ●●●

IT導入補助金の類型に関する記述として、最も適切なものはどれか。

ア　会計ソフトの導入は「通常枠」に区分されている。

イ　決済ソフトの導入は「デジタル化基盤導入類型」に区分されている。

ウ　サイバーセキュリティ対策をワンパッケージにまとめた「サイバーセキュリティお助け隊サービス」の導入は、「デジタル化基盤導入類型」に区分されている。

エ　受発注ソフトの導入は「通常枠」に区分されている。

設問2 ●●●

文中の空欄AとBに入る語句の組み合わせとして、最も適切なものはどれか。

ア　A：２分の１以内　B：５者以上
イ　A：２分の１以内　B：10者以上
ウ　A：３分の２以内　B：５者以上
エ　A：３分の２以内　B：10者以上

第26問　参考問題

以下は、電子部品製造業を営むX氏（従業員10名）と中小企業診断士Y氏との会話である。この会話を読んで、下記の設問に答えよ。

X氏：「令和５年度に法人化を予定しているのですが、法人税について教えていただけますか。」
Y氏：「中小企業の法人税率は、大法人と比較して、軽減されています。」
X氏：「具体的には、どのような制度になっているのでしょうか。」
Y氏：「資本金または出資金の額が［　A　］の法人などの年所得［　B　］の部分にかかる法人税率は、令和７年３月31日までの措置として、［　C　］に引き下げられています。詳しくは、国税局または税務署の税務相談窓口などにお問い合わせください。」

設問1 ●●●

会話の中の空欄Aに入る語句として、最も適切なものはどれか。

ア　１億円以下
イ　２億円以下
ウ　３億円以下
エ　５億円以下

設問2 ●●●

会話の中の空欄BとCに入る語句の組み合わせとして、最も適切なものはどれか。

問題　5年度

ア　B：600万円以下　　C：15%
イ　B：600万円以下　　C：19%
ウ　B：800万円以下　　C：15%
エ　B：800万円以下　　C：19%

第27問　参考問題

以下は、事業承継について検討を進めているX氏（印刷業経営者、従業員30名）と中小企業診断士Y氏との会話である。

この会話を読んで、下記の設問に答えよ。

X氏：「事業承継を円滑化するための税制措置について知りたいのですが、教えていただけますか。」

Y氏：「法人版事業承継税制があります。この制度は事業承継円滑化のための税制措置で、中小企業・小規模事業者の非上場株式などに係る相続税・贈与税が納税猶予・免除されるものです。平成30年4月1日に、法人版事業承継税制の特例措置が創設されました。」

X氏：「特例措置ですか。具体的には、どのような措置なのでしょうか。」

Y氏：「平成30年4月1日から令和6年3月31日までの6年以内に、経営承継円滑化法に基づく「＿＿＿＿」を都道府県知事に提出したうえで、平成30年1月1日から令和9年12月31日までの10年間に行われた非上場株式の贈与・相続が対象となります。従前の措置も一般措置として存在していますが、特例措置については一般措置と比べて大きく優遇される内容が拡充されています。詳しくは、国税局または税務署の税務相談窓口などにお問い合わせください。」

設問1

会話の中の空欄に入る計画として、最も適切なものはどれか。

ア　活性化計画
イ　経営改善計画
ウ　経営発達支援計画
エ　特例承継計画

設問2 ● ● ●

会話の中の下線部に関する記述として、最も適切なものはどれか。

ア　後継者が自主廃業や売却を行う際、承継時の株価を基に贈与税・相続税を納税することが認められるようになった。

イ　事業承継税制の適用後５年間で平均８割以上の雇用を維持すれば、納税が猶予されるようになった。

ウ　対象株式数の上限が撤廃され、納税猶予割合は100％に拡大された。

エ　１人の先代経営者から、２人までの後継者に対して贈与・相続される株式が対象になった。

第28問　参考問題

次の文章を読んで、下記の設問に答えよ。

中小企業診断士のＸ氏は、ポストコロナ時代の経済社会の変化に対応するため事業再構築に意欲を有する中小企業の経営者Ｙ氏（食料品製造業）から、事業再構築補助金に関する相談を受けた。Ｘ氏は、Ｙ氏に対して、中小企業庁の事業再構築指針に基づく説明を行うことにした。

以下は、Ｘ氏とＹ氏との会話である。

Ｘ氏：「事業再構築とは、新市場進出（新分野展開、業態転換）、事業転換、業種転換、事業再編または国内回帰のいずれかを行う計画に基づく事業活動のことです。」

Ｙ氏：「そうなのですね。当社は、とくに新分野展開に関心があります。たとえば、［　A　］などは、新分野展開に該当するのでしょうか。」

Ｘ氏：「はい、該当します。ただし、新製品の売上高などに関する要件があります。」

Ｙ氏：「売上高に関する要件ですか。具体的に教えていただけますか。」

Ｘ氏：「事業計画期間終了後、新製品の売上高が原則として総売上高の［　B　］となる計画を策定することが必要になります。」

問題　5年度

設問1 ●●●

会話の中の空欄Aに入る記述として、最も適切なものはどれか。

ア　過去に製造していた自社製品を再製造し、新たな市場に進出すること

イ　自社の既存の製品を単に組み合わせて新製品を製造し、新たな市場に進出すること

ウ　自社の既存の製品に容易な改変を加えた新製品を製造し、新たな市場に進出すること

エ　他社の先行事例を参考に自社の既存製品と比較し高性能の製品を新規に開発し、新たな市場に進出すること

設問2 ●●●

会話の中の空欄Bに入る語句として、最も適切なものはどれか。

ア　５％以上

イ　10％以上

ウ　15％以上

エ　20％以上

令和5年度
解答・解説

令和5年度解答

問題		解答	配点	正答率※
第1問		オ	3	C
第2問		イ	3	B
第3問		ア	3	C
第4問		ウ	3	A
第5問		ア	2	C
第6問		ア	3	B
第7問		オ	3	D
第8問		オ	2	B
第9問		エ	2	B
第10問	(設問1)	ア	2	D
	(設問2)	ア	2	A
第11問		ウ	2	B
第12問	(設問1)	エ	3	A
	(設問2)	オ	2	A
第13問		イ	2	B
第14問		オ	2	D
第15問		ア	2	C
第16問		イ	2	C
第17問		ア	2	A
第18問	(設問1)	イ	3	D
	(設問2)	ア	2	D
第19問	(設問1)	ウ	3	C
	(設問2)	ウ	2	E
	(設問3)	エ	2	B
第20問	(設問1)	イ	3	A
	(設問2)	ア	2	A
第21問	(設問1)	エ	3	A
	(設問2)	イ	2	A
第22問	(設問1)	ウ	2	B
	(設問2)	エ	2	B
第23問	(設問1)	エ	3	A
	(設問2)	エ	2	C
第24問	(設問1)	ウ	2	D
	(設問2)	イ	3	A
第25問	(設問1)	イ	2	D
	(設問2)	イ	2	E
第26問	(設問1)	ア	3	A
	(設問2)	ウ	2	A
第27問	(設問1)	エ	3	A
	(設問2)	ウ	2	B
第28問	(設問1)	エ	3	B
	(設問2)	イ	2	C

※TACデータリサーチによる正答率
　正答率の高かったものから順に、A～Eの５段階で表示。
A：正答率80％以上　B：正答率60％以上80％未満　C：正答率40％以上60％未満
D：正答率20％以上40％未満　E：正答率20％未満

解答・配点は一般社団法人日本中小企業診断士協会連合会の発表に基づくものです。

令和年度 解説

【中小企業経営】

本解説中の図表上に表示されていない数値については、中小企業庁のHPにアップされている当該図表のエクセルファイルから抽出した。

第1問

2022年版中小企業白書（以下「白書」といい、特に発行年度の記載がない場合は2022年版を指す）p.Ⅲ-22、付属統計資料４表「産業別規模別売上高（民営、非一次産業、2011年、2013年、2015年）」（１）企業ベース（会社及び個人の売上高）からの出題である。

４表から2015年の建設業、小売業、製造業の小規模企業の売上高を抜き出すと下表になる。

	2015 年　小規模企業の売上高（単位：億円）
建設業	360,908
製造業	242,408
小売業	140,078

（2022年版　中小企業白書　p.Ⅲ-22）

小規模企業の売上高は多い順に建設業－製造業－小売業となる。選択肢のうち適切な文章は「製造業の売上高は、小売業よりも多く、建設業よりも少ない。」のみである。

よって、**オ**が正解である。

第2問

白書p.Ⅲ-10、付属統計資料１表「産業別規模別企業数（民営、非一次産業、2009年、2012年、2014年、2016年）」（１）企業数（会社数＋個人事業者数）からの出題である。

１表から2016年の建設業、製造業、小売業の企業数を抜き出すと下表になる。下表の構成比は産業別の全企業数に占める割合を示す。

	中小企業			
			うち小規模企業	
	企業数	構成比（%）	企業数	構成比（%）
建設業	430,727	99.9	410,820	95.3
製造業	380,517	99.5	327,617	85.7

小売業	623,072	99.6	512,660	81.9

（2022年版　中小企業白書　p.Ⅲ-10）

ア　×：建設業の小規模企業数割合は95.3％であり、小売業（81.9％）、製造業（85.7％）を上回っている。

イ　○：正しい。建設業の中小企業数は430,727であり、製造業の380,517を上回り、小売業の623,072を下回っている。

ウ　×：小売業の小規模企業数割合は81.9％であり、製造業（85.7％）、建設業（95.3％）を下回っている。

エ　×：製造業の中小企業数は380,517であり、小売業（623,072）、建設業（430,727）を下回っている。

よって、**イ**が正解である。

第3問

白書p.Ⅲ-50、付属統計資料15表「中小企業（法人企業）の経営指標（2020年度）」からの出題である。15表から問われている項目について抜き出すと下表になる。

	売上高経常利益率	自己資本比率
全業種	3.25％	39.21％
製造業	3.85％	46.04％
小売業	1.90％	31.43％
宿泊業・飲食サービス業	▲4.16％	13.98％

（2022年版　中小企業白書　p.Ⅲ-50）

ア　○：正しい。小売業の売上高経常利益率1.90％、自己資本比率31.43％は、全業種平均の売上高経常利益率3.25％、自己資本比率39.21％を下回っている。

イ　×：選択肢**ア**の解説参照。

ウ　×：宿泊業・飲食サービス業の売上高経常利益率▲4.16％、自己資本比率13.98％は、全業種平均の売上高経常利益率3.25％、自己資本比率39.21％を下回っている。宿泊業・飲食サービス業の売上高経常利益率はマイナスである。

エ　×：製造業の売上高経常利益率3.85％、自己資本比率46.04％は、全業種平均の売上高経常利益率3.25％、自己資本比率39.21％を上回っている。

オ　×：選択肢**エ**の解説参照。

よって、**ア**が正解である。

第4問

白書p.Ⅰ-31、第1-1-37図「業種別の開廃業率」からの出題である。

第1-1-37図　業種別の開廃業率

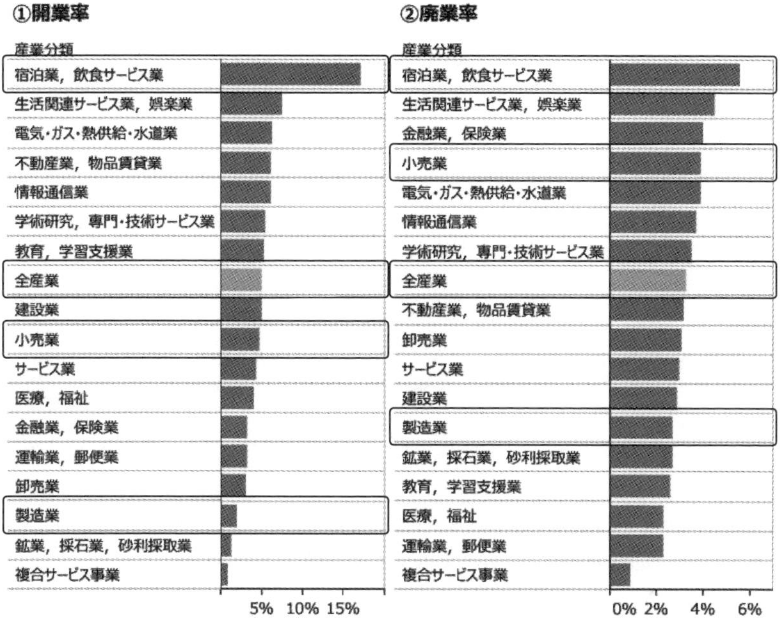

資料：厚生労働省「雇用保険事業年報」のデータを基に中小企業庁が算出
（注）1.開業率は、当該年度に雇用関係が新規に成立した事業所数／前年度末の適用事業所数である。
2.廃業率は、当該年度に雇用関係が消滅した事業所数／前年度末の適用事業所数である。
3.適用事業所とは、雇用保険に係る労働保険の保険関係が成立している事業所数である（雇用保険法第5条）。

（2022年版　中小企業白書　p.Ⅰ-31）

ア　×：小売業の開業率4.8％は、全産業平均の5.1％を下回っていることは正しいが、廃業率3.9％は、全産業平均の3.3％を上回っている。

イ　×：選択肢**ア**の解説で述べたとおり、小売業の開業率は全産業平均を下回り、廃業率は全産業平均を上回っている。

ウ　○：正しい。宿泊業・飲食サービス業は、開業率17.0％、廃業率5.6％であり、それぞれ全産業平均の開業率5.1％、廃業率3.3％を上回っている。

エ　×：選択肢**ウ**の解説参照。

オ　×：製造業は、開業率1.9％、廃業率2.7％であり、それぞれ全産業平均の開業率5.1％、廃業率3.3％を下回っている。

よって、**ウ**が正解である。

第5問

白書p.Ⅰ-54、第１-１-58図「企業規模別に見た、仕入価格DI・販売価格DIの推移」からの出題である。

第１-１-58図　企業規模別に見た、仕入価格DI・販売価格DIの推移

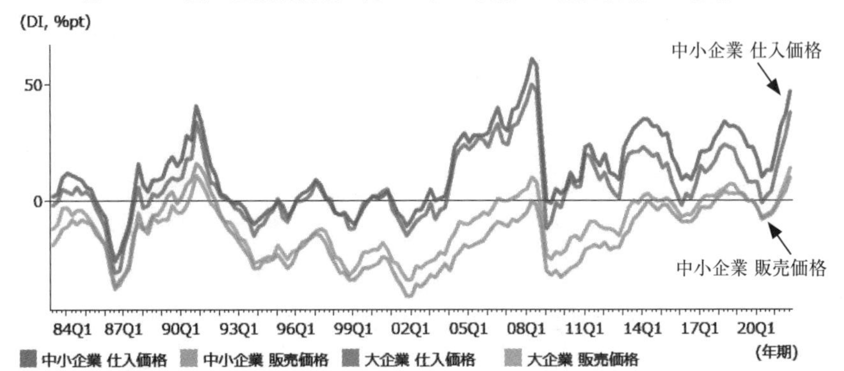

資料：日本銀行「全国企業短期経済観測調査」
（注）1.ここでいう大企業とは、資本金10億円以上の企業、中小企業は資本金２千万円以上１億円未満の企業をいう。
2.仕入価格DIは、回答企業の主要原材料購入価格又は主要商品の仕入価格が前期と比べ、「上昇」と答えた企業の割合から「下落」と答えた企業の割合を引いたもの。
3.販売価格DIは、回答企業の主要製品・サービスの販売価格が前期と比べ、「上昇」と答えた企業の割合から「下落」と答えた企業の割合を引いたもの。

（2022年版　中小企業白書　p.Ⅰ-54）

中小企業の仕入価格DIは、2020年第２四半期の10.0から2021年第４四半期の47.0に上昇している。中小企業の販売価格DIも2020年第２四半期の▲8.0から2021年第４四半期の10.0に上昇しているが、上昇幅は仕入価格DIが販売価格DIを上回っている。

よって、**ア**が正解である。

第6問

白書p. I -24、第1-1-27図「業種別に見た、借入金月商倍率の推移」からの出題である。

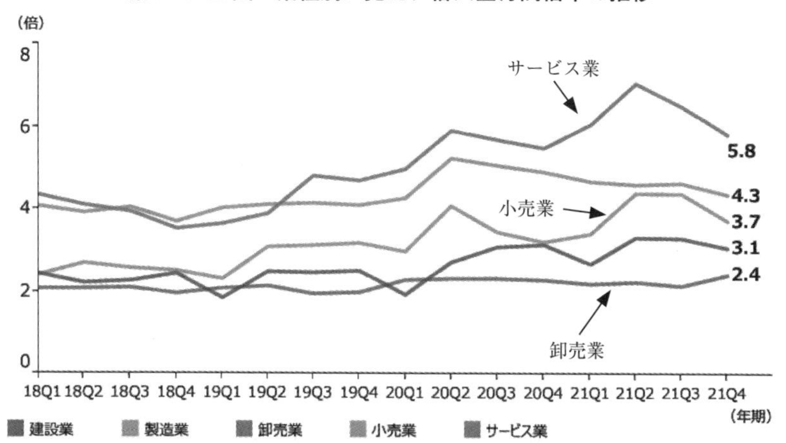

資料：財務省「法人企業統計調査季報」
（注）1.ここでいう中小企業とは資本金１千万円以上１億円未満の企業とする。
2.借入金月商倍率＝（金融機関短期借入金＋その他の短期借入金＋金融機関長期借入金＋その他の長期借入金＋社債）÷月商

（2022年版　中小企業白書　p. I -24）

サービス業は2018年から2019年にかけて4倍前後で推移していたが、2020年から2021年は6倍前後で推移している。小売業は2018年から2019年にかけて3倍前後で推移していたが、2020年から2021年は4倍前後で推移している。卸売業は2018年から2021年にかけて2倍程度の推移が続いている。小売業の借入金月商倍率は、卸売業を上回り、サービス業を下回って推移している。

よって、**ア**が正解である。

第7問

2022年版ものづくり白書p.67、図412-1「就業者数の推移」、p.68、図412-3「高齢就業者数（65歳以上）の推移」p.69、図412-4「女性就業者数と女性比率の推移」からの出題である。

図412-1　就業者数の推移

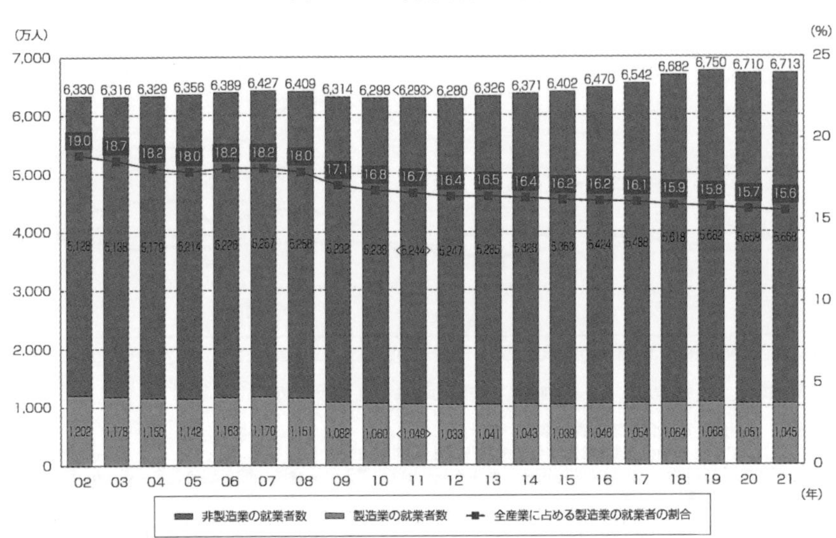

備考：2011年は、東日本大震災の影響により、補完推計値を用いた。分類不能の産業は非製造業に含む。
資料：総務省「労働力調査」（2022年3月）

（2022年版　ものづくり白書　p.67）

図412-1によると、全産業に占める製造業の就業者数の割合は、2002年から2021年にかけて、19.0%から15.6%へ「低下」（空欄Aに該当）傾向で推移している。

図412-3　高齢就業者数（65歳以上）の推移

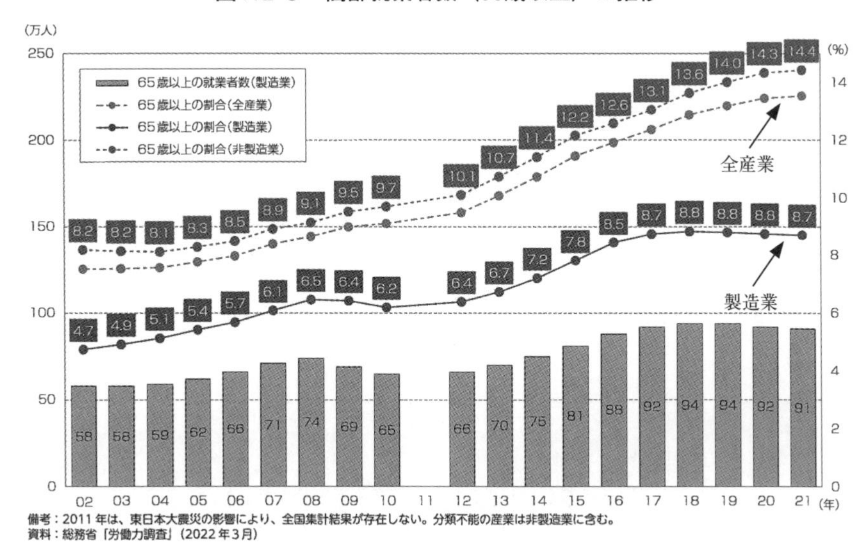

（2022年版　ものづくり白書　p.68）

次に、図412-3によると、2002年から2021年の期間について、製造業の就業者数に占める高齢就業者数（65歳以上）の割合は4.7%～8.8%の間で推移している。全産業の就業者数に占める高齢就業者数の割合は、７%～14%の間で推移しているように読める（図412-3には数値が掲載されていない。掲載されているのは非製造業の割合である）。

製造業の就業者数に占める高齢就業者数の割合は、全産業の就業者数に占める高齢就業者数の割合を「下回って」（空欄Bに該当）推移している。

図412-4　女性就業者数と女性比率の推移

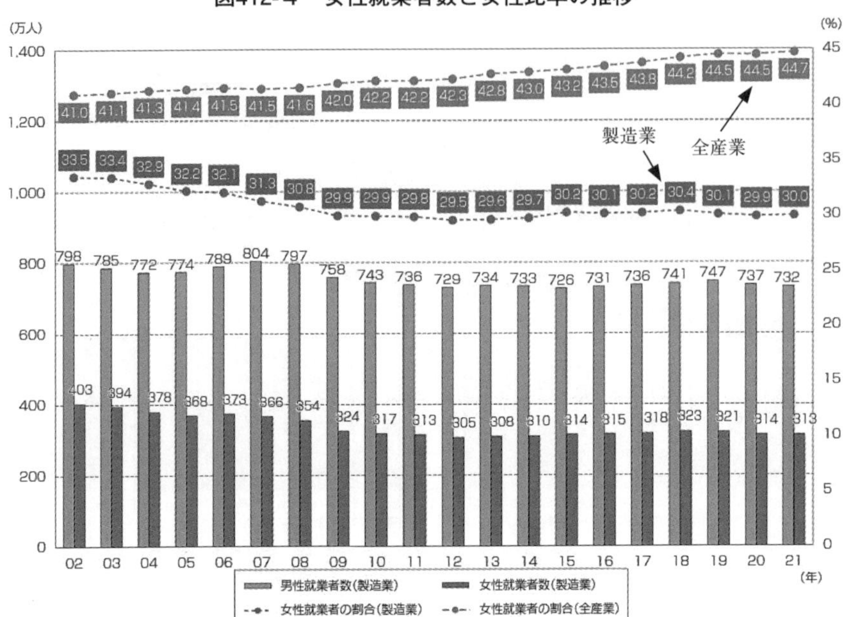

備考：2011年は、東日本大震災の影響により、補完推計値を用いた。
資料：総務省「労働力調査」(2022年3月)

(2022年版　ものづくり白書　p.69)

図412-4によると、2002年から2021年の期間について、製造業の就業者数に占める女性就業者数の割合は29.5%～33.5%の間で推移している。全産業の就業者数に占める女性就業者数の割合は、41.0%～44.7%の間で推移している。

製造業の就業者数に占める女性就業者数の割合は、全産業の就業者数に占める女性就業者数の割合を「下回って」(空欄Cに該当)推移している。

よって、**オ**が正解である。

第8問

白書p.Ⅰ-48、コラム第1-1-2④図「在留資格別、就労業種の内訳」からの出題である。

コラム第1-1-2④図　在留資格別、就労業種の内訳

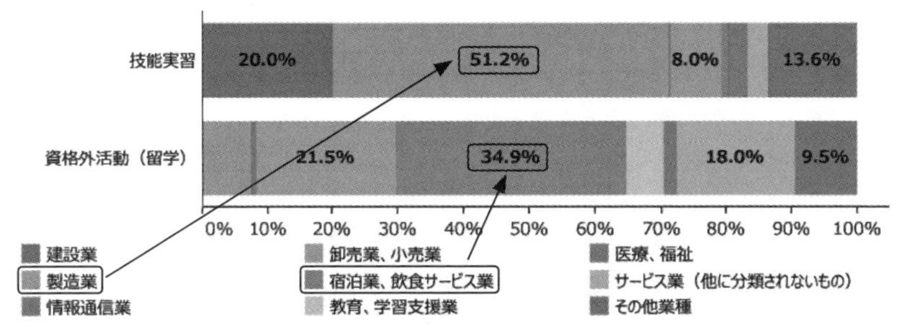

資料：厚生労働省「外国人雇用状況」の届出状況まとめ

（2022年版　中小企業白書　p.Ⅰ-48）

在留資格が技能実習である外国人が最も多く就労している業種は「製造業」（空欄Aに該当）であり、51.2％を占める。建設業は20.0％で２番目に多い。資格外活動（留学）では「宿泊業、飲食サービス業」（空欄Bに該当）が34.9％と最も多くなっている。

よって、**オ**が正解である。

第9問

白書p.Ⅱ-381、第2-3-91図「経営力再構築伴走支援モデルの三要素」からの出題である。

第2-3-91図　経営力再構築伴走支援モデルの三要素

要素1	支援に当たっては対話と傾聴を基本的な姿勢とすることが望ましい。
要素2	経営者の「自走化」のための内発的動機づけを行い、「潜在力」を引き出す。
要素3	具体的な支援手法（ツール）は自由であり多様であるが、相手の状況や局面によって使い分ける。

（2022年版　中小企業白書　p.Ⅱ-381）

経営力再構築伴走支援モデルの三要素の要素１は、支援に当たっては「対話と傾聴」（空欄Aに該当）を基本的な姿勢とすることが望ましい、である。要素２は、経営者の「自走化」のための「内発的動機づけ」（空欄Bに該当）を行い、「潜在力」を引き出す、である。

よって、**エ**が正解である。

第10問

中小企業の研究開発費や能力開発費に関する出題である。

設問1

白書p. I -21、第1-1-24図「企業規模別・業種別に見た、研究開発費及び売上高研究開発費の推移」、p. I -22、第1-1-25図「企業規模別・業種別に見た、売上高対能力開発費」からの出題である。

第1-1-24図　企業規模別・業種別に見た、研究開発費及び売上高研究開発費の推移

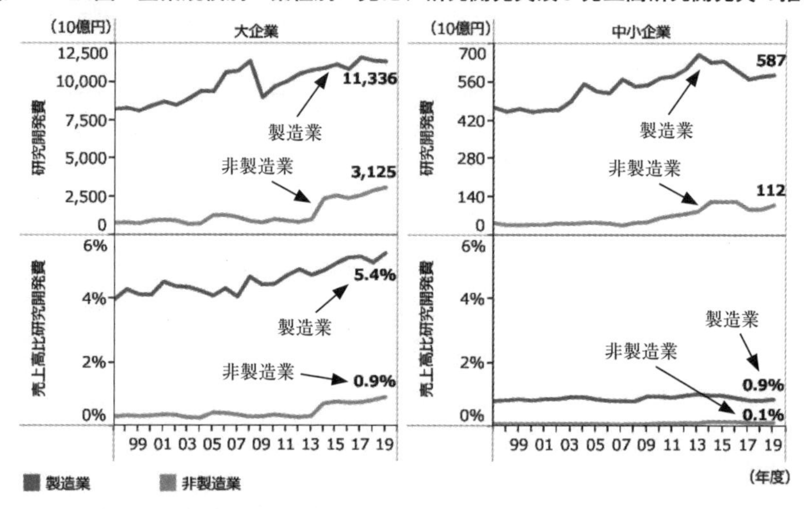

資料：経済産業省「企業活動基本調査」再編加工

（2022年版　中小企業白書　p. I -21）

第1-1-25図　企業規模別・業種別に見た、売上高対能力開発費

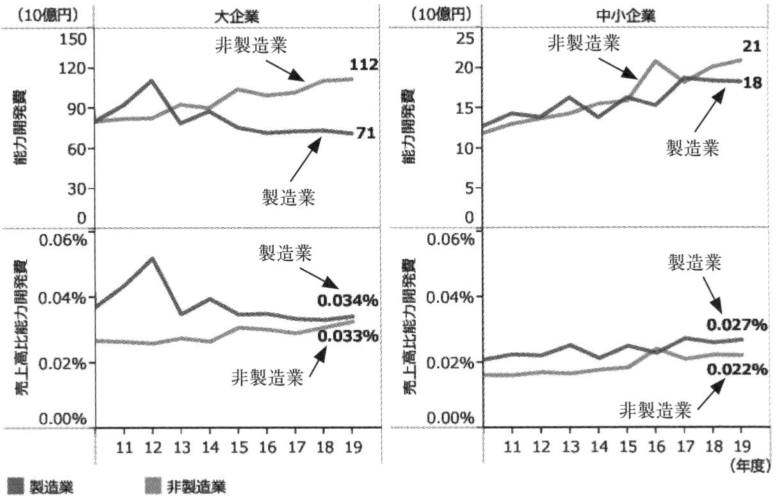

製造業　非製造業

資料：経済産業省「企業活動基本調査」再編加工

（2022年版　中小企業白書　p. I -22）

第1-1-24図によると、2019年度の大企業の製造業の研究開発費割合は5.4%であり、中小企業の製造業の研究開発費割合0.9%と比べて4.5ポイント、6倍の差がある。第1-1-25図によると、大企業の製造業の能力開発費割合は0.034%であり、中小企業の製造業の能力開発費割合0.027%とは0.007ポイント、約1.3倍の差である。研究開発費割合のほうが能力開発費割合より規模間格差は大きい。

非製造業も同様に見ていく。第1-1-24図によると、2019年度の大企業の非製造業の研究開発費割合は0.9%であり、中小企業の非製造業の研究開発費割合0.1%と比べて0.8ポイント、9倍の差がある。第1-1-25図によると、大企業の非製造業の能力開発費割合は0.033%であり、中小企業の非製造業の能力開発費割合0.022%とは0.011ポイント、1.5倍の差である。非製造業においても研究開発費割合のほうが能力開発費割合より規模間格差は大きい。

したがって、研究開発費割合の規模間格差は、製造業では能力開発費割合の格差よりも「大きく」（空欄Aに該当）、非製造業でも能力開発費割合の格差よりも「大きい」（空欄Bに該当）。

よって、**ア**が正解である。

設問2 ●●●

（設問１）と同じく、白書p.Ⅰ-21、第１-１-24図「企業規模別・業種別に見た、研究開発費及び売上高研究開発費の推移」、p.Ⅰ-22、第１-１-25図「企業規模別・業種別に見た、売上高対能力開発費」からの出題である。

ア　○：正しい。第１-１-24図によると、中小企業の製造業の研究開発費は2010年度から2019年度にかけて6,000億円前後で推移し、非製造業の1,000億円前後を一貫して上回って推移している。

イ　×：選択肢**ア**の解説参照。

ウ　×：第１-１-25図によると、中小企業の製造業の能力開発費は2010年度から2019年度にかけて130億円から190億円程度で推移し、2019年度は180億円である。一方、中小企業の非製造業の能力開発費は120億円から210億円程度で推移し、2019年度は210億円である。2014年度、2016年度、2018年度、2019年度では、製造業の能力開発費は非製造業を下回っている。

エ　×：2010年度、2011年度、2013年度、2017年度は、製造業が非製造業の能力開発費を上回っており、一貫して下回っていない。選択肢**ウ**の解説も参照のこと。

よって、**ア**が正解である。

第11問

白書p.Ⅰ-64、第1-1-67図「事業継続計画（BCP）の策定状況の推移（中小企業）」からの出題である。

第1-1-67図　事業継続計画（BCP）の策定状況の推移（中小企業）

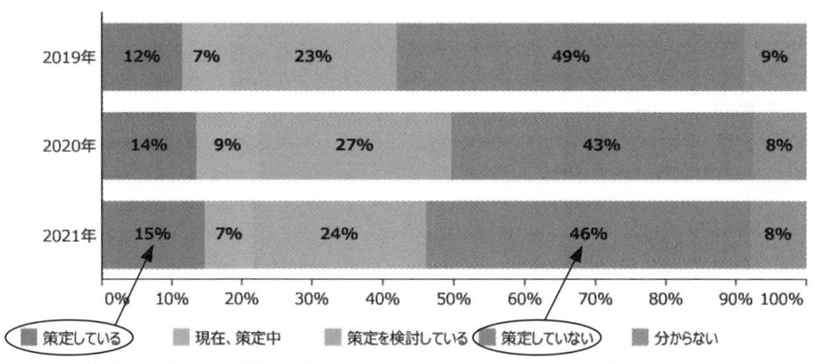

資料：（株）帝国データバンク「事業継続計画(BCP)に対する企業の意識調査」（2019年５月、2020年５月、2021年５月）

（2022年版　中小企業白書　p.Ⅰ-64）

BCPを策定している企業は2019年12％→2020年14％→2021年15％と「増加」（空欄Aに該当）傾向にある。また、直近３年間で「策定していない」（空欄Bに該当）の回答割合は43～49％で半数近くを占めている。「策定を検討している」の回答割合は23～27％で推移している。

よって、**ウ**が正解である。

第12問

中小企業の労働生産性と労働分配率に関する出題である。

設問1

白書p. Ⅰ-71、第1-1-72図「企業規模別に見た、従業員一人当たり付加価値額（労働生産性）の推移」、p. Ⅰ-72、第1-1-73図「企業規模別の労働生産性の水準比較」からの出題である。

第1-1-72図　企業規模別に見た、従業員一人当たり付加価値額（労働生産性）の推移

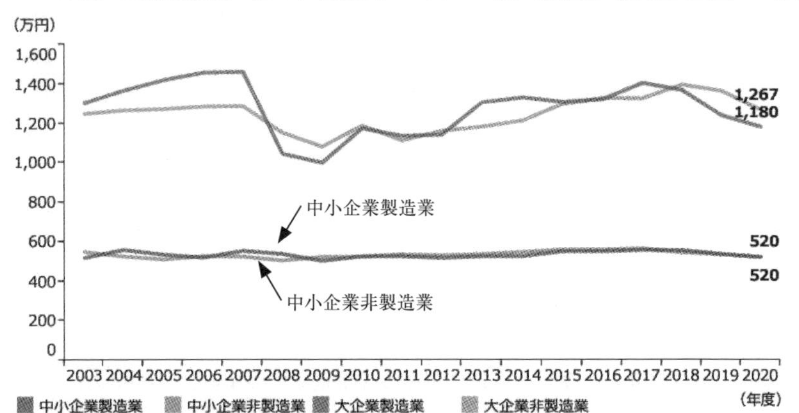

資料：財務省「法人企業統計調査年報」
（注）1.ここでいう大企業とは資本金10億円以上、中小企業とは資本金１億円未満の企業とする。
2.平成18年度調査以前は付加価値額＝営業純益（営業利益－支払利息等）＋役員給与＋従業員給与＋福利厚生費＋支払利息等＋動産・不動産賃借料＋租税公課とし、平成19年度調査以降はこれに役員賞与、及び従業員賞与を加えたものとする。

（2022年版　中小企業白書　p. Ⅰ-71）

2003年度から2020年度について、中小企業の従業員一人当たり付加価値額（労働生産性）の推移を見ると、製造業、非製造業ともに520万円程度で「横ばい」（空欄Aに該当）傾向にある。

第1-1-73図　企業規模別の労働生産性の水準比較

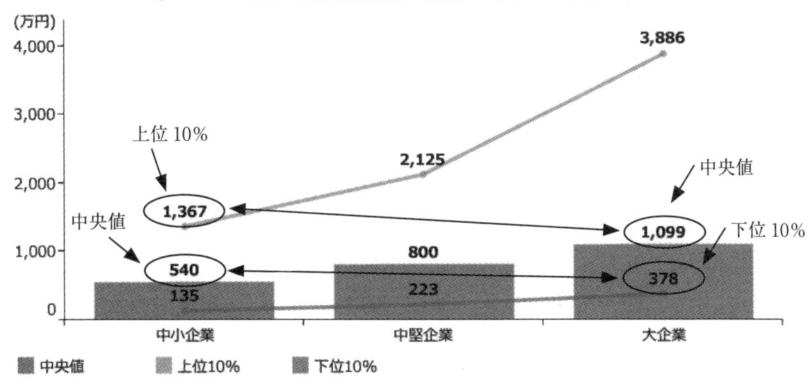

資料：財務省「令和２年度法人企業統計調査年報」再編加工
（注）1.非一次産業を集計対象としている。
2.ここでいう大企業とは資本金10億円以上、中堅企業とは資本金1億円以上10億円未満、中小企業とは資本金1億円未満とする。

（2022年版　中小企業白書　p.Ⅰ-72）

企業規模別に2020年度の労働生産性を見ると、中小企業の上位10%の水準は1,367万円であり、大企業の中央値1,099万円を「上回って」（空欄Bに該当）いる。また、大企業の下位10%の水準は378万円であり、中小企業の中央値540万円を「下回って」（空欄Cに該当）いる。

よって、**エ**が正解である。

設問2 ●●●

白書p.Ⅰ-77、第1-1-78図「企業規模別に見た、労働分配率の推移」からの出題である。

第1-1-78図　企業規模別に見た、労働分配率の推移

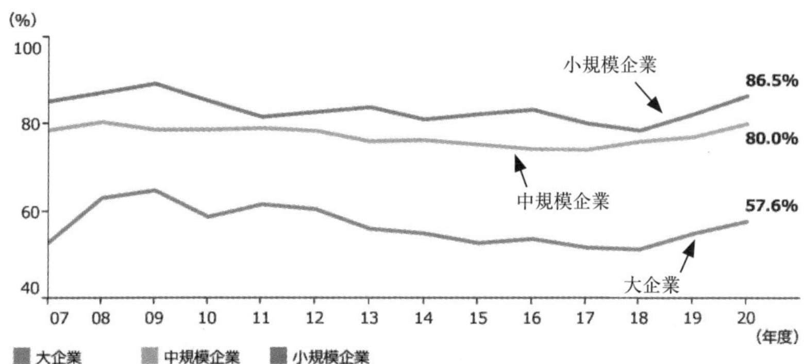

資料：財務省「法人企業統計調査年報」
（注）1.ここでいう大企業とは資本金10億円以上、中規模企業とは資本金1千万円以上1億円未満、小規模企業とは資本金1千万円未満。
2.ここでいう労働分配率とは付加価値額に占める人件費とする。
3.付加価値額＝営業純益（営業利益－支払利息等）＋人件費（役員給与＋役員賞与＋従業員給与＋従業員賞与＋福利厚生費）＋支払利息等＋動産・不動産賃借料＋租税公課。
4.金融業、保険業は含まれていない。

（2022年版　中小企業白書　p.Ⅰ-77）

2007年度から2020年度について、企業規模別に労働分配率を見ると、小規模企業は78～90%の水準で推移しており、2018年度を除き80%を超えている。中規模企業は74～81%の水準で推移し、大企業は51～65%の水準で推移している。

労働分配率の推移は高い順に小規模企業－中規模企業－大企業となる。選択肢のうち適切な文章は**オ**の「中規模企業は、小規模企業よりも低く、大企業よりも高い。」のみである。

よって、**オ**が正解である。

第13問

白書p.Ⅰ-111、コラム1-1-7「中小PMIガイドライン」からの出題である。白書は中小PMIガイドラインについて以下のように述べている。

> 本ガイドラインでは、**PMIの主な構成要素を「経営統合」「信頼関係構築」「業務統合」の３領域と定義し**、PMIの推進体制や各領域における手順、求められる取組などを示した。また、**M&Aの検討段階からPMIに向けた準備を進めることがPMIを円滑に実行する上で欠かせない**点や、**M&A成立後概ね１年の集中実施期間を経て、それ以降も継続的に取組を実施することが重要である**ことを示した。

（2022年版　中小企業白書　p.Ⅰ-111　太字は加筆）

a　○：正しい。上記コラム参照。

b　×：PMIに向けた準備は**M&Aの検討段階から**進めることが欠かせないとしている。

c　○：正しい。上記コラム参照。

よって、**a**=「正」、**b**=「誤」、**c**=「正」となり、**イ**が正解である。

第14問

白書p.Ⅰ-17、第1-1-19図「企業規模別に見た、設備投資の推移」、p.Ⅰ-20、第1-1-22図「企業規模別に見た、ソフトウェア投資額の推移」からの出題である。

第1-1-19図　企業規模別に見た、設備投資の推移

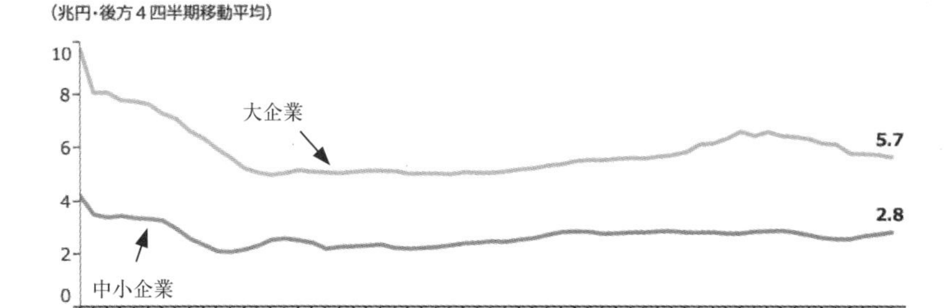

資料：財務省「法人企業統計調査季報」
（注）1.ここでいう大企業とは資本金10億円以上の企業、中小企業とは資本金１千万円以上１億円未満の企業とする。
2.金融業、保険業は含まれていない。
3.設備投資は、ソフトウェアを除く。

（2022年版　中小企業白書　p.Ⅰ-17）

中小企業の設備投資は2007年第４四半期が3.4兆円であり、2020年第４四半期は2.6兆円である。2020年は2007年の水準を「下回る」（空欄Aに該当）。なお、図は後方４半期移動平均のデータのため第４四半期の値で判断した。

第1-1-22図　企業規模別に見た、ソフトウェア投資額の推移

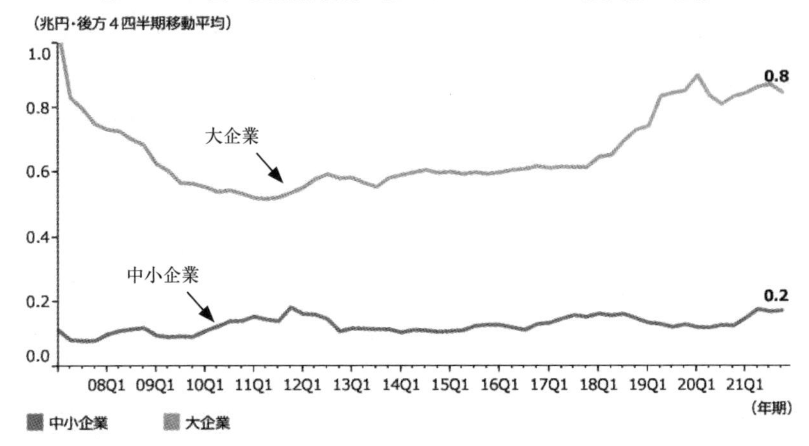

資料：財務省「法人企業統計調査季報」
（注）1.ここでいう大企業とは資本金10億円以上の企業、中小企業とは資本金１千万円以上１億円未満の企業とする。
2.金融業、保険業は含まれていない。

（2022年版　中小企業白書　p. I -20）

中小企業のソフトウェア投資額を見ると、2007年第４四半期が0.1兆円であり、2020年第４四半期においても0.1兆円と「横ばい」（空欄Bに該当）傾向である。白書も「長期にわたって横ばい傾向で推移してきた」と述べている。

なお、第1-1-19図と第1-1-22図では、2021年のデータがあるが、出題者があえて2020年までの期間で区切って作問したのは、空欄Bに入る、長期の「横ばい」傾向を問いたかったためと思われる。

よって、**オ**が正解である。

第15問

白書p.Ⅱ-92、コラム2-2-3「中小企業のためのデザイン経営ハンドブック／みんなのデザイン経営」からの出題である。特許庁が取りまとめた「中小企業のためのデザイン経営ハンドブック／みんなのデザイン経営」について白書は以下のように述べている。

> このハンドブックでは、『「デザイン経営」宣言』の中でデザインの役割として示した「ブランディング」と「イノベーション」という枠組みを発展させ、**「会社の人格形成」「企業文化の醸成」「価値の創造」という三つの枠組み**と九つの要素に整理している。
>
> （中略）
>
> **デザイン経営を実践するためには、経営者の決断が重要だが、成果を上げるためには社員一人一人の意識改革が欠かせない。**

（2022年版　中小企業白書　p.Ⅱ-92～93　太字は加筆）

よって、**a**＝「正」、**b**＝「正」となり、**ア**が正解である。

第16問

日本政策金融公庫総合研究所の「新規開業実態調査」からの出題である。アンケート結果の概要がウェブサイトで公開されている。出題された開業者の属性については下の２つのグラフにまとめられている。

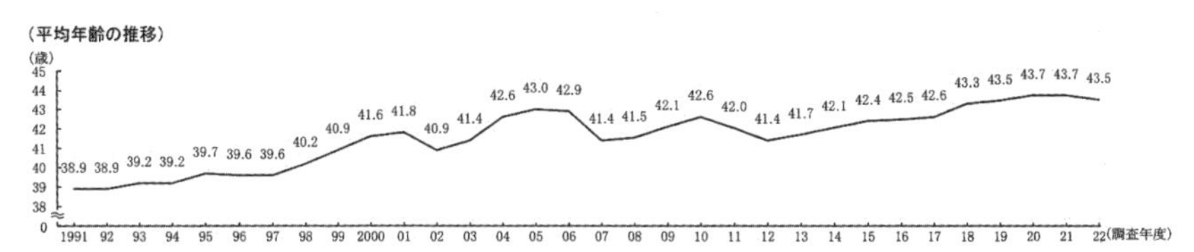

（日本政策金融公庫総合研究所　「2022年度新規開業実態調査」アンケート結果の概要　p.2
https://www.jfc.go.jp/n/findings/pdf/kaigyo_221130_１.pdf）

開業者の平均年齢は、1991年度の38.9歳から2022年度は43.5歳となり「上昇」（空欄Aに該当）傾向にある。

図－2　性　別

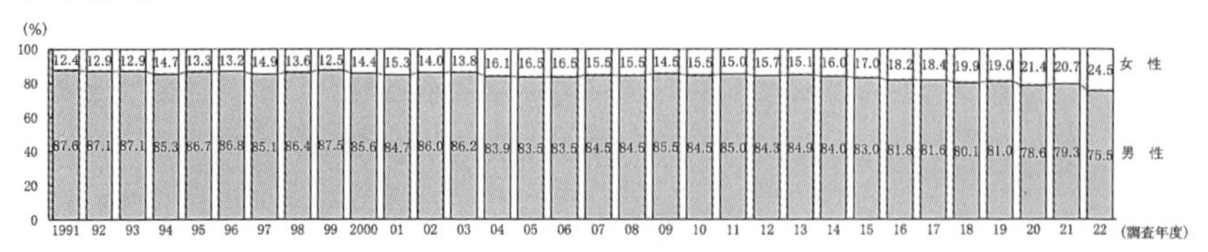

（日本政策金融公庫総合研究所　「2022年度新規開業実態調査」アンケート結果の概要　p.3
https://www.jfc.go.jp/n/findings/pdf/kaigyo_221130_1.pdf）

開業者に占める女性の割合は、1991年度の12.4％から2022年度は24.5％となり「増加」（空欄Bに該当）傾向にある。2022年度の女性開業者の割合は調査開始以来最も高い割合となった。

よって、**イ**が正解である。

第17問

白書p.Ⅰ-25、第1-1-29図「倒産件数の推移」、第1-1-30図「企業規模別倒産件数の推移」からの出題である。

第1-1-29図　倒産件数の推移

(件)
20,841
15,646
6,468
6,030
20,000
15,000
10,000
5,000
0
81 83 85 87 89 91 93 95 97 99 01 03 05 07 09 11 13 15 17 19 21
(年)

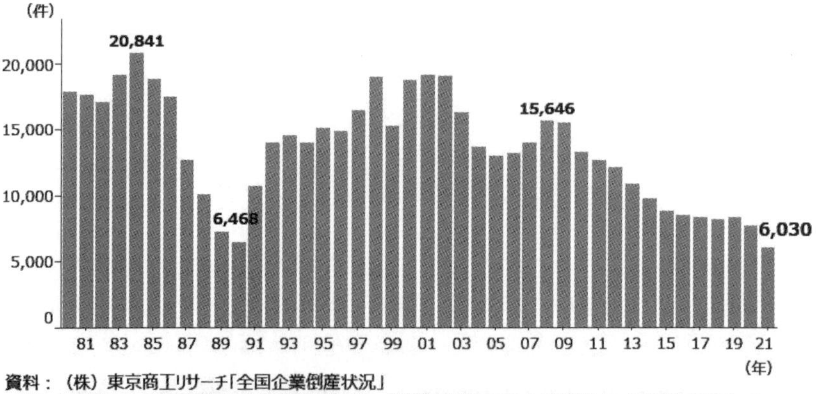

資料：（株）東京商工リサーチ「全国企業倒産状況」
（注）1.倒産とは、企業が債務の支払不能に陥ったり、経済活動を続けることが困難になった状態となること。また、私的整理（取引停止処分、内整理）も倒産に含まれる。
2.負債総額1,000万円以上の倒産が集計対象。

（2022年版　中小企業白書　p.Ⅰ-25）

倒産件数について、2009年から2021年の期間についてみると、2009年の15,480件から2021年の6,030件へと「減少」（空欄Aに該当）傾向にある（図に記されている15,646件は2008年の件数である）。

第1-1-30図　企業規模別倒産件数の推移

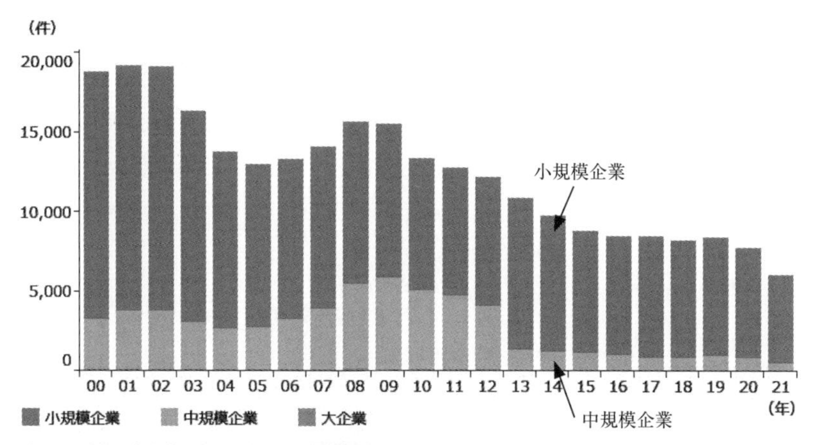

資料：（株）東京商工リサーチ「全国企業倒産状況」
（注）1.ここでいう「中規模企業」とは、中小企業基本法上の中小企業のうち、同法上の小規模企業に当てはまらない企業をいう。
2.企業規模別の集計については、2000年以降のみ集計を行っている。
3.負債総額1,000万円以上の倒産が集計対象。

（2022年版　中小企業白書　p.Ⅰ-25）

第1-1-30図によると、企業規模別の倒産件数では、大部分を「小規模企業」（空欄Bに該当）が占めている。小規模企業の倒産件数は、2009年から2012年までは全体の6割を超える程度であったが、2013年以降は約9割となっている。

よって、**ア**が正解である。

第18問

信用保証制度の利用状況に関する出題である。

設問1

全国信用保証協会連合会の令和５年度版「信用保証制度のご案内」に以下の図が掲載されている。

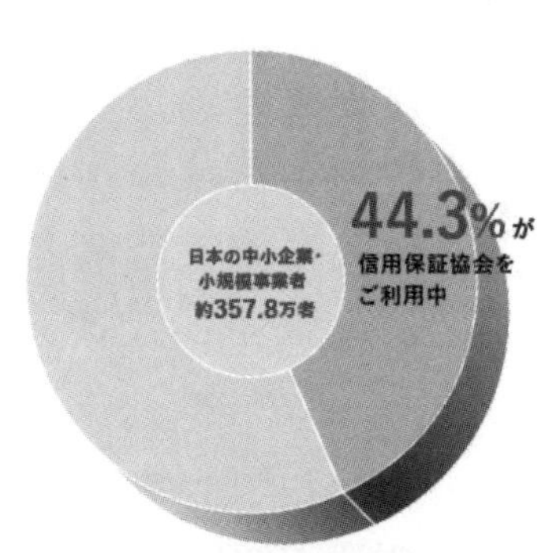

（全国信用保証協会連合会　令和５年度版「信用保証制度のご案内」一部加工）

日本の中小企業者数を総務省・経済産業省「平成28年経済センサス－活動調査」をもとに約357.8万者とし、令和４年３月末時点で信用保証協会を利用している企業数が約158.3万者であることから、中小企業の44.3％が信用保証協会を利用していると説明している。空欄Aには「４」が入る。

よって、**イ**が正解である。

設問2 ●●●

全国信用保証協会連合会の「信用保証実績の推移」と「信用保証利用状況」からの出題である。「信用保証実績の推移」から保証債務残高を抜き出すと下表のようにまとめられる。

	保証債務残高（百万円）	前年同期比
平成 24 年度	32,078,613	93.1%
平成 25 年度	29,778,513	92.8%
平成 26 年度	27,701,740	93.0%
平成 27 年度	25,761,647	93.0%
平成 28 年度	23,873,792	92.7%
平成 29 年度	22,215,070	93.1%
平成 30 年度	21,080,871	94.9%
令和元年度	20,805,320	98.7%
令和２年度	41,981,685	201.8%
令和３年度	41,881,733	99.8%

（全国信用保証協会連合会　信用保証実績の推移）

2012年度（平成24年度）から2019年度（令和元年度）までは「減少」（空欄Bに該当）傾向にある。2020年度（令和２年度）には大きく増加している。これは新型コロナウイルス感染症の影響で資金需要が高まったためと考えられる。

保証承諾実績について、全国信用保証協会連合会はウェブサイトに「信用保証利用状況」として公開しているが、試験日の令和５年８月６日時点では、データが更新されて最新の2022年度の実績が公開され、2021年度の実績は見られない。問われた時点より一年後の2022年度のデータとなるが下に引用する。

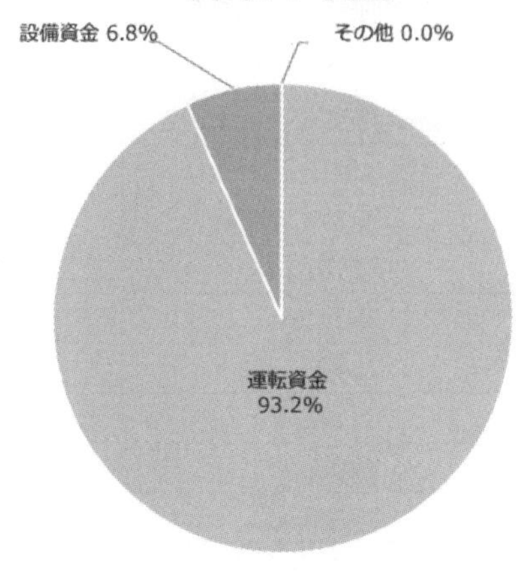

（全国信用保証協会連合会　信用保証利用状況
https://www.zenshinhoren.or.jp/document/riyo_jyokyo.pdf）

資金使途別では運転資金93.2%、設備資金6.8%と、運転資金が設備資金を大きく上回る。問われている2021年度（令和３年度）はこのデータより１年前だが、この間に設備投資の動向や中小企業の金融情勢に大きな変化はなく保証承諾の傾向にも大きな変化はないと考える。空欄Cには「運転資金」が当てはまると判断した。

よって、**ア**が正解である。

【中小企業政策】

第19問

中小企業基本法についての出題である。（設問１）と（設問３）は確実に正解したい。

設問１ ●●●

中小企業基本法の中小企業者の範囲（定義）についての出題である。本問は基本的な事項が問われており、必ず正解しなくてはならない問題である。

下記に中小企業者の定義を掲載する。

業種分類	定義（基準）
製造業その他 （建設業、運輸業など）	資本金３億円以下または 従業員数300人以下
卸売業	資本金１億円以下または 従業員数100人以下
小売業、飲食店	資本金５千万円以下または 従業員数50人以下
サービス業	資本金５千万円以下または 従業員数100人以下

a ✕：「広告制作業」は、日本標準産業分類では、大分類の「情報通信業」のうち、中分類の「映像・音声・文字情報制作業」に該当する。「映像・音声・文字情報制作業」は、中小企業者の定義では「サービス業」で判定する。そうすると、資本金基準、従業員基準ともに満たしていないので、中小企業者の範囲に含まれない。

b ○：正しい。「建築リフォーム工事業」は、日本標準産業分類では、大分類の「建設業」のうち、中分類の「総合工事業」に該当する。「総合工事業」は、中小企業者の定義では「製造業その他」で判定する。そうすると、資本金基準を満たしており、中小企業者に該当する。なお、中小企業者の判定においては、資本金基準、従業員基準のどちらかの条件が満たされていれば、中小企業者に該当する。

よって、**a**＝「誤」、**b**＝「正」となり、**ウ**が正解である。

設問２ ●●●

中小企業基本法の用語の定義についての出題である。用語の定義は、本試験では令和５年度が初出題であり、難問といえる。

中小企業基本法の用語の定義の条文は、以下のとおりである。

<中小企業基本法第2条2項>（「経営の革新」の定義）

この法律において「経営の革新」とは、新商品の開発又は生産、新役務の開発又は提供、商品の新たな生産又は販売の方式の導入、役務の新たな提供の方式の導入、新たな経営管理方法の導入その他の新たな事業活動を行うことにより、**その経営の相当程度の向上を図る**（空欄Aに該当）ことをいう。

<中小企業基本法第2条3項>（「創造的な事業活動」の定義）

この法律において「創造的な事業活動」とは、経営の革新又は創業の対象となる事業活動のうち、**著しい新規性を有する技術**（空欄Bに該当）又は著しく創造的な経営管理方法を活用したものをいう。

よって、空欄Aには「その経営の相当程度の向上を図る」、空欄Bには「著しい新規性を有する技術」が入り、**ウ**が正解である。

設問3

中小企業基本法の基本理念についての出題である。平成25年9月20日に施行された中小企業基本法等の改正法（通称：小規模企業活性化法）により追加された、中小企業基本法第3条2項の条文が問われている。

中小企業基本法第3条2項について、法律の条文を下記に示すことにする。

<中小企業基本法第3条2項（基本理念）>

中小企業の多様で活力ある成長発展に当たっては、小規模企業が、地域の特色を生かした事業活動を行い、就業の機会を提供するなどして**地域における経済の安定並びに地域住民の生活の向上及び交流の促進**（空欄Aに該当）に寄与するとともに、創造的な事業活動を行い、新たな産業を創出するなどして**将来における我が国の経済及び社会の発展**（空欄Bに該当）に寄与するという重要な意義を有するものであることに鑑み、独立した小規模企業者の自主的な努力が助長されることを旨としてこれらの事業活動に資する事業環境が整備されることにより、小規模企業の活力が最大限に発揮されなければならない。

よって、空欄Aには「地域における経済の安定並びに地域住民の生活の向上及び交流の促進」、空欄Bには「将来における我が国の経済及び社会の発展」が入り、

エが正解である。

第20問

「新創業融資制度」についての出題である。同制度は令和５年度をもって廃止された。

設問1

新創業融資制度の対象者と担保・保証条件についての出題である。

新創業融資制度は、これから創業する者や税務申告を２期終えていない者に対して、**事業計画などの審査を通じ**（空欄Aに該当）、**無担保・無保証人**（空欄Bに該当）で融資する制度である。日本政策金融公庫（国民生活事業）が行っている。

よって、空欄Aには「事業計画などの審査を通じ」、空欄Bには「無担保・無保証人」が入り、**イ**が正解である。

設問2

新創業融資制度の自己資金に関する要件についての出題である。

新創業融資制度を受ける要件の一つとして、新たに事業を始める者、または事業開始後税務申告を１期終えていない者は、創業時において創業資金総額の**10分の１以上**（空欄Cに該当）の自己資金（事業に使用される予定の資金をいう）が確認できる必要がある。

なお、本問で創業予定者のX氏について「現在、飲食業とは別業種に勤務中」とあるのは、「現在勤めている企業と同じ業種の事業を始める者」、「産業競争力強化法に定める認定特定創業支援事業を受けて事業を始める者」等に該当する者は、自己資金に関する要件を適用しない場合があるためである。

よって、空欄Cには「10分の１以上」が入り、**ア**が正解である。

第21問

小規模企業共済制度についての出題である。問われている事項はいずれも基本事項であり、確実に正解したい。

設問1

小規模企業共済制度は、廃業や退職に備え、小規模企業の**経営者が生活の安定や事業の再建を図るための資金をあらかじめ準備しておくための共済制度**（空欄Aに該当）で、いわば「経営者の退職金制度」である。

中小企業基盤整備機構が運営を行い、小規模企業者が掛金を積み立て、廃業や役員の退職などの給付事由が発生した場合、共済金を一括または分割で支払う。掛金は全額所得控除される。

また、納付した掛金合計額の**範囲内**（空欄Bに該当）で事業資金などの貸付けが無担保・無保証人で受けられる契約者貸付制度がある。

よって、空欄Aには「経営者が生活の安定や事業の再建を図るための資金をあらかじめ準備しておくための共済制度」、空欄Bには「範囲内」が入り、**エ**が正解である。

設問2 ●●●

中小企業退職金共済制度や中小企業倒産防止共済制度（経営セーフティ共済）との引っ掛けに注意したい。

ア　×：中小企業退職金共済制度に関する記述である。

イ　○：正しい。なお、一括して受け取る共済金は退職所得、分割して受け取る共済金は雑所得、解約の場合は一時所得として取り扱われる。

ウ　×：納付した掛金は、納付した年の加入者個人の総所得金額から**全額所得控除**できる。

エ　×：中小企業退職金共済制度に関する記述である。

よって、**イ**が正解である。

第22問

高度化事業についての出題である。基本的な問題であり、2問中1問は正解したい。

設問1 ●●●

高度化事業では、工場団地・卸団地、ショッピングセンター等の整備、商店街のアーケード・カラー舗装等の整備などを行う中小企業組合等に対して、**都道府県**（空欄Aに該当）と中小企業基盤整備機構が協調して**設備資金**（空欄Bに該当）の貸付けを行う。貸付けに際しては、事前に事業計画について専門的な立場から診断・助言を行う。

よって、空欄Aには「都道府県」、空欄Bには「設備資金」が入り、**ウ**が正解である。

設問2

貸付条件として、主に次のように規定されている。

<貸付条件>

・貸付限度額：なし

・貸付割合：原則として80%以内

・貸付対象：設備資金（過去に高度化事業で整備した既存施設のリニューアル事業も貸付対象）

・貸付期間：20年以内（うち据置期間３年以内）

なお、貸付にあたっては、都道府県（計画内容によって中小企業基盤整備機構と共同）の診断を受ける必要がある。

よって、**エ**が正解である。

第23問

「社会環境対応施設整備資金融資制度（BCP融資）」は、災害等による事業中断を最小限にとどめるために、**中小企業等経営強化法**（空欄Aに該当）に基づく、事業継続力強化計画または**連携事業継続力強化計画**（空欄Bに該当）の認定を受けている中小企業者、BCP（事業継続計画）を策定している中小企業は、同計画に基づく施設整備に必要な資金の融資を受けることができる制度である。

なお、同制度は令和６年度に「BCP資金」に名称変更された。

設問1

空欄Bの内容がわからなくても、「事業継続力強化計画」の根拠法がわかれば正解ができる問題であり、基本事項であることから確実に正解したい。

中小企業等経営強化法（空欄Aに該当）に基づく「事業継続力強化計画」は、中小企業が自社の災害リスクを認識し、防災・減災対策の第一歩として取り組むために、必要な項目を盛り込んだものであり、支援措置を受けるために、将来的に行う災害対策等を記載するものである。認定を受けた中小企業は、防災・減災設備に対する税制優遇、低利融資、補助金の優先採択等を受けることができる。

よって、空欄Aには「中小企業等経営強化法」が入り、**エ**が正解である。

設問2

冒頭の解説で述べたように、「社会環境対応施設整備資金融資制度（BCP融資）」の融資対象者の一つが、中小企業等経営強化法に基づく、事業継続力強化計画または**連携事業継続力強化計画**（空欄Bに該当）の認定を受けている中小企業者である。

なお、「事業継続力強化計画」は単独で中小企業が取り組むものであるが、「連携事業継続力強化計画」は複数の事業者が連携して取り組むものである。

よって、空欄Bには「連携事業継続力強化計画」が入り、**エ**が正解である。

第24問

先端設備等導入計画に係る固定資産税の特例についての出題である。本試験では令和５年度が初出題となる。

設問1

市町村（特別区を含む）（空欄に該当）により中小企業等経営強化法に基づく先端設備等導入計画の認定を受けた中小企業の設備投資に対して、地方税法における償却資産に係る固定資産税の特例などを講じている。

対象となるのは、一定期間内に労働生産性を一定程度向上させるため、先端設備等を導入する計画を策定し、新たに導入する設備等が存在する**市町村（特別区を含む）**（空欄に該当）の「導入促進基本計画」等に基づき認定を受けた中小企業者である。

支援内容としては、市町村の認定を受けた先端設備等導入計画に従って取得した先端設備等に係る固定資産税について、新たに課税される年から３年間に限り、２分の１に軽減される措置を受けることができる（令和５年４月から令和７年３月までに取得された設備が対象。ただし、２年間の延長要望が出されている）。

よって、空欄には「市町村（特別区を含む）」が入り、**ウ**が正解である。

設問2

先端設備等導入計画の認定要件である労働生産性とは、「**（営業利益＋人件費＋減価償却費）÷労働投入量**」で計算する。これは、経営力向上計画の認定要件である労働生産性と同じ計算式である。

よって、**イ**が正解である。

第25問

IT導入補助金についての出題である。本試験では令和５年度が初出題となる。「枠」や「類型」の細かな事項が問われており、正解は難しかったといえる。複雑な制度であるが、本問で取り上げられた「枠」「類型」の概要は以下のとおりである。

【通常枠】

中小企業、小規模事業者が、新たに生産性向上に貢献するソフトウェア等のITツールを導入する際に、補助を受けることができる。

【デジタル化基盤導入類型】

中小企業、小規模事業者が、**会計ソフト、受発注ソフト、決済ソフト、ECソフト**等の導入を行う際には、高い補助率での支援を受けることができ、PC・タブレット、レジ等の導入も補助の対象となる。ただし、令和６年度は公募されていない。

【複数社連携IT導入類型】

地域DXの実現や生産性の向上を図るため、**10者以上**の複数の中小・小規模事業者が連携してITツールおよびハードウェアを導入する取組について、補助を受けることができる。

【セキュリティ対策推進枠】

中小企業等に必要なサイバーセキュリティ対策をワンパッケージにまとめた「サイバーセキュリティお助け隊サービス」を導入する際の補助を受けることができる。

設問1 ●●●

ア　×：会計ソフトの導入は「デジタル化基盤導入枠」の「デジタル化基盤導入類型」に区分されている。なお、「通常枠」はA類型・B類型に分かれているが、どちらも、具体的なソフト名は明示されていない。

イ　○：正しい。決済ソフトや受発注ソフト（選択肢**エ**）の導入は、「デジタル化基盤導入枠」の「デジタル化基盤導入類型」の区分に該当する（デジタル化基盤導入枠には、デジタル化基盤導入類型、複数社連携IT導入類型、商流一括インボイス対応類型の３類型がある）。「デジタル化基盤導入枠（デジタル化基盤導入類型）」は、会計ソフト、受発注ソフト、決済ソフト、ECソフトに補助対象を特化している。

ウ　×：「サイバーセキュリティお助け隊サービス」の導入は、「セキュリティ対策推進枠」（注：同枠には「類型」はない）の区分に該当する。「セキュリティ対策推進枠」は、「サイバーセキュリティお助け隊サービス」に補助対象を特化している。

エ　×：選択肢**イ**の解説参照。

よって、**イ**が正解である。

設問2

支援内容の細かい部分が問われており、特に「複数社連携IT導入類型」の詳細が問われた空欄Bは難問といえる。

「通常枠」の補助率は、**2分の1以内**（空欄Aに該当）である。

「複数社連携IT導入類型」の概要は、冒頭の解説で述べたとおり、地域DXの実現や生産性の向上を図るため、**10者以上**（空欄Bに該当）の複数の中小・小規模事業者が連携してITツールおよびハードウェアを導入する取組についても、補助を受けることができるものである。

よって、空欄Aには「２分の１以内」、空欄Bには「10者以上」が入り、**イ**が正解である。

第26問

中小企業税制のうち、中小企業者等の法人税率の特例についての出題である。基本事項が問われており、（設問１）（設問２）ともに確実に正解したい。

現行の法人税率については、下記のとおりである。資本金（または出資金）の額が**１億円以下**（空欄Aに該当）の法人等の法人税率は、年所得**800万円以下**（空欄Bに該当）の部分については本来19%であるが、時限措置として**15%**（空欄Cに該当）に引き下げられている。

対　象	法人税法における税率（本則）		令和７年３月31日までの時限的な軽減税率※
普通法人 （中小法人以外） 資本金１億円超	所得区分なし	23.2%	—
中小法人 資本金１億円以下	年所得800万円超の部分	23.2%	—
	年所得800万円以下の部分	19%	15%
商工会、商工会議所、 中小企業等協同組合、 商店街振興組合など	所得区分なし	19%	15% （年所得800万円以下の部分）

※　２年間の延長要望が出されている。

設問1

法人税率の特例の対象についての出題であるが、実質、中小法人の定義についての出題といってよい。基本事項であり、確実に正解しなければならない。

中小法人に該当した場合、頻出論点である法人税の軽減税率や交際費等の損金算入の特例の対象となる。中小法人とは、業種や従業員数にかかわらず、資本金または出資金の額が**1億円以下**（空欄Aに該当）の法人である。ただし、資本金1億円以下の法人であっても、大法人（資本金または出資金の額が5億円以上の法人）や相互会社等の100%子会社は中小法人とはならない。

よって、空欄Aには「1億円以下」が入り、**ア**が正解である。

設問2 ●●●

冒頭の解説参照。

よって、空欄Bには「800万円以下」、空欄Cには「15%」が入り、**ウ**が正解である。

第27問

法人版事業承継税制についての出題である。特例措置については令和5年度が初出題で、細かい事項が問われている部分もあるが、総じて基本的な内容が問われている。

設問1 ●●●

法人版事業承継税制の特例措置は、平成30年4月1日から令和6年3月31日まで（注：令和8年3月31日まで適用期間が延長された）に経営承継円滑化法に基づく**「特例承継計画」**（空欄に該当）を都道府県知事に提出した場合、（設問2）で問われている優遇措置を受けることができる。

よって、空欄には「特例承継計画」が入り、**エ**が正解である。

設問2 ●●●

特例措置の内容についての出題である。細かい事項も問われているが、基本事項を押さえていれば正解できる問題である。

ア　×：本来の事業承継税制では、後継者が自主廃業や売却を行う際、経営環境の変化により株価が下落した場合でも、承継時の株価を基準に贈与・相続税が納税される。これが、特例の適用を受けると、**売却時や廃業時**の評価額を基準に納税額が再計算される。これにより、承継時の株価を基準に計算された納税額との差額を減免する。

イ　×：本来の事業承継税制では、事業承継後5年間平均で、雇用の8割を維持しなければならないという雇用要件がある。これが、特例の適用を受けると、**雇用を維持できなかった場合でも納税猶予が継続可能**となる（ただし、経営悪化等が理由の場合、認定支援機関の指導助言が必要となる）。

ウ　○：正しい。本来の事業承継税制では、納税猶予措置は、相続・贈与前から後継者がすでに保有していた議決権株式を含め、発行済完全議決権株式総数の３分の２に達するまでの部分に限られ、相続税の納税猶予割合は80％である。これが、特例の適用を受けると、**対象株式の制限がなくなり**（全株式が納税猶予の対象となる）、**相続税についても、納税猶予割合が100％**となる。

エ　×：本来の事業承継税制では、一人の先代経営者から一人の後継者に対して贈与・相続される株式のみが対象となる。これが、特例の適用を受けると、親族外を含む複数の株主から、代表者である後継者（**最大３人まで**）への承継も対象となる。

よって、**ウ**が正解である。

第28問

「中小企業等事業再構築促進事業」（いわゆる「事業再構築補助金」）についての出題である。従来、事業再構築は、「新市場進出（新分野展開、業態転換）」、「事業転換」、「業種転換」、「事業再編」、「国内回帰」の５つを指していたが、令和６年４月23日に事業再構築指針が改訂され、「新市場進出（新分野展開、業態転換）」、「事業転換」、「業種転換」、「事業再編」、「国内回帰」、「地域サプライチェーン維持・強靱化」の６つを指すことになった。

設問１ ●●●

事業再構築指針についての出題である。経済産業省が示す「事業再構築指針」に沿った３～５年の事業計画書を作成し、認定経営革新等支援機関の確認を受けることが、事業再構築補助金の要件の一つとして挙げられる。本問では新分野展開（事業再構築の一類型である「新市場進出」に該当）の該当要件の一つである「製品等の新規性要件」の詳細が問われているが、「事業再構築指針」や「事業再構築指針の手引き」の記載事項まで試験対策をしている受験生はほとんどいないと思われる。

ア　×：過去に製造等していた製品等を再製造等する場合は、「製品等の新規性要件」を満たさない。

イ　×：既存の製品等を単純に組み合わせただけの新製品等を製造等する場合は、「製品等の新規性要件」を満たさない。

ウ　×：既存の製品等に容易な改変を加えた新製品等を製造等する場合は、「製品等の新規性要件」を満たさない。

エ　○：正しい。既存製品と比較して定量的に性能または効能が異なることが説明でき、かつ、過去に製造等した実績がなければ、「製品等の新規性要件」を満たす。

よって、空欄Aには「他社の先行事例を参考に自社の既存製品と比較し高性能の製品を新規に開発し、新たな市場に進出すること」が入り、**エ**が正解である。

設問2 ●●●

本問では新分野展開（事業再構築の一類型である「新市場進出」に該当）の該当要件の一つである「新事業売上高10%等要件」が問われている。細かい事項が問われており、正解は難しかったといえる。

新市場進出に該当するためには、事業計画期間終了後、新たな製品の売上高が原則として総売上高の**10%以上**（空欄Bに該当）となる計画を策定することが必要となる（「新事業売上高10%等要件」）。

よって、空欄Bには「10%以上」が入り、**イ**が正解である。

令和4年度問題

令和4年度問題

第1問 参考問題

総務省・経済産業省「平成28年経済センサス－活動調査」に基づき、企業規模別の従業者数（会社及び個人の従業者総数、2016年）と付加価値額（会社及び個人の付加価値額、2015年）を見た場合、中小企業に関する記述として、最も適切なものはどれか。

なお、企業規模区分は中小企業基本法に準ずるものとする。

ア　従業者数は約2,000万人で全体の約５割、付加価値額は約100兆円で全体の約７割を占める。

イ　従業者数は約2,000万人で全体の約７割、付加価値額は約135兆円で全体の約５割を占める。

ウ　従業者数は約3,200万人で全体の約５割、付加価値額は約100兆円で全体の約７割を占める。

エ　従業者数は約3,200万人で全体の約７割、付加価値額は約100兆円で全体の約５割を占める。

オ　従業者数は約3,200万人で全体の約７割、付加価値額は約135兆円で全体の約５割を占める。

第2問 参考問題

総務省・経済産業省「平成28年経済センサス－活動調査」に基づき、製造業、卸売業、小売業について、業種ごとの企業数全体に占める企業規模別の割合（企業数割合）を比較した場合の記述として、最も適切なものはどれか。

なお、ここで企業数は会社数と個人事業者数の合計とする。また、企業規模区分は中小企業基本法に準ずるものとし、中規模企業とは小規模企業以外の中小企業を指すものとする。

ア　小規模企業数割合は卸売業が最も高く、中規模企業数割合は製造業が最も高い。

イ　小規模企業数割合は小売業が最も高く、中規模企業数割合は卸売業が最も高い。

ウ　小規模企業数割合は小売業が最も高く、中規模企業数割合は製造業が最も高い。

エ　小規模企業数割合は製造業が最も高く、中規模企業数割合は卸売業が最も高い。

オ　小規模企業数割合は製造業が最も高く、中規模企業数割合は小売業が最も高い。

第3問　参考問題

財務省「法人企業統計調査年報」に基づき、2010年度から2019年度の期間について、小規模企業の1社当たりの売上高と、売上高経常利益率の推移を見た場合の記述として、最も適切なものはどれか。

なお、ここでは資本金1,000万円未満の企業を小規模企業とする。

ア　売上高は減少基調の中で、売上高経常利益率が悪化傾向にある。
イ　売上高は減少基調の中で、売上高経常利益率が改善傾向にある。
ウ　売上高は増加基調の中で、売上高経常利益率が改善傾向にある。
エ　売上高は横ばい基調の中で、売上高経常利益率が悪化傾向にある。
オ　売上高は横ばい基調の中で、売上高経常利益率が改善傾向にある。

第4問　参考問題

財務省「法人企業統計調査年報」に基づき、2003年度から2019年度の期間について、製造業、非製造業別に、中小企業の従業員一人当たり付加価値額（労働生産性）の推移を見た場合の記述として、最も適切なものはどれか。

なお、ここでは資本金1億円未満の企業を中小企業とする。

ア　製造業は減少傾向、非製造業は増加傾向にある。
イ　製造業は増加傾向、非製造業は減少傾向にある。
ウ　製造業、非製造業とも減少傾向にある。
エ　製造業、非製造業とも増加傾向にある。
オ　製造業、非製造業とも横ばい傾向にある。

第5問　参考問題

従業員一人当たり付加価値額（労働生産性）には、企業規模間での格差の存在が指摘される。

財務省「令和元年度法人企業統計調査年報」に基づき、業種別に大企業と中小企業の労働生産性の格差を次のａ～ｃについて見た場合、大きいものから小さいものへと並べた組み合わせとして、最も適切なものを下記の解答群から選べ。

なお、ここで労働生産性の格差は、中小企業に対する大企業の労働生産性（中央値）の倍率で見るものとする。また、大企業は資本金10億円以上の企業、中小企業は資本金1億円未満の企業とする。

a：小売業

b：宿泊業・飲食サービス業

c：製造業

[解答群]

ア　a：小売業　－　b：宿泊業・飲食サービス業　－　c：製造業

イ　a：小売業　－　c：製造業　－　b：宿泊業・飲食サービス業

ウ　b：宿泊業・飲食サービス業　－　a：小売業　－　c：製造業

エ　b：宿泊業・飲食サービス業　－　c：製造業　－　a：小売業

オ　c：製造業　－　a：小売業　－　b：宿泊業・飲食サービス業

第6問　参考問題

厚生労働省「雇用保険事業年報」に基づき、2000年度から2019年度の期間について、わが国の開業率と廃業率の推移を見た場合の記述として、最も適切なものはどれか。

なお、ここでは事業所における雇用関係の成立を開業、消滅を廃業とみなしている。開業率は当該年度に雇用関係が新規に成立した事業所数を前年度末の適用事業所数で除して算出する。廃業率は当該年度に雇用関係が消滅した事業所数を前年度末の適用事業所数で除して算出する。適用事業所とは、雇用保険に係る労働保険の保険関係が成立している事業所である（雇用保険法第５条）。

ア　開業率は、2000年度以降、廃業率を一貫して上回っている。

イ　開業率は、2000年度から2009年度まで廃業率を一貫して上回り、2010年度から2019年度まで廃業率を一貫して下回っている。

ウ　開業率は、2000年度から2009年度まで廃業率を一貫して下回り、2010年度から2019年度まで廃業率を一貫して上回っている。

エ　開業率は、2010年度から2019年度まで低下傾向で推移している。

オ　廃業率は、2010年度から2019年度まで低下傾向で推移している。

第7問 参考問題

次の文章を読んで、下記の設問に答えよ。

財務省「法人企業統計調査年報」に基づき、1990年度から2019年度の期間について、企業規模別に自己資本比率の推移を見た場合、中規模企業の自己資本比率は、2000年度以降、[A]傾向にあり、大企業と中規模企業の自己資本比率の格差は[B]傾向にある。

また、財務省「令和元年度法人企業統計調査年報」に基づき、業種別に中規模企業の借入金依存度の平均値を見ると、業種によって違いが見受けられる。

なお、ここで大企業とは資本金10億円以上、中規模企業とは資本金1,000万円以上1億円未満の企業をいう。借入金依存度は、金融機関借入金とその他の借入金と社債の合計を総資産で除して算出する。

設問1

文中の空欄AとBに入る語句の組み合わせとして、最も適切なものはどれか。

ア　A：上昇　　B：拡大
イ　A：上昇　　B：縮小
ウ　A：低下　　B：拡大
エ　A：低下　　B：縮小
オ　A：横ばい　B：拡大

設問2

文中の下線部について、財務省「令和元年度法人企業統計調査年報」に基づき、小売業、宿泊業・飲食サービス業、製造業について、中規模企業の借入金依存度（2019年度時点、平均値）を比較した場合の記述として、最も適切なものはどれか。

ア　小売業は、宿泊業・飲食サービス業よりも高く、製造業よりも低い。
イ　小売業は、製造業よりも高く、宿泊業・飲食サービス業よりも低い。
ウ　宿泊業・飲食サービス業は、小売業よりも高く、製造業よりも低い。
エ　宿泊業・飲食サービス業は、製造業よりも高く、小売業よりも低い。
オ　製造業は、宿泊業・飲食サービス業よりも高く、小売業よりも低い。

第8問　参考問題

次の文章を読んで、下記の設問に答えよ。

経済産業省「企業活動基本調査」に基づき、1997年度から2018年度の期間について、中小企業の海外展開の推移を見た場合、直接投資を行う企業割合（直接投資企業割合）は［A］傾向、直接輸出を行う企業割合（直接輸出企業割合）は［B］傾向にあり、直接投資企業割合は直接輸出企業割合を一貫して［C］。

また、大企業と中小企業の直接輸出企業割合の推移を同じ期間で比較すると、大企業の直接輸出企業割合は中小企業を一貫して［D］おり、大企業と中小企業の直接輸出企業割合の格差は［E］。

なお、経済産業省「企業活動基本調査」の調査対象企業の規模は、従業者50人以上かつ資本金額または出資金額3,000万円以上である。直接輸出とは直接外国企業との取引を指す。

設問1

文中の空欄A～Cに入る語句の組み合わせとして、最も適切なものはどれか。

ア　A：増加　B：増加　C：上回っている
イ　A：増加　B：増加　C：下回っている
ウ　A：増加　B：横ばい　C：上回っている
エ　A：横ばい　B：増加　C：上回っている
オ　A：横ばい　B：増加　C：下回っている

設問2

文中の空欄DとEに入る語句の組み合わせとして、最も適切なものはどれか。

ア　D：上回って　E：大きな変化がない
イ　D：上回って　E：拡大傾向にある
ウ　D：上回って　E：縮小傾向にある
エ　D：下回って　E：拡大傾向にある
オ　D：下回って　E：縮小傾向にある

第9問 参考問題

財務省「法人企業統計調査年報」に基づき、企業規模別の損益分岐点比率を、1990年度と2019年度で比較した場合の記述として、最も適切なものはどれか。

なお、ここで大企業とは資本金10億円以上、中規模企業とは資本金1,000万円以上1億円未満、小規模企業とは資本金1,000万円未満の企業をいう。

ア 大企業と中規模企業の格差は拡大し、大企業と小規模企業の格差は縮小している。
イ 大企業と中規模企業の格差は縮小し、大企業と小規模企業の格差は拡大している。
ウ 大企業と中規模企業の格差、大企業と小規模企業の格差とも拡大している。
エ 大企業と中規模企業の格差、大企業と小規模企業の格差とも縮小している。

第10問 参考問題

財務省「法人企業統計調査季報」に基づき、2013年から2020年の期間について、企業規模別にソフトウェア投資比率の推移を見た場合の記述として、最も適切なものはどれか。

なお、ソフトウェア投資比率は、ソフトウェア投資額を設備投資額で除して算出する。ソフトウェア投資とは、コンピュータ・ソフトウェアに対する投資額のうち、無形固定資産に計上されているものを指す。

また、ここで大企業とは資本金10億円以上、中小企業とは資本金1,000万円以上1億円未満の企業をいう。

ア 大企業は低下から横ばい傾向で推移しているが、中小企業は横ばいから上昇傾向で推移している。
イ 大企業は横ばいから上昇傾向で推移しているが、中小企業は横ばい傾向で推移している。
ウ 大企業、中小企業とも上昇傾向で推移している。
エ 大企業、中小企業とも低下から横ばい傾向で推移している。

第11問 参考問題

次の文章を読んで、下記の設問に答えよ。

中小企業庁の委託により㈱野村総合研究所が実施した、中小企業を対象とするアンケート調査（「中小企業のデジタル化に関する調査」）に基づき、中小企業のデジタル化の取り組みについて見る。

ITツール・システムの導入状況を見ると、利用分野によっても導入状況は大きく異なる。

また、デジタル化推進に向けた課題（全産業）について見ると、［A］を挙げる回答企業割合が、［B］を上回り、［C］を下回っているが、業種や従業員規模によっても違いが見受けられ、支援者にはこうした課題の状況を認識したうえで、支援を行うことが求められている。

なお、アンケート調査は、2020年12月に中小企業・小規模事業者（23,000件）を対象に実施（回収4,827件、回収率21.0％）されたものである。また、デジタル化とは、アナログデータをデジタルデータに変換・活用し、業務の効率化を図ることや、経営に新しい価値を生み出すことなどを指すものである。

設問1

文中の下線部について、「中小企業のデジタル化に関する調査」に基づき、領域別のITツール・システムの導入状況を次のａ～ｃで見た場合、導入済みの回答企業割合が高いものから低いものへと並べた組み合わせとして、最も適切なものを下記の解答群から選べ。

なお、ここで「業務自動化」とはRPAなどを指す。「人事」とは勤怠管理・給与計算、人事労務管理システムなどを指す。「販売促進・取引管理」とはECサイトの構築や顧客管理システム（CRM）、営業管理システム（SFA）、POSシステムなどを指す。

ａ：業務自動化

ｂ：人事

ｃ：販売促進・取引管理

［解答群］

ア　ａ：業務自動化　－　ｂ：人事　－　ｃ：販売促進・取引管理

イ　ａ：業務自動化　－　ｃ：販売促進・取引管理　－　ｂ：人事

ウ　ｂ：人事　－　ａ：業務自動化　－　ｃ：販売促進・取引管理

エ　ｂ：人事　－　ｃ：販売促進・取引管理　－　ａ：業務自動化

オ　ｃ：販売促進・取引管理　－　ａ：業務自動化　－　ｂ：人事

設問2 ● ● ●

文中の空欄A～Cに入る語句の組み合わせとして、最も適切なものはどれか。

ア　A：「アナログな文化・価値観が定着している」
　　B：「組織のITリテラシーが不足している」
　　C：「資金不足」
イ　A：「アナログな文化・価値観が定着している」
　　B：「資金不足」
　　C：「組織のITリテラシーが不足している」
ウ　A：「資金不足」
　　B：「組織のITリテラシーが不足している」
　　C：「アナログな文化・価値観が定着している」
エ　A：「組織のITリテラシーが不足している」
　　B：「アナログな文化・価値観が定着している」
　　C：「資金不足」
オ　A：「組織のITリテラシーが不足している」
　　B：「資金不足」
　　C：「アナログな文化・価値観が定着している」

第12問　参考問題

㈱東京商工リサーチ「2020年「休廃業・解散企業」動向調査」に基づき、休廃業・解散企業の業種構成比（2020年）を次のａ～ｃについて見た場合、構成比が高いものから低いものへと並べた組み合わせとして、最も適切なものを下記の解答群から選べ。

なお、ここで休廃業とは、特段の手続きをとらず、資産が負債を上回る資産超過状態で事業を停止することを指す。解散とは、事業を停止し、企業の法人格を消滅させるために必要な清算手続きに入った状態になることを指す。ただし、基本的には、資産超過状態だが、解散後に債務超過状態であることが判明し、倒産として再集計されることがあるものとする。

ａ：小売業
ｂ：建設業
ｃ：製造業

［解答群］

ア　a：小売業　－　b：建設業　－　c：製造業
イ　a：小売業　－　c：製造業　－　b：建設業
ウ　b：建設業　－　a：小売業　－　c：製造業
エ　b：建設業　－　c：製造業　－　a：小売業
オ　c：製造業　－　a：小売業　－　b：建設業

第13問　参考問題

「事業承継・引継ぎ支援センター」は、第三者承継支援を行っていた「事業引継ぎ支援センター」に、親族内承継支援を行っていた「事業承継ネットワーク」の機能を統合し、事業承継・引継ぎのワンストップ支援を行う機関として、2021年に改組・設立されたものである。

統合前の「事業引継ぎ支援センター」は、第三者に事業を引き継ぐ意向がある中小企業と、他社から事業を譲り受けて事業の拡大を目指す中小企業などからの相談を受け付け、マッチングの支援を行う専門機関として全都道府県に設置されていたものである。中小企業のM＆Aに関する動向を見るために、中小企業基盤整備機構の調べに基づき、2011年度から2019年度の期間について、統合前の「事業引継ぎ支援センター」の相談社数、成約件数の推移を見た場合の記述として、最も適切なものはどれか。

ア　相談社数は増加傾向、成約件数は減少傾向で推移している。
イ　相談社数は増加傾向、成約件数は横ばい傾向で推移している。
ウ　相談社数は横ばい傾向、成約件数は増加傾向で推移している。
エ　相談社数、成約件数とも増加傾向で推移している。
オ　相談社数、成約件数とも横ばい傾向で推移している。

第14問　参考問題

次の文章の空欄A～Cに入る語句の組み合わせとして、最も適切なものを下記の解答群から選べ。

総務省「昭和61年事業所統計調査」、総務省・経済産業省「平成28年経済センサス－活動調査」に基づき、小規模事業所の動向を業種別構成比の変化から見る。

小規模事業所の業種別構成比を、2016年について1986年と比較した場合、製造業は[A]、小売業は[B]、飲食店・宿泊業と教育・学習支援業、サービス業（他に分類されないもの）を含めたサービス業全体は[C]している。

なお、ここで小規模事業所は、1986年は従業者数1～19人（卸売業、小売業、サービス業については1～4人）の事業所、2016年は従業者数20人以下（卸売業、小売業、サービス業については5人以下）の事業所を指す。

［解答群］

ア　A：減少　B：減少　C：増加

イ　A：減少　B：増加　C：増加

ウ　A：減少　B：横ばい　C：増加

エ　A：増加　B：減少　C：減少

オ　A：増加　B：横ばい　C：減少

第15問　参考問題

次の文章を読んで、下記の設問に答えよ。

中小企業庁の委託により、三菱UFJリサーチ＆コンサルティング㈱が実施した小規模企業を対象としたアンケート調査（「小規模事業者の環境変化への対応に関する調査」）に基づくと、取り巻く経営環境の変化を背景に、小規模企業が考える自社の経営課題も多様化している。

経営環境が変化する中で、顧客からの支持を獲得し続ける方策としては、自社または商品・サービス・技術のブランド化も有効であると考えられる。「小規模事業者の環境変化への対応に関する調査」に基づき、業種（製造業、非製造業）別・顧客属性（B to C型、B to B型）別に小規模企業のブランド化に対する自己評価を見た場合、業種別では[A]、顧客属性別では[B]の方が、「ブランド化できている」とする回答企業割合が高い。

なお、アンケート調査は、2020年11～12月に商工会および商工会議所の会員のうち、小規模企業を対象にWebアンケート調査として実施された（有効回答数：商工会の会員5,832者、商工会議所の会員307者）。B to C型とは主な販売先を「一般消費者」と回答した事業者を指す。B to B型とは主な販売先を「事業者」と回答した事業者を指す。「ブランド化できている」回答企業割合は「十分ブランド化できている」「ある程度ブランド化できている」とした回答企業割合の合計である。

設問1

文中の下線部について、「小規模事業者の環境変化への対応に関する調査」に基づき、小規模企業が考える自社の経営課題（複数回答）を次のa～cで見た場合、回答企業割合が高いものから低いものへと並べた組み合わせとして、最も適切なものを下記の解答群から選べ。

a：「営業・販路開拓（営業力・販売力の維持強化、新規顧客・販路の開拓）」
b：「人材の確保・育成、働き方の改善」
c：「生産・製造（設備増強、設備更新、設備廃棄）」

［解答群］

ア　a：「営業・販路開拓（営業力・販売力の維持強化、新規顧客・販路の開拓）」－ b：「人材の確保・育成、働き方の改善」 － c：「生産・製造（設備増強、設備更新、設備廃棄）」

イ　a：「営業・販路開拓（営業力・販売力の維持強化、新規顧客・販路の開拓）」－ c：「生産・製造（設備増強、設備更新、設備廃棄）」 － b：「人材の確保・育成、働き方の改善」

ウ　b：「人材の確保・育成、働き方の改善」 － a：「営業・販路開拓（営業力・販売力の維持強化、新規顧客・販路の開拓）」 － c：「生産・製造（設備増強、設備更新、設備廃棄）」

エ　b：「人材の確保・育成、働き方の改善」 － c：「生産・製造（設備増強、設備更新、設備廃棄）」 － a：「営業・販路開拓（営業力・販売力の維持強化、新規顧客・販路の開拓）」

オ　c：「生産・製造（設備増強、設備更新、設備廃棄）」 － a：「営業・販路開拓（営業力・販売力の維持強化、新規顧客・販路の開拓）」 － b：「人材の確保・育成、働き方の改善」

設問2

文中の空欄AとBに入る語句の組み合わせとして、最も適切なものはどれか。

ア　A：製造業　　B：B to B型
イ　A：製造業　　B：B to C型

ウ　A：非製造業　　B：B to B型
エ　A：非製造業　　B：B to C型

第16問　参考問題

経済産業省では、中小企業が自社の防災・減災対策に係る取り組みをまとめた「事業継続力強化計画」の認定制度を2019年に開始している。業種別に当該計画の認定状況を見た場合の記述として、最も適切なものはどれか。

なお、ここで認定状況は、2019年7月〜2021年2月までに認定された約24,000件について見るものとする。また、業種は、卸売業、小売業、ゴム製品製造業、製造業その他、サービス業、ソフトウェア及び情報処理サービス業、旅館業で見る。

ア　小売業の認定状況は、サービス業を上回り、製造業その他を下回っている。
イ　小売業の認定状況は、製造業その他を上回り、サービス業を下回っている。
ウ　製造業その他の認定状況は、サービス業を上回り、小売業を下回っている。
エ　製造業その他の認定状況は、小売業を上回り、サービス業を下回っている。
オ　サービス業の認定状況は、小売業を上回り、製造業その他を下回っている。

第17問

近年、中小企業の資金調達においては、手形貸付けや証書貸付けなどの一般的な手段だけでなく、それ以外の手段にも関心が高まっている。そのような中小企業の多様な資金調達手段に関する記述として、最も不適切なものはどれか。

ア　ECにおける販売実績や会計ソフトの入力情報などのデータを、AIなどコンピュータプログラムを使って分析し、融資の可否を決める手法による資金調達は、トランザクションレンディングと呼ばれる。
イ　銀行と企業があらかじめ設定した期間および融資枠の範囲内で、企業の請求に基づき、銀行が融資を実行することを約束する契約は、コミットメントラインと呼ばれる。
ウ　クラウドファンディングのうち、「融資型」とは、事業者が仲介し、個人投資家から小口の資金を集め、大口化して借り手企業に融資する形態である。そのため、個人投資家は、金銭的なリターン（利息）を得ることができる仕組みとなっている。
エ　資本性劣後ローンの融資条件面の一般的な特徴として、①期限一括償還、②固定金利、③債権の劣後性、の3点が挙げられる。

第18問

次の文章を読んで、下記の設問に答えよ。

中小企業基本法では、第2条で①中小企業者の範囲と②小規模企業者の範囲を定めている。また、第5条では③中小企業に関する施策の基本方針を示している。

設問1 ★重要★

文中の下線部①に含まれる企業に関する正誤の組み合わせとして、最も適切なものを下記の解答群から選べ。

a　従業員数500人、資本金3億円の製造業
b　従業員数150人、資本金6,000万円のサービス業

[解答群]
ア　a：正　b：正
イ　a：正　b：誤
ウ　a：誤　b：正
エ　a：誤　b：誤

設問2 ★重要★

文中の下線部②に含まれる企業に関する正誤の組み合わせとして、最も適切なものを下記の解答群から選べ。

a　従業員数30人、資本金300万円の製造業
b　従業員数10人の個人経営の小売業

[解答群]
ア　a：正　b：正
イ　a：正　b：誤
ウ　a：誤　b：正
エ　a：誤　b：誤

設問3 ●●●

文中の下線部③に関する記述として、最も不適切なものはどれか。

ア　事業の転換の円滑化
イ　創造的な事業活動の促進
ウ　地域の多様な主体との連携の推進
エ　取引の適正化

第19問

Ａ社は、食料品製造業を営む中小企業である。Ａ社の社長から、雇用者の賃上げに関する相談を受けた中小企業診断士のＢ氏は、Ａ社の社長に「中小企業向け賃上げ促進税制」を紹介することにした。

Ａ社の社長に対する、中小企業向け賃上げ促進税制に関するＢ氏の説明として、最も適切なものはどれか。

ア 「教育訓練のための費用」を一定の割合以上増加させた企業も、この税制の対象になります。
イ 「新規採用のための費用」を一定の割合以上増加させた企業も、この税制の対象になります。
ウ 「事業承継にかかわる費用」を一定の割合以上増加させた企業も、この税制の対象になります。
エ 「労働生産性向上のための設備投資」を一定の割合以上増加させた企業も、この税制の対象になります。

第20問　★重要★

次の文章を読んで、下記の設問に答えよ。

「経営革新支援事業」は、経営の向上を図るために新たな事業活動を行う経営革新計画の承認を受けると、日本政策金融公庫の特別貸付制度や信用保証の特例など多様な支援を受けることができるものである。

対象となるのは、事業内容や経営目標を盛り込んだ計画を作成し、新たな事業活動を行う特定事業者である。

設問1 ● ● ●

文中の下線部の経営目標に関する以下の記述の空欄AとBに入る語句の組み合わせとして、最も適切なものを下記の解答群から選べ。

［ A ］の事業期間において付加価値額または従業員一人当たりの付加価値額が年率３％以上伸び、かつ［ B ］が年率1.5％以上伸びる計画となっていること。

［解答群］

ア　A：１から３年　　B：売上高

イ　A：１から３年　　B：給与支給総額

ウ　A：３から５年　　B：売上高

エ　A：３から５年　　B：給与支給総額

設問2 ● ● ●

文中の下線部の経営目標で利用される「付加価値額」として、最も適切なものはどれか。

ア　営業利益

イ　営業利益　＋　人件費

ウ　営業利益　＋　人件費　＋　減価償却費

エ　営業利益　＋　人件費　＋　減価償却費　＋　支払利息等

オ　営業利益　＋　人件費　＋　減価償却費　＋　支払利息等　＋　租税公課

第21問　★重要★

次の文章を読んで、下記の設問に答えよ。

①下請代金支払遅延等防止法（下請代金法）は、親事業者の不公正な取引を規制し、下請事業者の利益を保護することを目的として、下請取引のルールを定めている。

中小企業庁と公正取引委員会は、親事業者が②下請代金法のルールを遵守しているかどうか、毎年調査を行い、違反事業者に対しては、同法の遵守について指導している。

設問1 ● ● ●

文中の下線部①が適用される取引として、最も適切なものはどれか。

ア　飲食業（資本金500万円）が、サービス業（資本金100万円）に物品の修理委託をする。

イ　家電製造業（資本金500万円）が、金属部品製造業（資本金300万円）に製造委託をする。

ウ　衣類卸売業（資本金1,500万円）が、衣類製造業（資本金1,000万円）に製造委託をする。

エ　家具小売業（資本金2,000万円）が、家具製造業（資本金1,500万円）に製造委託をする。

オ　電子部品製造業（資本金１億円）が、電子部品製造業（資本金3,000万円）に製造委託をする。

設問2 ● ● ●

文中の下線部②について、親事業者の義務に関する記述の正誤の組み合わせとして、最も適切なものを下記の解答群から選べ。

a　下請代金の支払期日について、給付を受領した日（役務の提供を受けた日）から３週間以内で、かつできる限り短い期間内に定める義務

b　支払期日までに支払わなかった場合は、給付を受領した日（役務の提供を受けた日）の60日後から、支払を行った日までの日数に、年率14.6％を乗じた金額を「遅延利息」として支払う義務

[解答群]

ア　a：正　b：正
イ　a：正　b：誤
ウ　a：誤　b：正
エ　a：誤　b：誤

第22問　★ 重要 ★

「小規模事業者持続化補助金（一般型）」は、小規模事業者が変化する経営環境の中で持続的に事業を発展させていくため、経営計画を作成し、販路開拓や

生産性向上に取り組む費用等を支援するものである。
　この補助金の対象となる者として、最も適切なものはどれか。

ア　常時使用する従業員が８人の卸売業を営む個人事業主
イ　常時使用する従業員が10人の小売業を営む個人事業主
ウ　常時使用する従業員が15人のサービス業（宿泊業・娯楽業を除く）を営む法人
エ　常時使用する従業員が20人の製造業を営む法人

第23問　★重要★

　以下は、中小企業診断士のA氏と、顧問先の情報処理・提供サービス業（従業員数５名）の経営者B氏との会話である。この会話に基づき下記の設問に答えよ。

Ａ氏：「自社の経営が順調でも、取引先の倒産という不測の事態はいつ起こるか分かりません。そのような不測の事態に備えておくことが大切です。」
Ｂ氏：「確かにそうですね。どのように備えておけばよいでしょうか。」
Ａ氏：「たとえば、①経営セーフティ共済という制度があります。この制度への加入を検討してはいかがでしょうか。」
Ｂ氏：「どのような制度か教えていただけますか。」
Ａ氏：「経営セーフティ共済は、取引先企業の倒産による連鎖倒産を防止するため、②共済金の貸付けを受けることができる制度です。」

設問１

　会話の中の下線部①の制度の加入対象として、最も適切なものはどれか。

ア　３カ月継続して事業を行っている中小企業者
イ　６カ月継続して事業を行っている小規模企業者
ウ　１年継続して事業を行っている中小企業者
エ　新規開業する者

設問２

　会話の中の下線部②に関するＡ氏からＢ氏への説明として、最も適切なものはどれか。

問題
4年度

ア　共済金の貸付けに当たっては、担保・保証人は必要ありません。

イ　共済金の貸付けは無利子ですが、貸付けを受けた共済金の20分の１に相当する額が積み立てた掛金総額から控除されます。

ウ　償還期間は貸付け額に応じて10年〜15年の毎月均等償還です。

エ　取引先企業が倒産し、売掛金や受取手形などの回収が困難となった場合、この回収困難額と、積み立てた掛金総額の５倍のいずれか少ない額の貸付けを受けることができます。貸付限度額は5,000万円です。

第24問　★重要★

中小企業・小規模事業者等による経営力向上に係る取り組みを支援するため、平成28年７月に「中小企業等経営強化法」が施行された。

この法律に関する記述として、最も適切なものはどれか。

ア　生産性向上策を企業規模別に「経営力向上計画」として策定している。

イ　生産性向上策を業種ごとに「事業分野別指針」として策定している。

ウ　販路開拓の方向性を企業規模別に「経営力向上計画」として策定している。

エ　販路開拓の方向性を業種ごとに「事業分野別指針」として策定している。

第25問　★重要★

次の文章を読んで、下記の設問に答えよ。

中小企業診断士のX氏は、地方都市で飲食料品小売業（資本金2,000万円、店舗数３店）を営むY氏から、「交際費を支出した場合の税制措置を知りたい」との相談を受けた。そこで、X氏は、Y氏に対して、交際費等の損金算入の特例について説明をすることとした。

以下は、上記の下線部に関するX氏とY氏との会話である。

X氏：「法人が支出した交際費等は原則として損金に算入できないこととされていますが、条件を満たせば一定額まで損金算入できる制度があります。」

Y氏：「当社も、この対象になるのでしょうか。」

X氏：「対象となる方は、資本金または出資金の額が［　A　］です。御社は、大法人との間に出資関係もありませんので、この制度の対象になります。」

Y氏：「この特例の具体的な内容について、お教えいただけますでしょうか。」

X氏：「次の２つのうち、どちらかを選択して損金算入することができます。１つは、支出した交際費等のうち[B]です。もしくは、支出した接待飲食費の[C]です。この場合は、[D]」

設問1

会話の中の空欄AとBに入る語句の組み合わせとして、最も適切なものはどれか。

ア　A：3,000万円以下の中小企業者　B：800万円までの全額
イ　A：3,000万円以下の中小企業者　B：2,000万円までの50％
ウ　A：１億円以下の法人　B：800万円までの全額
エ　A：１億円以下の法人　B：2,000万円までの50％

設問2

会話の中の空欄CとDに入る語句の組み合わせとして、最も適切なものはどれか。

ア　C：50％　D：支出する接待飲食費の上限は2,000万円です。
イ　C：50％　D：支出する接待飲食費の上限はありません。
ウ　C：80％　D：支出する接待飲食費の上限は2,000万円です。
エ　C：80％　D：支出する接待飲食費の上限はありません。

第26問　★ 重要 ★

飲食店を経営するA氏から融資制度の相談を受けた中小企業診断士のB氏は、A氏に「女性、若者／シニア起業家支援資金」を紹介した。
「女性、若者／シニア起業家支援資金」の対象となるA氏の属性として、最も適切なものはどれか。

ア　新規開業して１年の40歳の男性
イ　新規開業して５年の45歳の女性
ウ　新規開業して10年の60歳の女性
エ　新規開業して15年の70歳の男性

第27問　参考問題

次の文章を読んで、下記の設問に答えよ。

JAPANブランド育成支援等事業は、海外展開やそれを見据えた全国展開のために、中小企業者などが行う新商品・サービスの開発・改良、ブランディングや、新規販路開拓などの取り組みに対して補助を行うものである。

設問1 ●●●

この事業に関する記述として、最も適切なものはどれか。

ア　10年以内に地域団体商標を出願することが支援要件の１つである。

イ　海外のECサイトに「ジャパンモール」を設置し、EC事業者による日本の商品の買取販売を支援する。

ウ　海外販路開拓などのプロフェッショナル事業者である「支援パートナー」が事業実施を支援する。

エ　環境分野に関する投資（グリーン投資）に関する特別枠が設けられている。

設問2 ●●●

ブランディングによる新規販路開拓に取り組んでいるA社から相談を受けた中小企業診断士のB氏は、A社に対して、JAPANブランド育成支援等事業を紹介することとした。

B氏のA社に対する説明として、最も適切なものはどれか。

ア　１～２年目は３分の１補助になります。

イ　３年目は海外の販路開拓を目的とし、補助額の上限は3,000万円となります。

ウ　支援期間は、最長５年になります。

エ　複数者による連携体として共同で応募する場合、１社ごとに補助金の上限額が嵩(かさ)上げされます。

第28問

「ものづくり・商業・サービス生産性向上促進補助金」は、生産性向上に資する革新的サービス開発・試作品開発・生産プロセスの改善を行う中小企業・小規模事業者などの設備投資などを支援するものである。

この補助金の対象となる者は、事業計画を策定し実施する中小企業・小規模事業者などである。この事業計画の要件として、最も適切なものはどれか。

ア　売上高を年率３％以上向上
イ　給与支給総額を年率1.5％以上向上
ウ　事業場内最低賃金を地域別最低賃金100円以上向上
エ　付加価値額を年率５％以上向上

第29問

次の文章の空欄AとBに入る語句の組み合わせとして、最も適切なものを下記の解答群から選べ。

「成長型中小企業等研究開発支援事業」は、中小企業が大学・公設試験研究機関などと連携して行う、ものづくり基盤技術およびサービスの高度化に向けた研究開発などの取り組みを最大［ A ］支援するものである。

この事業の支援対象となるには、大学、公設試験研究機関、最終製品を生産する川下製造業者、自社以外の中小企業・小規模事業者など、［ B ］で共同体を組んでいることが求められる。

[解答群]

ア　A：２年間　B：２者以上
イ　A：２年間　B：３者以上
ウ　A：３年間　B：２者以上
エ　A：３年間　B：３者以上

第30問

中小企業庁は、事業承継の手段としても期待されるM＆Aについて、マッチングなどのM＆Aの成立に向けた従来の支援に加え、PMIへの支援に取り組むため、「中小PMI支援メニュー」を策定している。

PMIに関する記述として、最も適切なものはどれか。

ア　M＆Aで株式譲渡、事業譲渡などに係る最終契約を締結した後、株式・財産の譲渡を行う工程をいう。
イ　M＆Aによって引き継いだ事業の継続・成長に向けた統合やすり合わせなどの取

り組みをいう。

ウ　後継者不在などの中小企業の事業を、廃業に伴う経営資源の散逸回避、生産性向上や創業促進などを目的として、社外の第三者である後継者が引き継ぐことをいう。

エ　対象企業である譲渡側における各種のリスクなどを精査するため、主に譲受側が専門家に依頼して実施する調査をいう。

第31問

中小企業庁は、経営環境の変化が激しい時代において、経営資源が限られている中小企業、小規模事業者に対して、どのような伴走支援を行えば、その成長・事業継続・復活を導くことができるかを検討すべく、「伴走支援の在り方検討会」を立ち上げ、あるべき中小企業伴走支援の姿を「経営力再構築伴走支援モデル」として整理している（「中小企業伴走支援モデルの再構築について～新型コロナ・脱炭素・DXなど環境激変下における経営者の潜在力引き出しに向けて～」令和４年３月15日）。

この整理において示されている「経営力再構築伴走支援モデルの三要素」として、最も不適切なものはどれか。

ア　具体的な支援手法（ツール）は自由であり多様であるが、相手の状況や局面によって使い分ける。

イ　経営者の「自走化」のための内発的動機づけを行い、「潜在力」を引き出す。

ウ　支援に当たっては対話と傾聴を基本的な姿勢とすることが望ましい。

エ　不確実性が高い時代において支援者が取るべき基本的なプロセスは、課題解決策の検討を「入口」とすることである。

令和 4 年度

解答・解説

令和4年度 解答

問題		解答	配点	正答率※
第1問		オ	2	C
第2問		エ	3	E
第3問		オ	3	C
第4問		オ	3	D
第5問		エ	2	E
第6問		オ	2	D
第7問	(設問1)	イ	3	B
	(設問2)	イ	2	B
第8問	(設問1)	イ	2	B
	(設問2)	ウ	3	C
第9問		ウ	3	C
第10問		イ	2	C
第11問	(設問1)	エ	2	A
	(設問2)	オ	2	D
第12問		ウ	2	E
第13問		エ	2	A
第14問		ア	3	B
第15問	(設問1)	ア	2	C
	(設問2)	イ	2	D
第16問		オ	3	D
第17問		エ	2	C
第18問	(設問1)	イ	2	A
	(設問2)	エ	2	A
	(設問3)	ウ	3	E
第19問		ア	2	C
第20問	(設問1)	エ	2	A
	(設問2)	ウ	2	A
第21問	(設問1)	ウ	3	A
	(設問2)	ウ	2	B
第22問		エ	2	A
第23問	(設問1)	ウ	2	A
	(設問2)	ア	2	A
第24問		イ	3	B
第25問	(設問1)	ウ	2	A
	(設問2)	イ	2	B
第26問		イ	3	A
第27問	(設問1)	ウ	2	A
	(設問2)	エ	2	C
第28問		イ	3	B
第29問		ウ	3	B
第30問		イ	3	C
第31問		エ	3	B

※TACデータリサーチによる正答率
　正答率の高かったものから順に、A～Eの５段階で表示。
A：正答率80%以上　B：正答率60%以上80%未満　C：正答率40%以上60%未満
D：正答率20%以上40%未満　E：正答率20%未満

解答・配点は一般社団法人日本中小企業診断士協会連合会の発表に基づくものです。

令和4年度 解説

【中小企業経営】

本解説中の図表上に表示されていない数値については、中小企業庁のHPにアップされている当該図表のエクセルファイルから抽出した。

第1問

2021年版中小企業白書（以下「白書」といい、特に発行年度の記載がない場合は2021年版を指す）p.Ⅲ-16、付属統計資料２表「産業別規模別従業者総数（民営、非一次産業、2009年、2012年、2014年、2016年）」、p.Ⅲ-28、付属統計資料５表「産業別規模別付加価値額（民営、非一次産業、2011年、2015年）」からの出題である。

２表「産業別規模別従業者総数（民営、非一次産業、2009年、2012年、2014年、2016年）」⑴企業ベース（会社及び個人の従業者総数）から2016年の非１次産業計を抜き出すと下表になる。

中小企業				大企業		合計	
		うち小規模企業					
従業者総数（人）	構成比（%）	従業者総数（人）	構成比（%）	従業者総数（人）	構成比（%）	従業者総数（人）	構成比（%）
32,201,032	68.8	10,437,271	22.3	14,588,963	31.2	46,789,995	100.0

（2021年版　中小企業白書　p.Ⅲ-16）

中小企業の従業者総数は約3,200万人であり、従業者総数全体の約７割を占めている。

また、５表「産業別規模別付加価値額（民営、非一次産業、2011年、2015年）」⑴企業ベース（会社及び個人の付加価値額）から2015年の非１次産業計を抜き出すと下表になる。

中小企業				大企業		合計	
		うち小規模企業					
付加価値額（億円）	構成比（%）	付加価値額（億円）	構成比（%）	付加価値額（億円）	構成比（%）	付加価値額（億円）	構成比（%）
1,351,106	52.9	357,443	14.0	1,205,336	47.1	2,556,442	100.0

（2021年版　中小企業白書　p.Ⅲ-28）

中小企業の付加価値額は約135兆円であり、付加価値額全体の約５割を占めている。

よって、**オ**が正解である。

第2問

白書p.Ⅰ-122、第1-2-1図「業種別・企業規模別の企業数の内訳」からの出題である。

第1-2-1図　業種別・企業規模別の企業数の内訳

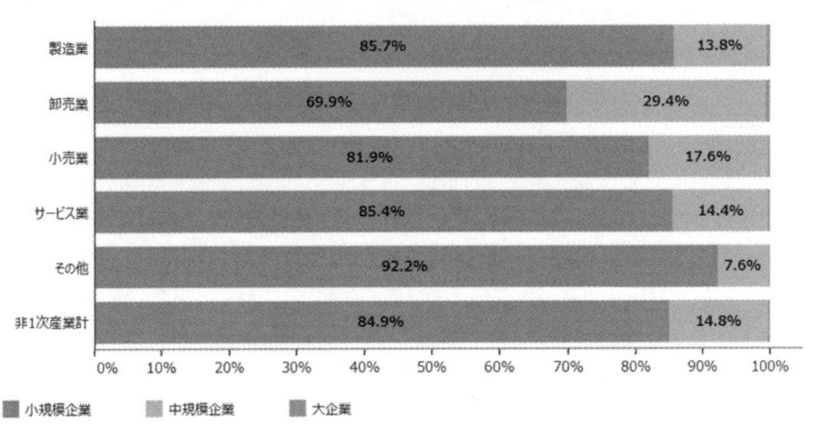

資料：総務省・経済産業省「平成28年経済センサス-活動調査」再編加工

（2021年版　中小企業白書　p.Ⅰ-122）

小規模企業数の割合は製造業85.7％、卸売業69.9％、小売業81.9％であり、3つの業種では製造業が最も高い。中規模企業数の割合は製造業13.8％、卸売業29.4％、小売業17.6％であり、3つの業種では卸売業が最も高い。

よって、**エ**が正解である。

第3問

白書p.Ⅱ-6、第2-1-4図「売上高経常利益率の推移（企業規模別）」からの出題である。

第2-1-4図　売上高経常利益率の推移（企業規模別）

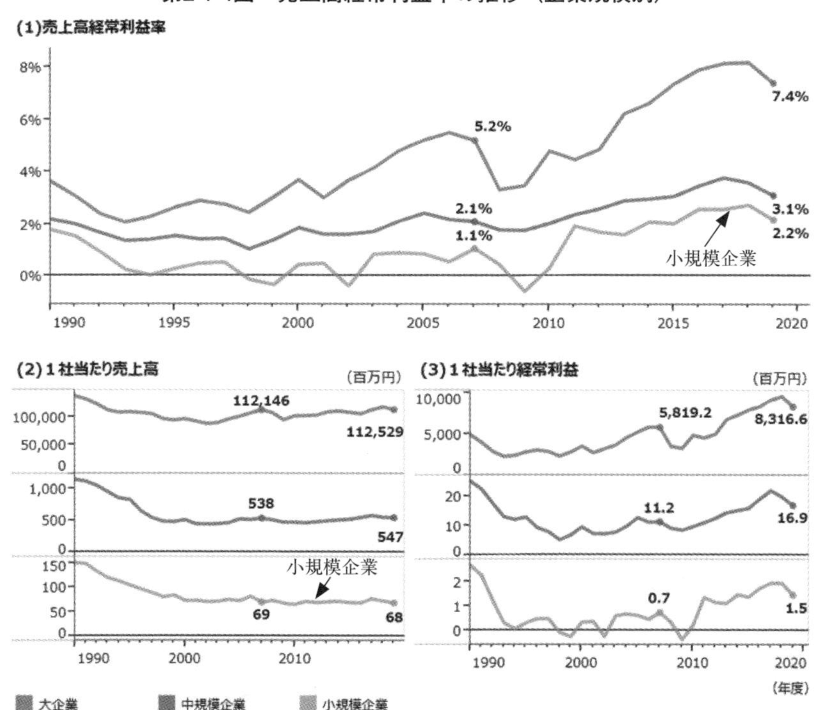

資料：財務省「法人企業統計調査年報」
(注)1.ここでいう大企業とは資本金10億円以上、中規模企業とは資本金１千万円以上１億円未満、小規模企業とは資本金１千万円未満の企業とする。
2.数値は2007年度及び2019年度について示している。

（2021年版　中小企業白書　p.Ⅱ-6）

⑵１社当たり売上高によると、小規模企業の１社当たり売上高は、2010年度が65百万円、2019年度は68百万円である。図表からは**横ばい基調**がうかがえる。また、⑴売上高経常利益率によると、小規模企業の売上高経常利益率は、2010年度が0.3%、2019年度は2.2%である。図表からは**改善傾向**がうかがえる。

よって、**オ**が正解である。

第4問

白書p. I -134、第1-2-11図「企業規模別従業員一人当たり付加価値額（労働生産性）の推移」からの出題である。

第1-2-11図　企業規模別従業員一人当たり付加価値額（労働生産性）の推移

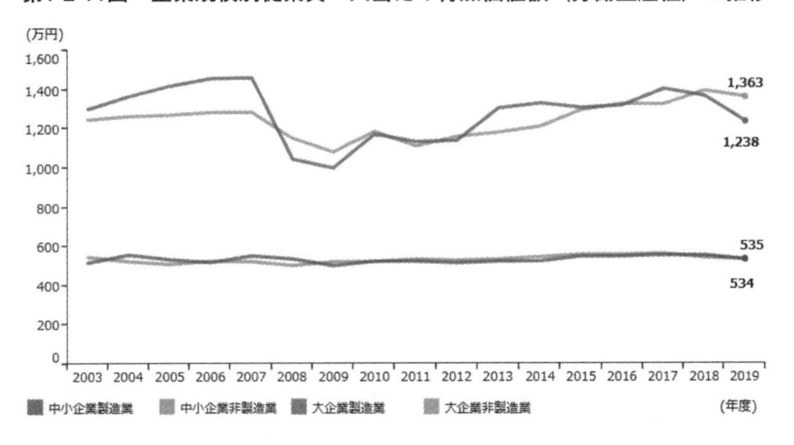

資料：財務省「法人企業統計調査年報」
(注)1.ここでいう大企業とは資本金10億円以上、中小企業とは資本金１億円未満の企業とする。
2.平成18年度調査以前は付加価値額＝営業純益(営業利益－支払利息等)＋役員給与＋従業員給与＋福利厚生費＋支払利息等＋動産・不動産賃借料＋租税公課とし、平成19年度調査以降はこれに役員賞与、及び従業員賞与を加えたものとする。

（2021年版　中小企業白書　p. I -134）

中小企業製造業の従業員一人当たり付加価値額は、2003年度517万円、2019年度535万円である。また、中小企業非製造業の従業員一人当たり付加価値額は、2003年度547万円、2019年度534万円である。白書では、「中小企業の労働生産性は製造業、非製造業共に、大きな落ち込みはないものの、長らく**横ばい傾向**が続いていることが分かる。」と述べている。

よって、**オ**が正解である。

第5問

白書p. I -138、第1-2-15図「業種別に見た、労働生産性の規模間格差（倍率）」からの出題である。

第1-2-15図　業種別に見た、労働生産性の規模間格差（倍率）

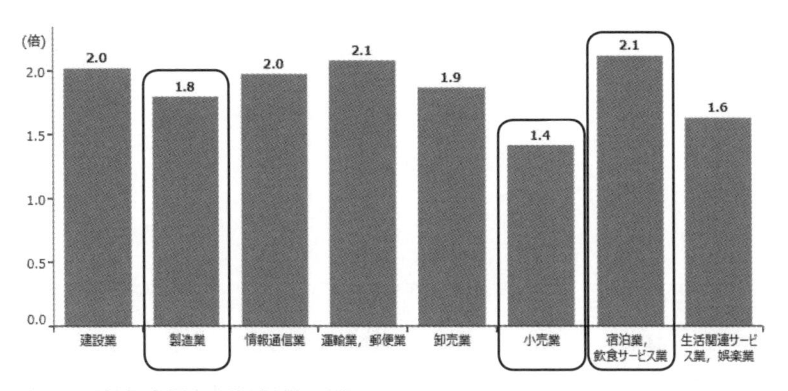

資料：財務省「令和元年度法人企業統計調査年報」再編加工
(注)数値は、中小企業に対する大企業の労働生産性（中央値）の倍率を示している。

（2021年版　中小企業白書　p. I -138）

労働生産性の格差は、**a**：小売業1.4倍、**b**：宿泊業・飲食サービス業2.1倍、**c**：製造業1.8倍である。大きいものから並べると、**b**：宿泊業・飲食サービス業－**c**：製造業－**a**：小売業となる。

よって、**エ**が正解である。

第6問

白書p. I -140、第1-2-17図「開業率・廃業率の推移」からの出題である。

第1-2-17図　開業率・廃業率の推移

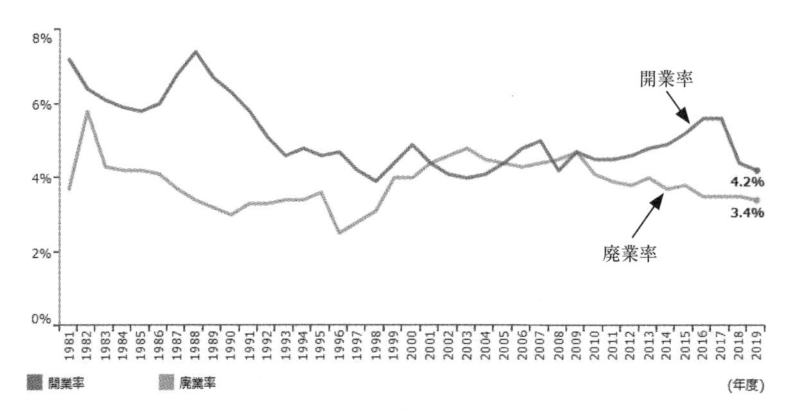

資料：厚生労働省「雇用保険事業年報」のデータを基に中小企業庁が算出
(注)1.開業率は、当該年度に雇用関係が新規に成立した事業所数／前年度末の適用事業所数である。
2.廃業率は、当該年度に雇用関係が消滅した事業所数／前年度末の適用事業所数である。
3.適用事業所とは、雇用保険に係る労働保険の保険関係が成立している事業所数である（雇用保険法第5条）。

（2021年版　中小企業白書　p. I -140）

ア　×：開業率は2002～2004年度と2008年度において廃業率を下回っている。

イ　×：開業率は2002～2004年度と2008年度において廃業率を下回っている。また、2010年度から2019年度までは廃業率を一貫して上回っている。

ウ　×：開業率は2000年度、2006年度、2007年度において廃業率を上回っている。後半の2010年度から2019年度まで廃業率を一貫して上回っていることは正しい。

エ　×：開業率は2010年度4.5％から2016年度5.6％まで上昇傾向で推移した後、低下している。

オ　○：正しい。廃業率は2010年度4.1％から2019年度3.4％へ低下傾向で推移している。

よって、**オ**が正解である。

第7問

中規模企業の自己資本比率や借入金依存度に関する出題である。

設問1 ●●●

白書p.Ⅱ-4、第2-1-2図「資金調達構造の変遷（企業規模別）」からの出題である。

第2-1-2図　資金調達構造の変遷（企業規模別）

(1) 全規模 (百万円)
0% 20% 40% 60% / 0 200 400 600
42.1% 32.4%

(2) 大企業 (十億円)
0% 20% 40% 60% / 0 50 100 150 200
自己資本比率 44.8% 30.8%

(3) 中規模企業 (百万円)
0% 20% 40% 60% / 0 200 400 600 800
42.8% 34.0% 自己資本比率

(4) 小規模企業 (百万円)
0% 20% 40% 60% / 10 20 30 40 50 60 70 80 90
60.1% 17.1%

1991 1993 1995 1997 1999 2001 2003 2005 2007 2009 2011 2013 2015 2017 2019 (年度)

借入金依存度　自己資本比率　１社当たり総資産

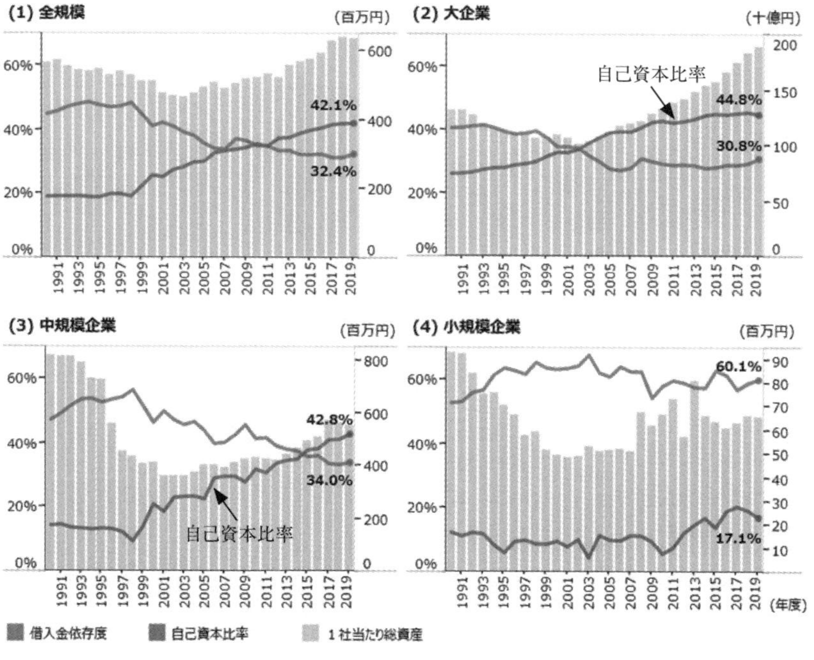

資料：財務省「法人企業統計調査年報」
(注)1.ここでいう大企業とは資本金10億円以上、中規模企業とは資本金１千万円以上１億円未満、小規模企業とは資本金１千万円未満の企業とする。
2.借入金依存度＝（金融機関借入金＋その他の借入金＋社債）÷総資産
3.自己資本比率＝純資産÷総資産

（2021年版　中小企業白書　p.Ⅱ-4）

⑶中規模企業を見ると、自己資本比率は2000年度の20.9％から2019年度の42.8％まで「上昇」（空欄Aに該当）傾向にある。⑵大企業を見ると、自己資本比率は2000年度32.8％、2019年度44.8％である。大企業と中規模企業の自己資本比率の差は、2000年度では11.9ポイントあったが、2019年度では2.0ポイントとなり「縮小」（空欄Bに該当）傾向にある。

よって、**イ**が正解である。

設問2 ● ● ●

白書p.Ⅱ-9、第2-1-7図「業種別に見た、中規模企業の自己資本比率・借入金依存度の平均（2019年度）」からの出題である。

第2-1-7図　業種別に見た、中規模企業の自己資本比率・借入金依存度の平均（2019年度）

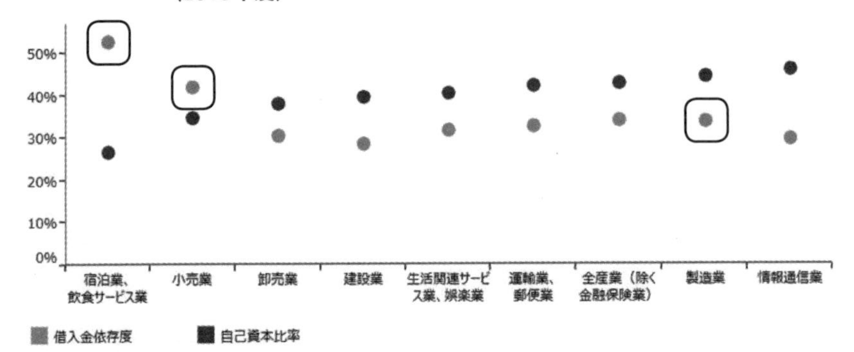

資料：財務省「令和元年度法人企業統計調査年報」
(注)1.ここでいう中規模企業とは資本金１千万円以上１億円未満の企業とする。
2.借入金依存度＝（金融機関借入金＋その他の借入金＋社債）÷総資産
3.自己資本比率＝純資産÷総資産

（2021年版　中小企業白書　p.Ⅱ-9）

借入金依存度は、宿泊業・飲食サービス業が52.6%、小売業が41.9%、製造業が33.8%である。そのため、小売業は、製造業よりも高く、宿泊業・飲食サービス業よりも低い。

よって、**イ**が正解である。

第８問

中小企業の海外展開に関する出題である。

設問１

白書p. Ⅰ-151、第１-３-５図「中小企業の海外展開比率」からの出題である。

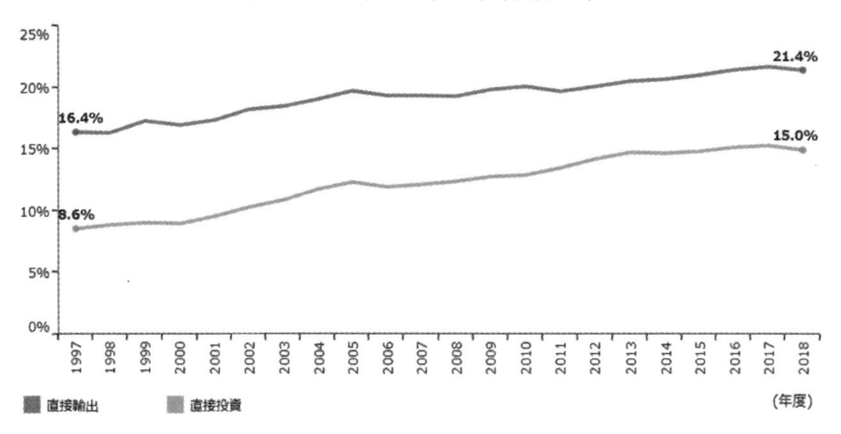

（2021年版　中小企業白書　p. Ⅰ-151）

直接投資を行う企業割合は、1997年度の8.6％から2018年度の15.0％まで「増加」（空欄Aに該当）傾向にある。直接輸出を行う企業割合も、1997年度の16.4％から2018年度の21.4％まで「増加」（空欄Bに該当）傾向にある。直接投資企業割合は直接輸出企業割合を一貫して「下回っている」（空欄Cに該当）。

よって、**イ**が正解である。

解答・解説
４年度

設問2 ● ● ●

白書p.Ⅱ-149、第2-1-121図「企業規模別に見た、直接輸出企業割合の推移」からの出題である。

第2-1-121図　企業規模別に見た、直接輸出企業割合の推移

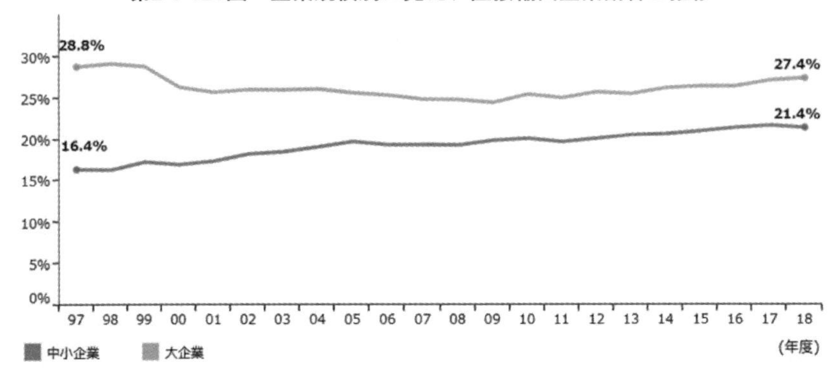

資料：経済産業省「企業活動基本調査」再編加工
(注)ここでいう直接輸出企業とは、直接外国企業との取引を行う企業である。

（2021年版　中小企業白書　p.Ⅱ-149）

大企業の直接輸出企業割合は、1997年度から2018年度にかけて24～30％の間で推移している。一方、中小企業の直接輸出企業割合は、1997年度から2018年度にかけて16～22％の間で推移している。大企業が中小企業を一貫して「上回って」（空欄Dに該当）いる。大企業と中小企業の差は、1997年度では12.4ポイントあったが、2018年度では6.0ポイントとなり「縮小傾向にある」（空欄Eに該当）。

よって、**ウ**が正解である。

第9問

白書p.Ⅱ-7、第2-1-5図「損益分岐点比率の推移（企業規模別）」からの出題である。

第2-1-5図　損益分岐点比率の推移（企業規模別）

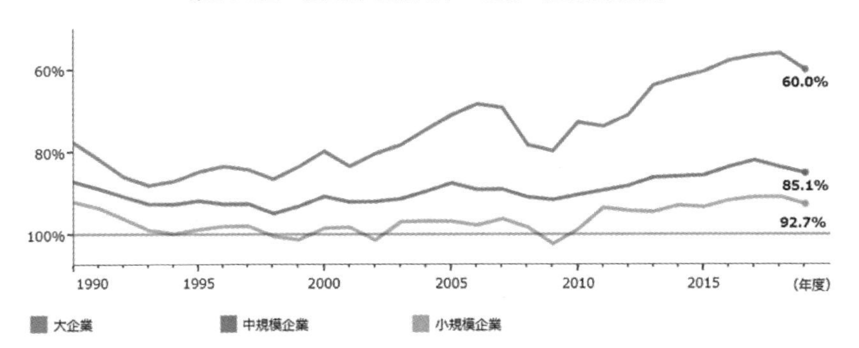

資料：財務省「法人企業統計調査年報」
(注)1.ここでいう大企業とは資本金10億円以上、中規模企業とは資本金１千万円以上１億円未満、小規模企業とは資本金１千万円未満の企業とする。
2.固定費＝人件費＋減価償却費+営業外費用－営業外収益、変動費＝売上高－経常利益－固定費、損益分岐点売上高＝固定費÷（１－変動費÷売上高）、損益分岐点比率＝損益分岐点売上高÷売上高。

（2021年版　中小企業白書　p.Ⅱ-7）

1990年度、2019年度それぞれの大企業、中規模企業、小規模企業の損益分岐点比率と、大企業と中規模企業との差、大企業と小規模企業との差を下表にまとめた。

	大企業	中規模企業	小規模企業	中規模企業－大企業	小規模企業－大企業
1990年度	77.7%	87.2%	92.1%	9.5	14.4
2019年度	60.0%	85.1%	92.7%	25.1	32.7

大企業と中規模企業の差は、9.5ポイントから25.1ポイントに拡大し、大企業と小規模企業の差も14.4ポイントから32.7ポイントに拡大している。

損益分岐点比率は、売上高が現在の何％以下の水準になると赤字になるかを表す指標であり、売上高の減少に対する耐性を示す。小さいほうが赤字になりにくく好ましい。

よって、**ウ**が正解である。

第10問

白書p.Ⅰ-23、第1-1-25図「企業規模別ソフトウェア投資比率の推移」からの出題である。

第1-1-25図　企業規模別ソフトウェア投資比率の推移

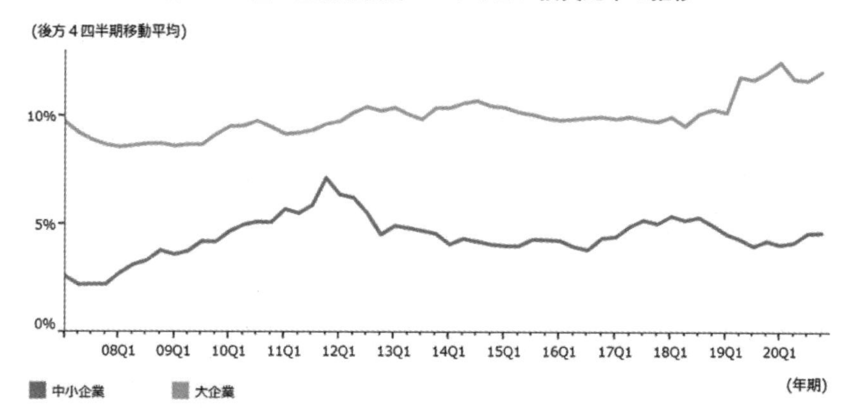

資料：財務省「法人企業統計調査季報」
(注)1.ここでいう大企業とは資本金10億円以上の企業、中小企業とは資本金１千万円以上１億円未満の企業とする。
2.金融業、保険業は含まれていない。
3.ソフトウェア投資比率は、ソフトウェア投資額を設備投資額で除し、100を乗じて算出している。

(2021年版　中小企業白書　p.Ⅰ-23)

大企業のソフトウェア投資比率は、2013年第1四半期の10.4%から2018年ごろまでは横ばい傾向であったが、その後上昇し2020年第4四半期は12.1%となった。一方、中小企業のソフトウェア投資比率は、2013年第1四半期の4.9%から2020年第4四半期の4.6%へ推移し、横ばい傾向である。

よって、**イ**が正解である。

第11問

中小企業のデジタル化に関する出題である。

設問1 ●●●

白書p.Ⅱ-190、第２-２-12図「ITツール・システムの導入状況（ツール別）」からの出題である。

第2-2-12図　ITツール・システムの導入状況（ツール別）

人事 (n=4,341) 49.1% 11.5% 14.7% 23.1%
経理 (n=4,324) 44.8% 8.6% 16.6% 28.6%
グループウェア (n=4,285) 35.5% 11.6% 11.0% 39.2%
販売促進・取引管理 (n=4,326) 37.2% 7.6% 14.4% 39.4%
生産管理 (n=4,308) 36.9% 11.8% 45.1%
ERP・基幹システム (n=4,277) 34.7% 11.0% 49.5%
コミュニケーション (n=4,316) 21.1% 18.1% 23.9% 10.0% 27.0%
情報管理 (n=4,245) 22.1% 20.2% 50.4%
経営分析 (n=4,275) 19.8% 16.3% 59.1%
業務自動化 (n=4,255) 24.2% 64.5%

0% 10% 20% 30% 40% 50% 60% 70% 80% 90% 100%

3年以上前から導入している
1～2年前から導入している
新型コロナウイルス感染症流行を契機に導入した
現在導入を検討している
導入する予定はない

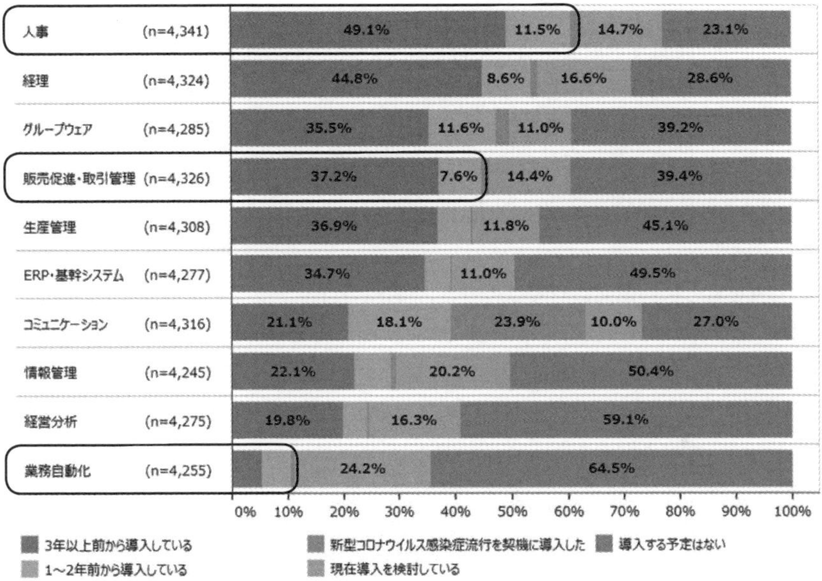

資料：（株）野村総合研究所「中小企業のデジタル化に関する調査」
(注)「人事」とは、勤怠管理・給与計算、人事労務管理システムなどを指す。「経理」とは、経費精算やクラウド会計などを指す。「グループウェア」とは、Microsoft 365やサイボウズグループウェアなどを指す。「販売促進・取引管理」とは、ECサイトの構築や顧客管理システム(CRM)、営業管理システム(SFA)、POSシステムなどを指す。「生産管理」とは、CADシステムや工程管理システムなどを指す。「コミュニケーション」とは、ビジネスチャットやウェブ会議システム、SNSなどを指す。「情報管理」とは、オンラインストレージなどを指す。「経営分析」とは、BIツールによるデータの収集・分析・加工などを指す。「業務自動化」とは、RPAなどを指す。

（2021年版　中小企業白書　p.Ⅱ-190）

a：業務自動化の導入済みの回答企業の割合は、「３年以上前から導入している」5.3%＋「１～２年前から導入している」5.2%＋「新型コロナウイルス感染症流行を契機に導入した」0.9%で合計11.4%である。**b**：人事を同様に計算すると、49.1%＋11.5%＋1.6%＝62.2%となる。**c**：販売促進・取引管理も同様に計算すると、37.2%＋7.6%＋1.4%＝46.2%である。高いものから並べると、**b**：人事－**c**：販売促進・取引管理－**a**：業務自動化となる。

よって、**エ**が正解である。

設問2 ● ● ●

白書p.Ⅱ-223、第2-2-35図「デジタル化推進に向けた課題（業種別）」からの出題である。同図表から「全産業」のみを抜き出して下表にまとめた。

デジタル化推進に向けた課題

	全産業
アナログな文化・価値観が定着している	46.4%
明確な目的・目標が定まっていない	40.2%
組織のITリテラシーが不足している	39.8%
長年の取引慣行に妨げられている	28.2%
資金不足	20.8%
活用したいITツールが無い	10.5%
部門間の対立がある	3.8%
その他	4.6%

（2021年版　中小企業白書　p.Ⅱ-223から作成）

上表をもとに問題文に当てはめると、「組織のITリテラシーが不足している」（空欄Aに該当）を挙げる回答企業割合（39.8%）が、「資金不足」（空欄Bに該当）（20.8%）を上回り、「アナログな文化・価値観が定着している」（空欄Cに該当）（46.4%）を下回っている、となる。なお、上表の調査は複数回答のため合計が100%とならない。

よって、**オ**が正解である。

第12問

白書p.Ⅱ-298、第２-３-１図「休廃業・解散企業の業種構成比」からの出題である。

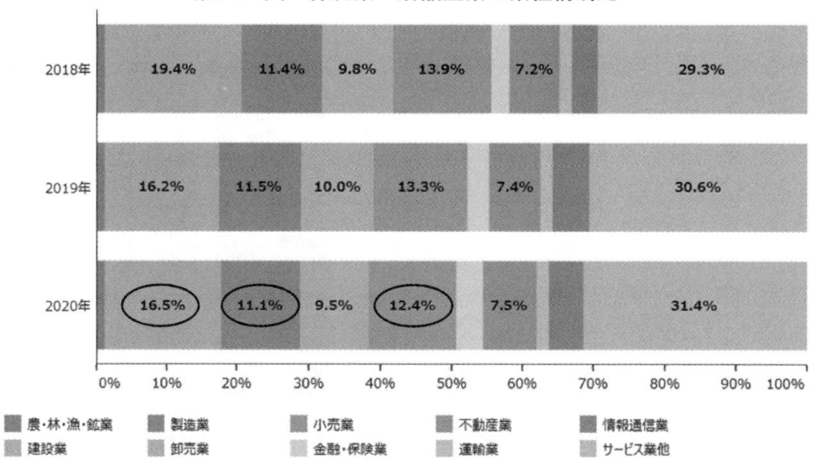

(2021年版　中小企業白書　p.Ⅱ-298)

2020年の休廃業・解散企業の業種構成比は、建設業16.5%、製造業11.1%、小売業12.4%である。高いものから並べると、**b**：建設業－**a**：小売業－**c**：製造業となる。

よって、**ウ**が正解である。

第13問

白書p.Ⅱ-359、第2-3-52図「事業引継ぎ支援センターの相談社数、成約件数の推移」からの出題である。

第2-3-52図　事業引継ぎ支援センターの相談社数、成約件数の推移

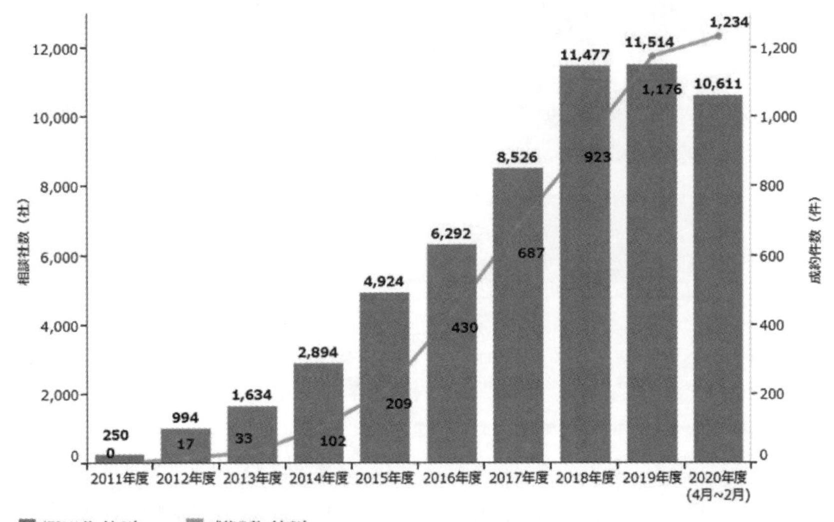

資料：（独）中小企業基盤整備機構調べ
(注)1.事業引継ぎ支援センターは、2011 年度に 7か所設置され、2013 年度：10 か所（累計）、2014 年度：16 か所（累計）、2015 年度：46 か所（累計）、2016 年度：47 か所（累計）となり、2017年度に現在の48か所の体制となった。
2.2020年度は2020年４月から2021年２月末までの中間集計値である。

（2021年版　中小企業白書　p.Ⅱ-359）

相談社数は2011年度の250社から2019年度の11,514社へ**増加傾向**で推移している。成約件数も2011年度の０件から2019年度の1,176件へ**増加傾向**で推移している。

よって、**エ**が正解である。

第14問

2021年版小規模企業白書（以下、特に発行年度の記載がない場合は2021年版を指す）p.Ⅱ-3、第2-1-1図「小規模事業所の業種別構成比の変化」からの出題である。

第2-1-1図　小規模事業所の業種別構成比の変化

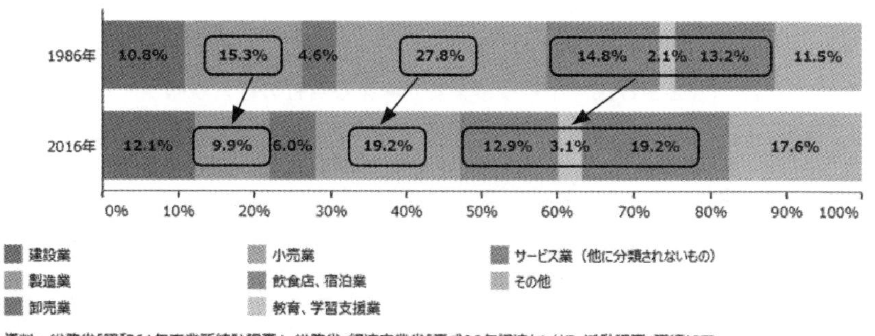

資料：総務省「昭和61年事業所統計調査」、総務省・経済産業省「平成28年経済センサス-活動調査」再編加工
(注)1.「小規模事業所」については、1986年は従業者数1～19人(卸売業、小売業、サービス業については1～4人)の事業所について集計し、2016年は従業者数20人以下(卸売業、小売業、サービス業は5人以下）で集計しており、中小企業基本法に定められた小規模企業者の基準「常用雇用者数20人以下(卸売業、小売業、サービス業は5人以下)」とは異なる。
2. 産業分類は2002年3月改定のものに従っている。1986年と2016年の産業分類については産業分類を小分類レベルで共通分類(中分類ベース)にくくり直した。
3. 1986年、2016年それぞれ「複合サービス事業」については、集計から除いている。

（2021年版　小規模企業白書　p.Ⅱ-3）

2016年の構成比を1986年と比べると、製造業は15.3%から9.9%に「減少」（空欄Aに該当）し、小売業も27.8%から19.2%に「減少」（空欄Bに該当）している。飲食店・宿泊業と教育・学習支援業、サービス業（他に分類されないもの）を合わせたサービス業全体では、1986年の30.1%（14.8%＋2.1%＋13.2%）から2016年は35.2%（12.9%＋3.1%＋19.2%）に「増加」（空欄Cに該当）している。

よって、**ア**が正解である。

第15問

小規模企業の経営課題やブランド化に関する出題である。

設問1 ● ● ●

小規模企業白書p.Ⅱ-165、第２-３-17図「小規模事業者が考える自社の経営課題」からの出題である。

第2-3-17図　小規模事業者が考える自社の経営課題

経営課題	感染症流行前	11～12月
営業・販路開拓（営業力・販売力の維持強化、新規顧客・販路の開拓）	69.9%	67.2%
新商品・新サービスの開発	31.8%	32.6%
商品・サービスの高付加価値化（ブランド化）	29.1%	26.8%
人材の確保・育成、働き方の改善	30.7%	27.6%
後継者の育成・決定	17.0%	15.8%
ITの利活用（ホームページ等による情報発信、インターネットによる受発注、間接業務の削減）	21.5%	31.0%
生産・製造（設備増強、設備更新、設備廃棄）	20.1%	17.0%
財務（運転資金の確保、設備投資資金の確保、コストの削減、借入金の削減）	27.5%	33.9%
技術・研究開発（新技術開発、技術力の強化）	5.9%	5.8%
その他	1.2%	1.7%

0%　10%　20%　30%　40%　50%　60%　70%　80%

■ 感染症流行前　■ 11～12月

資料：三菱UFJリサーチ＆コンサルティング(株)「小規模事業者の環境変化への対応に関する調査」
(注)1.自社の経営課題について、三つまで確認している。
2.複数回答のため、合計は必ずしも100%にならない。
3.回答数(n)は、6,139。

（2021年版　小規模企業白書　p.Ⅱ-165）

ここでは、調査時点「11～12月」の回答割合をもとに解説する。**a**：「営業・販路開拓（営業力・販売力の維持強化、新規顧客・販路の開拓）」は67.2%、**b**：「人材の確保・育成、働き方の改善」は27.6%、**c**：「生産・製造（設備増強、設備更新、設備廃棄）」は17.0%である。高いものから並べると、**a**：「営業・販路開拓（営業力・販売力の維持強化、新規顧客・販路の開拓）」－**b**：「人材の確保・育成、働き方の改善」－**c**：「生産・製造（設備増強、設備更新、設備廃棄）」となる。なお、「感染症流行前」の回答割合をもとに解答しても正解肢は同じである。

よって、**ア**が正解である。

設問2 ●●●

小規模企業白書p.Ⅱ-124、第２-２-37図「業種別、顧客属性別、ブランド化に対する自己評価」からの出題である。

第2-2-37図　業種別、顧客属性別、ブランド化に対する自己評価

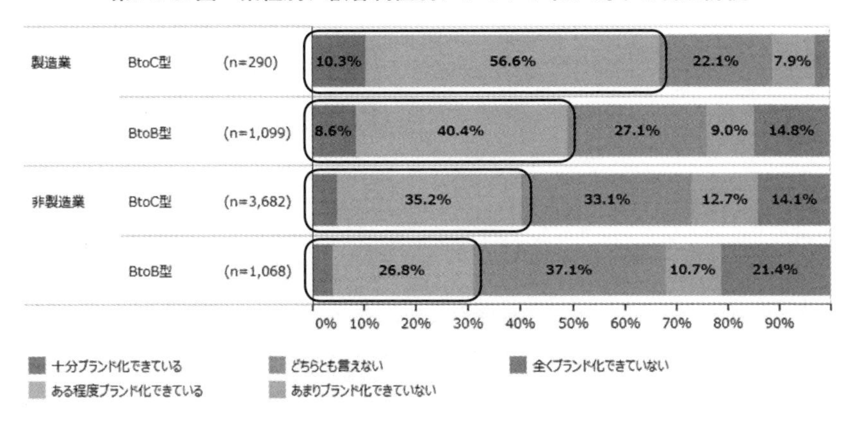

資料：三菱UFJリサーチ＆コンサルティング(株)「小規模事業者の環境変化への対応に関する調査」

（2021年版　小規模企業白書　p.Ⅱ-124）

「十分ブランド化できている」と「ある程度ブランド化できている」を足した割合を見ると、製造業B to C型は66.9％（10.3％＋56.6％）、製造業B to B型は49.0％（8.6％＋40.4％）、非製造業B to C型は40.1％（4.9％＋35.2％）、非製造業B to B型は30.8％（4.0％＋26.8％）となる。製造業と非製造業では「製造業」（空欄Aに該当）のほうが割合は高く、B to C型とB to B型では「B to C型」（空欄Bに該当）のほうが割合は高い。

よって、**イ**が正解である。

解答・解説　4年度

第16問

2021年版ものづくり白書p.23、図121-4「『事業継続力強化計画認定制度』における経済産業大臣による認定状況」からの出題である。

図121-4 「事業継続力強化計画認定制度」における経済産業大臣による認定状況

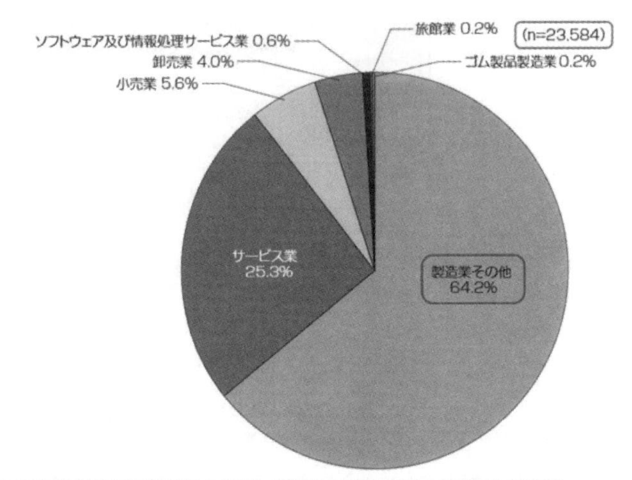

資料：経済産業省「事業継続力強化計画認定制度」における、2019年7月から2021年2月までの認定状況

（2021年版　ものづくり白書　p.23）

事業継続力強化計画の認定を受けた業種は、多い順に「製造業その他」64.2%、「サービス業」25.3%、「小売業」5.6%、と続く。サービス業の認定状況は、小売業を上回り、製造業その他を下回っている。

よって、**オ**が正解である。

第17問

白書第2部第1章第2節第4項「関心の高まる多様な資金調達手段」からの出題である。

ア　○：正しい。白書p.Ⅱ-81に同様の記述がある。

イ　○：正しい。白書p.Ⅱ-62に同様の記述がある。

ウ　○：正しい。白書 p.Ⅱ-75 に同様の記述がある。クラウドファンディングにはほかに「寄付型」「購入型」「株式型」がある。

エ　×：白書p.Ⅱ-65では、資本性劣後ローンの特徴として、期限一括償還、**業績連動型金利**、劣後性の3つを挙げている。固定金利ではなく業績連動型の金利とすることで、拡大した事業や再生中の事業の業績が軌道に乗るまでの間、金利負担を抑えられる。ただし、好業績の際は通常の融資と比較して高い金利を支払う必要があることが多い。

よって、**エ**が正解である。

【中小企業政策】

第18問

中小企業基本法についての出題である。（設問１）（設問２）ともに確実に正解したい。

設問1

中小企業基本法の中小企業者の範囲（定義）についての出題である。本問は基本事項が問われており、必ず正解しなくてはならない問題である。

下記に中小企業者の定義を掲載する。

業種分類	定義（基準）
製造業その他 （建設業、運輸業など）	資本金３億円以下または 従業員数 300 人以下
卸売業	資本金１億円以下または 従業員数 100 人以下
小売業、飲食店	資本金５千万円以下または 従業員数 50 人以下
サービス業	資本金５千万円以下または 従業員数 100 人以下

a **〇**：正しい。中小企業者の定義では「製造業その他」で判定する。従業員基準は満たしていないが、資本金基準を満たしており、中小企業者の範囲に含まれる。なお、中小企業者の判定においては、資本金基準、従業員基準のどちらかの条件が満たされていれば、中小企業者に該当する。

b **×**：中小企業者の定義では「サービス業」で判定する。中小企業者の定義では、資本金基準、従業員基準をともに満たしておらず、中小企業者の範囲に含まれない。

よって、**a**＝「正」、**b**＝「誤」となり、**イ**が正解である。

設問2

中小企業基本法の小規模企業者の範囲（定義）についての出題である。本問は基本事項が問われており、必ず正解しなくてはならない問題である。

下記に、小規模企業者の定義を掲載する。

業種分類	定義（基準）
製造業その他	従業員数20人以下
商業（卸売業、小売業、飲食店）・サービス業	従業員数５人以下

a　✕：小規模企業者の定義では「製造業その他」で判定する。従業員基準を満たしていないので、小規模企業者の範囲に含まれない。なお、小規模企業者の判定においては、資本金は一切考慮しなくてよいことに注意すること（以下同じ）。

b　✕：小規模企業者の定義では「商業・サービス業」で判定する。従業員基準を満たしていないので、小規模企業者の範囲に含まれない。

よって、**a**＝「誤」、**b**＝「誤」となり、**エ**が正解である。

設問3 ●●●

中小企業基本法の基本方針についての出題である。通常であれば基本事項が問われるので必ず正解すべき問題であったが、今回は条文の細かい事項が問われており、正解が難しい問題であったといえる。

中小企業基本法の基本方針の条文を見ると、以下のとおりである。

＜中小企業基本法第５条（基本方針）＞

政府は、次に掲げる基本方針に基づき、中小企業に関する施策を講ずるものとする。

一　中小企業者の経営の革新及び創業の促進並びに**創造的な事業活動の促進**を図ること。

二　中小企業の経営資源の確保の円滑化を図ること、中小企業に関する**取引の適正化**を図ること等により、中小企業の経営基盤の強化を図ること。

三　経済的社会的環境の変化に即応し、中小企業の経営の安定を図ること、**事業の転換の円滑化**を図ること等により、その変化への適応の円滑化を図ること。

四　中小企業に対する資金の供給の円滑化及び中小企業の自己資本の充実を図ること。

ア　〇：正しい。中小企業基本法第５条３号に該当する。

イ　〇：正しい。中小企業基本法第５条１号に該当する。

ウ　✕：中小企業基本法の基本方針に該当しない。なお、中小企業基本法第８条（小規模企業に対する中小企業施策の方針）１号において、「小規模企業が地域における経済の安定並びに地域住民の生活の向上及び交流の促進に寄与するという重要な意義を有することを踏まえ、適切かつ十分な経営資源の確保を通じて地域における小規模企業の持続的な事業活動を可能とするとともに、**地域の多様な主体との連携の推進**によって地域における多様な需要に応じた事業活動の活性化を図ること。」と規定されている。中小企業基本法第８条については、令和２年度第14問（設問３）で出題されたことがある。

エ　○：正しい。中小企業基本法第５条２号に該当する。

よって、**ウ**が正解である。

第19問

「中小企業向け賃上げ促進税制」についての出題である。本試験では、従前の「所得拡大促進税制」を含めて令和４年度が初出題である。「中小企業向け賃上げ促進税制」は令和４年度の税制改正によって従前の「所得拡大促進税制」を改正した制度であり、従業員への給与等の支給額を増加させた場合、増加額の一部を法人税等から税額控除できる。

ア　○：正しい。中小企業は、教育訓練費を前年度比で５％以上増加させた場合、必須要件で適用となった税額控除率からさらに10％上乗せされる。

イ　×：このような要件はない。

ウ　×：このような要件はない。

エ　×：このような要件はない。

よって、**ア**が正解である。

第20問

経営革新支援事業についての出題である。経営革新計画については、本試験では毎年のように問われている重要論点であるが、今回は承認要件の具体的内容が問われた。基本事項が問われており、多くの受験生が正解できる問題といえる。

設問１ ●●●

経営革新計画の承認要件については、過去に何度も問われている論点であり、確実に正解する必要がある。

経営革新計画が承認されるためには、経営目標の指標として、**３から５年**（空欄Aに該当）の事業期間において付加価値額または従業員一人当たりの付加価値額が年率３％以上伸び、かつ**給与支給総額**（空欄Bに該当）が年率1.5％以上伸びる計画となっていることが要件となっている。表にまとめると、以下のとおりである。

事業期間終了時	「付加価値額」または 「従業員１人当たりの付加価値額」の伸び率 （年率３％以上）	「給与支給総額」の 伸び率※ （年率1.5％以上）
３年計画の場合	９％以上	4.5％以上
４年計画の場合	12％以上	６％以上
５年計画の場合	15％以上	7.5％以上

※「給与支給総額」の伸び率は「加価値額または従業員１人当たりの付加価値額」の伸び率の半分と覚えておけばよい。

よって、空欄Aには「３から５年」、空欄Bには「給与支給総額」が入り、**エ**が正解である。

設問2 ●●●

経営革新計画の承認要件のひとつである「付加価値額」についての出題である。本問についても基本事項が問われており、確実に正解する必要がある。承認要件である付加価値額と給与支給総額は以下の算式で計算する。

・付加価値額＝営業利益＋人件費＋減価償却費

・給与支給総額＝役員報酬＋給料＋賃金＋賞与＋各種手当※

※「各種手当」には、残業手当、休日手当、家族（扶養）手当、住宅手当等を含み、給与所得とされない手当（退職手当等）および福利厚生費は含まない。

よって、**ウ**が正解である。

第21問

下請代金支払遅延等防止法についての出題である。問われている事項はいずれも基本事項であり、確実に正解したい。

設問1 ●●●

下請代金支払遅延等防止法の適用範囲についての出題である。過去頻繁に出題実績がある基本事項であり、確実に正解する必要がある。

まず、解答の手順として最初に、⑴「物品の製造・修理委託および政令で定める情報成果物作成・役務提供委託」か、⑵「⑴以外の情報成果物作成・役務提供委託」かを見極めなければならない。本設問では物品の製造委託および修理委託となっているので、⑴に該当することがわかる。⑴に該当する場合、下記の図表の範囲に委託者（親事業者）と受託者（下請事業者）が含まれるかを判断する。

(1) 物品の製造・修理委託および政令で定める情報成果物作成・役務提供委託の場合の対象者

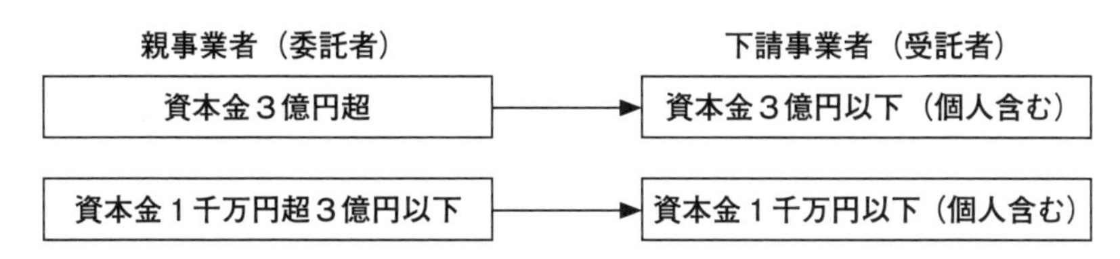

ア ×：委託者の資本金が1千万円以下（500万円）であるので、親事業者の範囲に含まれない。したがって、同法の適用はない。

イ ×：委託者の資本金が1千万円以下（500万円）であるので、親事業者の範囲に含まれない。したがって、同法の適用はない。

ウ ○：正しい。委託者の資本金が1千万円超3億円以下（1,500万円）であり、受託者の資本金が1千万円以下（1,000万円）である。したがって、法の定める適用範囲に含まれ、同法が適用される。

エ ×：委託者の資本金が1千万円超3億円以下（2,000万円）であり、受託者の資本金は1千万円超（1,500万円）である。したがって、同法の適用はない。

オ ×：委託者の資本金が1千万円超3億円以下（1億円）であり、受託者の資本金は1千万円超（3,000万円）である。したがって、同法の適用はない。

よって、**ウ**が正解である。

設問2

親事業者の義務についての出題である。基本事項であり、確実に正解する必要がある。親事業者の義務として、下記の4つについて必ず押さえていただきたい。

1） 発注書面の交付義務
2） 下請取引の内容を記録した書類の作成、保存義務
3） 下請代金の支払期日を定める義務
4） 遅延利息の支払義務

a ×：下請代金の支払期日について、給付を受領した日（役務の提供を受けた日）から**60日以内**で、かつできる限り短い期間内に定める義務がある。

b ○：正しい。支払期日までに支払わなかった場合は、給付を受領した日（役務の提供を受けた日）の60日後から、支払を行った日までの日数に、年率14.6％を乗じた金額を「遅延利息」として支払う義務がある。

よって、**a**＝「誤」、**b**＝「正」となり、**ウ**が正解である。

第22問

「小規模事業者持続化補助金（一般型）」についての出題である。今回は基本事項が問われており、確実に正解する必要がある。「小規模事業者持続化補助金」は、小規模事業者が経営計画を作成し、その計画に沿って行う販路開拓の取組等を支援する補助金であり、販路開拓や生産性向上に取り組む費用等を補助する。この補助金の対象となる者は、以下のとおりである。

＜対象者＞

常時使用する従業員が20人（商業・サービス業（宿泊業・娯楽業を除く）の場合は5人）以下の法人・個人事業主

ア ×：「卸売業」は、上記対象者の「商業・サービス業（宿泊業・娯楽業を除く）」で判定する。そうすると、従業員が5人を超えるため、当該補助金の対象者とはならない。

イ ×：「小売業」は、上記対象者の「商業・サービス業（宿泊業・娯楽業を除く）」で判定する。そうすると、従業員が5人を超えるため、当該補助金の対象者とはならない。

ウ ×：「サービス業（宿泊業・娯楽業を除く）」は、上記対象者の「商業・サービス業（宿泊業・娯楽業を除く）」で判定する。そうすると、従業員が5人を超えるため、当該補助金の対象者とはならない。なお、宿泊業・娯楽業は従業員20人以下であれば当該補助金の対象となる。中小企業基本法の小規模企業者の定義とは異なることに注意すること。

エ ○：正しい。「製造業」で従業員20人以下であるので、当該補助金の対象となる。

よって、**エ**が正解である。

第23問

「中小企業倒産防止共済制度（経営セーフティ共済）」は、中小企業倒産防止共済法に基づき、中小企業の連鎖倒産防止と経営安定を目的として中小企業基盤整備機構が運営する共済制度である。基本事項が問われており、確実に正解したい。

設問1 ●●●

加入対象についての出題である。加入対象者は、「1年以上継続して事業を行っている中小企業者」である。

ア ×：継続して事業を行っている期間が1年未満であるので、加入対象とはならない。

イ ×：継続して事業を行っている期間が1年未満であるので、加入対象とはならない。

ウ　○：正しい。上記解説を参照。

エ　×：これから新規開業する者はそもそも事業を行っていないので、加入対象とはならない。

よって、**ウ**が正解である。

設問2

制度内容についての出題である。中小企業倒産防止共済制度の共済金の貸付けの特徴が「無担保・無保証人・無利子」であることが理解できていれば、正解できる問題である。確実に正解したい。

ア　○：正しい。中小企業倒産防止共済制度の共済金の貸付けの特徴のひとつである。

イ　×：貸付けを受けた共済金の**10分の1**に相当する額が納付した掛金から控除される。貸付けが無利子であることは正しい。

ウ　×：償還期間は貸付け額に応じて**5年〜7年**（うち据置期間6か月）の毎月均等分割償還である。

エ　×：取引先企業が倒産し、売掛金や受取手形などの回収が困難となった場合、この回収困難額と、積み立てた掛金総額の**10倍**のいずれか少ない額（**貸付限度額8,000万円**）の貸付けを受けることができる。

よって、**ア**が正解である。

第24問

中小企業等経営強化法の経営力向上計画についての出題である。基本事項が問われており、確実に正解したい。

中小企業等の生産性を高めるための政策的な枠組みである「中小企業等経営強化法」は平成28年7月に施行された。そして、本法では、生産性向上策（営業活動、財務、人材育成、IT投資等）を**業種毎**に「**事業分野別指針**」として策定している。

事業者は事業分野別指針に沿って、「経営力向上計画」を作成し、国の認定を受けることができる。認定事業者は、税制や金融支援等の措置を受けることができる。

ア　×：同法では、企業規模別に「経営力向上計画」は策定しない。

イ　○：正しい。上記の解説参照。

ウ　×：同法では、企業規模別に「経営力向上計画」は策定しない。

エ　×：同法では、「販路開拓の方向性」ではなく、「生産性向上策」を業種ごとに「事業分野別指針」として策定している。

よって、**イ**が正解である。

第25問

中小企業税制のうち、交際費等の損金算入の特例についての出題である。基本事項が問われており、2問とも正解できる問題といえる。交際費等の損金算入の特例は、資本金または出資金の額が**1億円以下の法人**（空欄Aに該当）であれば、

① 支出した交際費等のうち**800万円までの全額**（空欄Bに該当）

② 支出した接待飲食費の**50%**（空欄Cに該当）（**支出する接待飲食費の上限はない**（空欄Dに該当））

のどちらかを選択して、損金算入することができる措置である（令和9年3月31日までの時限措置）。ただし、資本金または出資金の額が1億円以下の法人であっても、大法人（資本金等が5億円以上の法人）の100%子会社等は対象外となる。

設問1

上記の解説参照。

よって、空欄Aには「1億円以下の法人」、空欄Bには「800万円までの全額」が入り、**ウ**が正解である。

設問2

上記の解説参照。

よって、空欄Cには「50%」、空欄Dには「支出する接待飲食費の上限はありません」が入り、**イ**が正解である。

第26問

「女性、若者／シニア起業家支援資金」は、女性（年齢制限なし）、若者（35歳未満）、高齢者（55歳以上）のうち新規開業しておおむね**7年以内**の者を優遇金利で支援する融資制度であり、日本政策金融公庫が実施している。

ア ×：男性（若者）の場合、**35歳未満**で新規開業しておおむね7年以内の者が対象者となる。したがって、40歳の男性は年齢要件を満たさない。

イ ○：正しい。女性の場合、新規開業しておおむね7年以内の者であれば、年齢に関係なく対象者となる。

ウ ×：**女性の場合、年齢は関係ない**が、新規開業して10年経過していることから、「新規開業しておおむね**7年以内**」の範囲から逸脱している。

エ ×：男性（シニア）の場合、**55歳以上**で新規開業しておおむね7年以内の者が

対象者となる。70歳の男性は、年齢要件は満たしているが、新規開業して15年経過していることから、「新規開業しておおむね**7年以内**」の範囲から逸脱している。

よって、**イ**が正解である。

第27問

「JAPANブランド育成支援等事業」は令和元年度以来の出題であるが、令和２年度に大幅な改正があったため、過去問は参考にできず、実質的に初出題と言ってもよい。

なお、同事業は、令和５年１月に「ものづくり補助金」に統合された。

設問1

事業概要についての出題である。

ア　×：このような要件はない。

イ　×：ジェトロ（JETRO：日本貿易振興機構）が行っている「越境EC等利活用促進事業」のことである。

ウ　○：正しい。中小企業庁が選定した海外販路開拓等のプロフェッショナル事業者である「支援パートナー」が事業実施を支援している。「支援パートナー」の活用が「JAPANブランド育成支援等事業」の要件となっている。

エ　×：「JAPANブランド育成支援等事業」ではグリーン投資に関する特別枠はない。

よって、**ウ**が正解である。

設問2

支援内容についての出題である。細かい事項が問われており、正解は難しかったと言える。

ア　×：１～２年目は**3分の2補助**になる。

イ　×：A社単独で申請した場合の補助額の上限は**500万円**である。連携体として申請した場合でも**最大４社で2,000万円までの上限額**となる。

ウ　×：支援期間は、**最長３年**である。

エ　○：正しい。複数者による連携体として共同で応募する場合、１社ごとに500万円上限額を嵩上げし、最大４社で2,000万円までの上限額となる。

よって、**エ**が正解である。

第28問

「ものづくり・商業・サービス生産性向上促進補助金」（いわゆる「ものづくり補助

金」）についての出題である。「ものづくり補助金」は頻繁に改正があるが、今回は支援要件の基本的な内容が問われており、確実に正解したい。

「ものづくり補助金」は、生産性向上に資する革新的サービス開発・試作品開発・生産プロセスの改善を行う中小企業・小規模事業者等の設備投資等を支援する補助金制度である。支援対象者は以下のとおりである。

＜支援対象者＞

以下の要件を満たす事業計画（３～５年）を策定し実施する中小企業・小規模事業者等であること。

① 付加価値額の年率３％以上向上
② 給与支給総額の年率1.5％以上向上
③ 事業場内最低賃金を地域別最低賃金30円以上向上

ア ×：売上高の伸び率は要件に含まれていない。
イ ○：正しい。上記②に該当する。
ウ ×：「事業場内最低賃金を地域別最低賃金**30円以上**向上」が要件である。
エ ×：「付加価値額の年率**３％以上**向上」が要件である。

よって、**イ**が正解である。

第29問

「成長型中小企業等研究開発支援事業」についての出題である。令和４年度に「商業・サービス競争力強化連携支援事業（サビサポ事業）」と「戦略的基盤技術高度化支援事業（サポイン事業）」が統合され、「成長型中小企業等研究開発支援事業（Go-Tech事業）」が創設された。

「成長型中小企業等研究開発支援事業」は、中小企業が、大学・公設試等と連携して行う、ものづくり基盤技術およびサービスの高度化に向けた研究開発等の取り組みを**最大３年間**（空欄Aに該当）支援する補助金である。支援対象者は以下のとおりである。

・大学、公設試験研究機関、最終製品を生産する川下製造業者、自社以外の中小企業・小規模事業者など、**２者以上**（空欄Bに該当）で共同体を組んでいること。
・「中小企業の特定ものづくり基盤技術及びサービスの高度化等に関する指針」に基づき、特定ものづくり基盤技術（精密加工、表面処理、立体造形等の12技術分野）およびIoT、AI等の先端技術を活用した高度なサービスに関する研究開発や試作品開発等に取り組んでいること。

よって、空欄Aには「３年間」、空欄Bには「２者以上」が入り、**ウ**が正解である。

第30問

「中小PMI支援メニュー」についての出題である。令和4年3月17日に公表された支援策であり、令和4年度が初出題である。

事業承継の手段としても期待されるM&Aについて、マッチング等のM&Aの成立に向けた従来の支援に加え、**M&Aによって引き継いだ事業の継続・成長に向けた統合やすり合わせ等の取組**（PMI：Post Merger Integration）への支援に取り組むため、国は「中小PMI支援メニュー（正式名称：中小M&Aによって引き継いだ事業の継続・成長に向けた支援メニュー）」を策定した。

「中小PMI支援メニュー」の主なポイントとして3つある。

① 中小PMIの「型」の提示、普及啓蒙
- 中小PMIガイドラインの策定
- PMIに関するセミナーや研修等の実施

② PMIの実践機会の提供
- 事業承継・引継ぎ補助金等による支援
- 経営資源集約化税制による支援

③ PMI支援を行う専門家の育成等
- 士業等専門家との連携
- 中小企業診断士に対するガイドライン理解促進の枠組み（試験、研修等）の導入

本問は上記のうち①にある「中小PMIガイドライン」にある用語集より出題されたと考えられる。本解説も同ガイドラインから作成した。

ア ×：「クロージング」のことである。同ガイドラインによれば、「クロージングとは、M&Aにおける最終契約の決済のことをいい、株式譲渡、事業譲渡等に係る最終契約を締結した後、株式・財産の譲渡や譲渡代金（譲渡対価）の全部又は一部の支払を行う工程をいう」とある。

イ ○：正しい。同ガイドラインによれば、「一般的にPMIとは、M&A成立後の一定期間内に行う経営統合作業をいう（狭義のPMI）。本ガイドラインでは、上記のPMIの前後の期間における取組の重要性を鑑み、狭義のPMIの「前（プレ）」、つまりM&A成立前の取組と、狭義のPMIの「後（ポスト）」の継続的な取組を含めたプロセス全般（PMIプロセス）を、より広義の概念として（中小）PMIと定義している」とある。

ウ ×：「中小M&A」のことである。同ガイドラインによれば、「中小M&Aとは、後継者不在等の中小企業（以下「譲渡側」という。）の事業を、廃業に伴う経営資源の散逸回避、生産性向上や創業促進等を目的として、M&Aの手法により、社外

の第三者である後継者（以下「譲受側」といい、本ガイドラインでは譲受側の候補者も含むことがある。）が引き継ぐ場合をいう」とある。

エ　×：「デュー・ディリジェンス」のことである。同ガイドラインによれば、「デュー・ディリジェンス（Due Diligence）とは、対象企業である譲渡側における各種のリスク等を精査するため、主に譲受側がFA（フィナンシャル・アドバイザー）、士業等専門家に依頼して実施する調査をいう」とある。

よって、**イ**が正解である。

第31問

「経営力再構築伴走支援」についての出題である。本試験では令和４年度が初出題となる。

「経営力再構築伴走支援」とは、経営環境の変化の度合いとスピードが高まり、かつ、不可逆的に変化する中で、中小企業・小規模事業者が柔軟に対応していくために、経営者の自己変革力、潜在力を引き出し、経営力を強化･再構築する支援のことである。そして、「伴走支援の在り方検討会」は令和４年３月15日に報告書（「中小企業伴走支援モデルの再構築について」。以下、「報告書」と略す）をまとめ、経営力再構築伴走支援を実施するにあたって踏まえるべき三要素を以下のとおり示した。

＜経営力再構築伴走支援モデルの三要素＞

要素１：支援に当たっては対話と傾聴を基本的な姿勢とすることが望ましい。

要素２：経営者の「自走化」のための内発的動機づけを行い、「潜在力」を引き出す。

要素３：具体的な支援手法（ツール）は自由であり多様であるが、相手の状況や局面によって使い分ける。

簡単にまとめると、課題設定と経営者の腹落ちに重きを置いたのが「経営力再構築伴走支援モデル」といえる。

ア　○：正しい。上記の要素３に該当する。

イ　○：正しい。上記の要素２に該当する。

ウ　○：正しい。上記の要素１に該当する。

エ　×：「伴走支援の在り方検討会」の報告書によれば、「経営者、その支援者が取るべき基本的なプロセスは、「経営課題の設定→課題解決策の検討→実行→検証」であり、**課題設定を「入口」として課題解決を「出口」とする**ものである」と記載されている。

よって、**エ**が正解である。

令和3年度問題

令和3年度問題

第1問　参考問題

総務省・経済産業省「平成28年経済センサス－活動調査」に基づき、企業数について、資本金規模別と常用雇用者規模別に見た場合の記述として、最も適切なものはどれか。

なお、企業数は会社数と個人事業者数の合計とする。

ア　資本金5,000万円以下（個人事業者を含む）の企業数、常用雇用者数50人以下の企業数とも、企業数全体の約５割を占めている。

イ　資本金5,000万円以下（個人事業者を含む）の企業数、常用雇用者数50人以下の企業数とも、企業数全体の９割以上を占めている。

ウ　資本金5,000万円以下（個人事業者を含む）の企業数は企業数全体の約５割を占め、常用雇用者数50人以下の企業数は企業数全体の９割以上を占めている。

エ　資本金5,000万円以下（個人事業者を含む）の企業数は企業数全体の９割以上を占め、常用雇用者数50人以下の企業数は企業数全体の約５割を占めている。

第2問　参考問題

総務省・経済産業省「平成28年経済センサス－活動調査」に基づき、中小企業について、業種別・企業規模別に企業数と従業者数を見た場合の記述として、最も適切なものはどれか。

なお、企業数は会社数と個人事業者数の合計とする。企業規模区分は中小企業基本法に準ずるものとする。

ア　非製造業の小規模企業は、中小企業数全体の約４割、中小企業の従業者数全体の約５割を占めている。

イ　非製造業の小規模企業は、中小企業数全体の約５割、中小企業の従業者数全体の約６割を占めている。

ウ　非製造業は中小企業数全体の約８割、中小企業の従業者数全体の約７割を占めている。

エ　非製造業は中小企業数全体の約９割、中小企業の従業者数全体の約８割を占めている。

第3問　参考問題

財務省「平成30年度法人企業統計調査年報」に基づき、企業規模別・業種別の資本装備率を見た場合の記述として、最も適切なものはどれか。

なお、ここで大企業とは資本金10億円以上、中小企業とは資本金１億円未満の企業とする。資本装備率は有形固定資産（建設仮勘定を除く）（期首・期末平均）を従業員数で除して算出する。

ア　中小企業（製造業）の資本装備率は、大企業（非製造業）、中小企業（非製造業）とも上回る。

イ　中小企業（製造業）の資本装備率は、大企業（非製造業）、中小企業（非製造業）とも下回る。

ウ　中小企業（製造業）の資本装備率は、大企業（非製造業）を上回り、中小企業（非製造業）を下回る。

エ　中小企業（製造業）の資本装備率は、大企業（非製造業）を下回り、中小企業（非製造業）を上回る。

第4問　参考問題

次の文章を読んで、下記の設問に答えよ。

総務省「平成26年経済センサス－基礎調査」、総務省・経済産業省「平成24年、28年経済センサス－活動調査」に基づき、2012年から2016年にかけて存続した企業（存続企業）における企業規模間の移動状況を見た場合、企業規模に変化のない企業が存続企業全体の約［　A　］％を占め、企業規模を拡大した企業（規模拡大企業）数は企業規模を縮小した企業（規模縮小企業）数を［　B　］。

規模拡大企業の内訳を見ると、ほとんどが［　C　］への拡大で占められている。また、規模縮小企業の内訳を見ると、ほとんどが［　D　］への縮小で占められている。

なお、企業規模間の移動は小規模企業、中規模企業、大企業で見るものとし、中規模企業は小規模企業以外の中小企業を指すものとする。企業規模区分は中小企業基本法に準ずるものとする。

設問1

文中の空欄ＡとＢに入る数値と語句の組み合わせとして、最も適切なものはどれか。

ア　A：75　B：上回っている
イ　A：75　B：下回っている
ウ　A：95　B：上回っている
エ　A：95　B：下回っている

設問2

文中の空欄CとDに入る語句の組み合わせとして、最も適切なものはどれか。

ア　C：小規模企業から中規模企業　D：大企業から中規模企業
イ　C：小規模企業から中規模企業　D：中規模企業から小規模企業
ウ　C：中規模企業から大企業　D：大企業から中規模企業
エ　C：中規模企業から大企業　D：中規模企業から小規模企業

第5問　参考問題

総務省・経済産業省「平成28年経済センサス－活動調査」に基づき、企業規模別・業種別に労働生産性（中央値）を比較すると、総じて企業規模が大きくなるにつれて労働生産性は高くなるが、労働生産性の企業規模間での格差水準は業種によっても異なる。業種別に大企業と小規模企業の労働生産性の規模間格差を見た場合の記述として、最も適切なものはどれか。

なお、労働生産性の規模間格差は大企業と小規模企業の労働生産性（中央値）の差分で見る。企業規模区分は中小企業基本法に準ずるものとする。

ア　製造業の規模間格差は、建設業と小売業よりも大きい。
イ　製造業の規模間格差は、建設業と小売業よりも小さい。
ウ　製造業の規模間格差は、建設業よりも大きく、小売業よりも小さい。
エ　製造業の規模間格差は、建設業よりも小さく、小売業よりも大きい。

第6問　参考問題

財務省「法人企業統計調査年報」に基づき、2000年度から2018年度の期間について、企業規模別に労働分配率の推移と付加価値額に占める営業純益の割合の推移を見た場合の記述として、最も適切なものはどれか。

なお、企業規模は小規模企業、中規模企業、大企業で比較する。小規模企業は資本金1,000万円未満、中規模企業は資本金1,000万円以上１億円未満、大企業は資本金10億円以上の企業を指す。労働分配率は人件費を付加価値額で除して算出する。営業純益は営業利益から支払利息等を差し引いて算出する。

ア　企業規模が大きいほど労働分配率は高く、付加価値額に占める営業純益の割合も高い。
イ　企業規模が大きいほど労働分配率は高く、付加価値額に占める営業純益の割合は低い。
ウ　企業規模が大きいほど労働分配率は低く、付加価値額に占める営業純益の割合は高い。
エ　企業規模が大きいほど労働分配率は低く、付加価値額に占める営業純益の割合も低い。
オ　企業規模で労働分配率と付加価値額に占める営業純益の割合に大きな違いはない。

第7問　参考問題

中小企業庁「中小企業実態基本調査」に基づき、中小企業の「設備投資の目的」についての回答企業割合を、2017年度について2007年度と比較した場合の記述として、最も適切なものはどれか。

ア　「既存建物・設備機器等の維持・補修・更新」、「既存事業部門の売上増大」とも2007年度を上回る。
イ　「既存建物・設備機器等の維持・補修・更新」、「既存事業部門の売上増大」とも2007年度を下回る。
ウ　「既存建物・設備機器等の維持・補修・更新」は2007年度を上回り、「既存事業部門の売上増大」は2007年度を下回る。
エ　「既存建物・設備機器等の維持・補修・更新」は2007年度を下回り、「既存事業部門の売上増大」は2007年度を上回る。

第8問　参考問題

中小企業庁「中小企業実態基本調査」に基づき、業種別・従業員規模別に中小企業における研究開発を実施している企業の割合（実施企業割合、2017年度）を見た場合の記述として、最も適切なものはどれか。

なお、従業員規模は、個人企業、５人以下、６～20人、21～50人、51人以上で比較する。

また、業種については、建設業、製造業、情報通信業、運輸業・郵便業、卸売業、小売業、不動産・物品賃貸業、学術研究・専門・技術サービス業、宿泊業・飲食サービス業、生活関連サービス業・娯楽業で比較する。

ア　業種によって実施企業割合の水準に大きな違いはなく、従業員規模が大きくなるほど実施企業割合は総じて高い。

イ　業種によって実施企業割合の水準に大きな違いはなく、従業員規模が大きくなるほど実施企業割合は総じて低い。

ウ　業種によって実施企業割合の水準は異なり、従業員規模が大きくなるほど実施企業割合は総じて高い。

エ　業種によって実施企業割合の水準は異なり、従業員規模が大きくなるほど実施企業割合は総じて低い。

オ　業種によって実施企業割合の水準は異なり、従業員規模で実施企業割合に大きな違いはない。

第9問　参考問題

日本銀行「金融経済統計月報」他より中小企業庁の調べに基づき、2014年から2019年の期間について、金融機関別中小企業向け貸出残高の推移（各年12月末）を見た場合の記述として、最も適切なものはどれか。

ア　中小企業向け総貸出残高は減少基調、民間金融機関による貸出残高は増加基調で推移している。

イ　中小企業向け総貸出残高は増加基調、民間金融機関による貸出残高は減少基調で推移している。

ウ　中小企業向け総貸出残高、民間金融機関による貸出残高とも、減少基調で推移している。

エ　中小企業向け総貸出残高、民間金融機関による貸出残高とも、増加基調で推移している。

第10問　参考問題

一般財団法人ベンチャーエンタープライズセンター「ベンチャー白書2019」に基づき、2014年度から2018年度の期間について、国内のベンチャーキャピタル等による国内向けの投資状況を見た場合の記述として、最も適切なものはどれか。

ア　投資金額、投資件数とも減少している。
イ　投資金額、投資件数とも増加している。
ウ　投資金額は減少、投資件数は増加している。
エ　投資金額は増加、投資件数は減少している。

第11問　参考問題

次の文章の空欄A～Cに入る語句の組み合わせとして、最も適切なものを下記の解答群から選べ。

特許庁の調べによれば、知的財産権別出願件数（2018年出願、内国人）を見た場合、中小企業の出願件数は大企業の出願件数を、特許権では［A］、実用新案権では［B］、商標権では［C］。

なお、企業規模区分は中小企業基本法に準ずるものとする。

［解答群］

ア	A：上回り	B：上回り	C：上回っている
イ	A：上回り	B：下回り	C：上回っている
ウ	A：下回り	B：上回り	C：上回っている
エ	A：下回り	B：上回り	C：下回っている
オ	A：下回り	B：下回り	C：下回っている

第12問　参考問題

中小企業庁「平成30年中小企業実態基本調査」、経済産業省「平成30年企業活動基本調査」に基づき、中小企業の知的財産権別使用率を次のa～cについて見た場合、高いものから低いものへと並べた組み合わせとして、最も適切なものを下記の解答群から選べ。

なお、ここで使用率とは各知的財産権の所有件数に占める使用件数の割合を示す。

a：商標権
b：実用新案権
c：特許権

［解答群］

ア　a：商標権　－　b：実用新案権　－　c：特許権
イ　a：商標権　－　c：特許権　－　b：実用新案権
ウ　b：実用新案権　－　a：商標権　－　c：特許権
エ　b：実用新案権　－　c：特許権　－　a：商標権
オ　c：特許権　－　a：商標権　－　b：実用新案権

第13問　参考問題

中小企業における外部連携の取組状況について、中小企業庁の委託により実施された㈱東京商工リサーチ「中小企業の付加価値向上に関するアンケート（2019年実施）」に基づき、業種別、連携する分野別に、外部連携に取り組んでいるとする回答企業割合を見た場合の記述として、最も適切なものはどれか。

なお、ここでは業務委託（アウトソーシング）、業務提携（パートナーシップ）、資本提携の３つの形態を外部連携としている。業務提携（パートナーシップ）とは、特定の分野に限定して他社と業務上の協力関係を持つことを指す。

ア　製造業では「企画」分野が「生産」分野を上回っており、非製造業では「企画」分野が「物流」分野を上回っている。
イ　製造業では「企画」分野が「生産」分野を上回っており、非製造業では「物流」分野が「企画」分野を上回っている。
ウ　製造業では「生産」分野が「企画」分野を上回っており、非製造業では「企画」分野が「物流」分野を上回っている。
エ　製造業では「生産」分野が「企画」分野を上回っており、非製造業では「物流」分野が「企画」分野を上回っている。

第14問　参考問題

次の文章を読んで、下記の設問に答えよ。

中小企業庁「中小企業実態基本調査」に基づくと、中小企業のうち受託取引のある事業者割合（受託事業者割合、2017年度）は約［　A　］％であり、2013年度から2017年度の期間について、受託事業者割合の推移を見ると、［　B　］。

また、業種別に受託事業者割合（2017年度）を見ると、業種によって大きな違いが見られる。

問題
3年度

なお、受託事業者とは、他社が主業として行う製造、修理、プログラム作成、プログラム作成の受託以外の情報成果物の作成、役務提供の受託取引を行った企業を指す。受託事業者割合は受託取引のある事業者数を母集団事業者数で除して算出する。

設問1

文中の空欄AとBに入る数値と語句の組み合わせとして、最も適切なものはどれか。

ア　A：5　　B：大きく減少している
イ　A：5　　B：大きく増加している
ウ　A：5　　B：大きな変動はない
エ　A：10　B：大きく減少している
オ　A：10　B：大きく増加している

設問2

文中の下線部について、中小企業庁「中小企業実態基本調査」に基づき、次のa～cの業種別に受託事業者割合を見た場合、高いものから低いものへと並べた組み合わせとして、最も適切なものを下記の解答群から選べ。

a：卸売業
b：情報通信業
c：製造業

[解答群]
ア　a：卸売業　－　b：情報通信業　－　c：製造業
イ　b：情報通信業　－　a：卸売業　－　c：製造業
ウ　b：情報通信業　－　c：製造業　－　a：卸売業
エ　c：製造業　－　a：卸売業　－　b：情報通信業
オ　c：製造業　－　b：情報通信業　－　a：卸売業

第15問 参考問題

次の文章を読んで、下記の設問に答えよ。

全国中小企業団体中央会「令和元年度版ものづくり補助金成果評価調査報告書(2020年３月)」に基づき、当該補助金を活用した中小企業について、支援策利用に際しての事業実施上の課題や支援機関へのニーズを見る。

①補助事業実施に当たって直面した課題・問題点（上位10項目、複数回答）を見ると、中小企業は事業実施に際して多様な課題を抱えていることがうかがえる。

また、補助事業に関与する②認定支援機関から今後受けたい支援内容（複数回答）について見ると、申請時の事務手続き以外にも、さまざまなニーズが確認される。

中小企業診断士をはじめとする支援者には、こうした中小企業の抱える課題やニーズへの細やかな対応が求められる。

なお、全国中小企業団体中央会「令和元年度版ものづくり補助金成果評価調査報告書（2020年３月)」では、平成24年度補正予算事業から平成29年度補正予算事業までの採択事業者を対象に実施したアンケート調査をもとに、試作開発や設備投資の実態、補助事業による成果などを把握するとともに、補助事業に対する評価や成功要因などについて分析を行っている。

設問１

文中の下線部①について、補助事業実施に当たって直面した課題・問題点（上位10項目、複数回答）を次のａ～ｃで見た場合、回答企業割合が高いものから低いものへと並べた組み合わせとして、最も適切なものを下記の解答群から選べ。

ａ：「市場性・成長性の見極めや需要予測が困難」
ｂ：「自社の既存事業との調整（スケジュール調整、人員確保）が困難」
ｃ：「補助事業を実施するための資金が不足」

問題 3年度

［解答群］

ア　a：「市場性・成長性の見極めや需要予測が困難」－　b：「自社の既存事業との調整（スケジュール調整、人員確保）が困難」－　c：「補助事業を実施するための資金が不足」

イ　a：「市場性・成長性の見極めや需要予測が困難」－　c：「補助事業を実施するための資金が不足」－　b：「自社の既存事業との調整（スケジュール調整、人員確保）が困難」

ウ　b：「自社の既存事業との調整（スケジュール調整、人員確保）が困難」－　a：「市場性・成長性の見極めや需要予測が困難」－　c：「補助事業を実施するための資金が不足」

エ　b：「自社の既存事業との調整（スケジュール調整、人員確保）が困難」－　c：「補助事業を実施するための資金が不足」－　a：「市場性・成長性の見極めや需要予測が困難」

オ　c：「補助事業を実施するための資金が不足」－　a：「市場性・成長性の見極めや需要予測が困難」－　b：「自社の既存事業との調整（スケジュール調整、人員確保）が困難」

設問2

文中の下線部②について、補助事業に関与する認定支援機関から今後受けたい支援内容（複数回答）を次のａ～ｃで見た場合、回答企業割合が高いものから低いものへと並べた組み合わせとして、最も適切なものを下記の解答群から選べ。

a：「事業パートナーとのマッチング支援」
b：「補助事業に係る取組の継続に向けた総合的なアドバイス・指導」
c：「補助事業で開発した製品・技術を普及させるための展示会等への出展・開催支援」

［解答群］

ア　a：「事業パートナーとのマッチング支援」－　b：「補助事業に係る取組の継続に向けた総合的なアドバイス・指導」－　c：「補助事業で開発した製品・技術を普及させるための展示会等への出展・開催支援」

イ　a：「事業パートナーとのマッチング支援」－　c：「補助事業で開発した製品・技術を普及させるための展示会等への出展・開催支援」－　b：「補助事業に係る取組の継続に向けた総合的なアドバイス・指導」

ウ　b：「補助事業に係る取組の継続に向けた総合的なアドバイス・指導」－　a：「事業パートナーとのマッチング支援」－　c：「補助事業で開発した製品・技術を普及させるための展示会等への出展・開催支援」

エ　b：「補助事業に係る取組の継続に向けた総合的なアドバイス・指導」－　c：「補助事業で開発した製品・技術を普及させるための展示会等への出展・開催支援」－　a：「事業パートナーとのマッチング支援」

オ　c：「補助事業で開発した製品・技術を普及させるための展示会等への出展・開催支援」－　a：「事業パートナーとのマッチング支援」－　b：「補助事業に係る取組の継続に向けた総合的なアドバイス・指導」

第16問　参考問題

総務省「平成29年就業構造基本調査」に基づき、従業者規模別に高齢者の雇用実態を見た場合の記述として、最も適切なものはどれか。

なお、従業者規模は、１～４人、５～19人、20～49人、50～299人、300人以上で比較する。

ア　従業者規模が小さい企業ほど、全従業者に占める60歳以上の従業者割合、60歳以上の従業者について正規での雇用割合とも高い。

イ　従業者規模が小さい企業ほど、全従業者に占める60歳以上の従業者割合、60歳以上の従業者について正規での雇用割合とも低い。

ウ　従業者規模が小さい企業ほど、全従業者に占める60歳以上の従業者割合が高く、60歳以上の従業者について正規での雇用割合が低い。

エ　従業者規模が小さい企業ほど、全従業者に占める60歳以上の従業者割合が低く、60歳以上の従業者について正規での雇用割合が高い。

第17問　参考問題

平成27年策定の「事業引継ぎガイドライン」を全面改訂して、令和２年３月に策定・公表された「中小M&Aガイドライン」では、中小企業経営者とM&A支援機関の双方に対し、中小M&Aの適切な進め方を提示している。「中小M&Aガイドライン」に示された内容として、最も不適切なものはどれか。

ア　M&A専門業者に対しては、適正な業務遂行のため、契約期間終了後の一定期間内に成立したM&Aについても手数料の取得を認める条項（テール条項）を一般的な運用とすることを行動指針としている。

イ　M&A専門業者に対しては、適正な業務遂行のため、他のM&A支援機関へのセカンド・オピニオンを求めることを原則として許容する契約とすることを行動指針としている。

ウ　後継者不在の中小企業向けに、仲介手数料（着手金・月額報酬・中間金・成功報酬）の考え方や、具体的事例を提示することにより、手数料の目安を示している。

エ　支援機関の基本姿勢として、事業者の利益の最大化と支援機関同士の連携の重要性を提示している。

第18問　参考問題

中小企業庁「令和元年中小企業実態基本調査（平成30年度決算実績）」に基づき、小売業、宿泊業・飲食サービス業、製造業について、売上高経常利益率と自己資本比率をおのおの比較した場合の記述として、最も適切なものはどれか。

ア　売上高経常利益率と自己資本比率とも、小売業が最も低い。

イ　売上高経常利益率は小売業が最も高く、自己資本比率は宿泊業・飲食サービス業が最も低い。

ウ　売上高経常利益率は宿泊業・飲食サービス業が最も高く、自己資本比率は小売業が最も高い。

エ　売上高経常利益率は製造業が最も高く、自己資本比率は小売業が最も低い。

オ　売上高経常利益率は製造業が最も高く、自己資本比率は宿泊業・飲食サービス業が最も低い。

第19問　★重要★

次の文章を読んで、下記の設問に答えよ。

中小企業基本法では、中小企業者と小規模企業者の範囲を規定している。中小企業基本法の中小企業者の範囲は、中小企業施策における基本的な政策対象の範囲を定めた「原則」であり、各法律や支援制度における「中小企業者」の範囲と異なることがある。

設問1

中小企業基本法における「中小企業者」の範囲に含まれる企業として、最も適切なものはどれか。

ア　資本金８千万円、常時使用する従業員数80人の持ち帰り・配達飲食サービス業は、中小企業者の範囲に含まれる。
イ　資本金１億円、常時使用する従業員数150人の宿泊業は、中小企業者の範囲に含まれる。
ウ　資本金２億円、常時使用する従業員数200人の飲食料品卸売業は、中小企業者の範囲に含まれる。
エ　資本金３億円、常時使用する従業員数300人の運輸業は、中小企業者の範囲に含まれる。

設問2

中小企業基本法における「小規模企業者」の範囲に含まれる企業として、最も適切なものはどれか。

ア　資本金200万円、常時使用する従業員数15人の駐車場業は、小規模企業者の範囲に含まれる。
イ　資本金300万円、常時使用する従業員数15人の無店舗小売業は、小規模企業者の範囲に含まれる。
ウ　資本金2,000万円、常時使用する従業員数15人の飲食業は、小規模企業者の範囲に含まれる。
エ　資本金3,000万円、常時使用する従業員数15人の建設業は、小規模企業者の範囲に含まれる。

第20問

次の文章を読んで、下記の設問に答えよ。

1963年の中小企業基本法制定時においては、中小企業とは「過小過多」であり、「画一的な弱者」であるとして認識されていた。

このような認識の下、同法は、中小企業と大企業との間の生産性・賃金などに存在する「諸格差の是正」の解消を図ることを政策理念としていた。同法では、[A]を、諸格差を是正するための具体的な目標としており、この目標を達成するための政策手段を規定し、具体的に実現を図ることとしていた。

1999年12月に公布された改正中小企業基本法では、中小企業を「多様な事業の分野において特色ある事業活動を行い、多様な就業の機会を提供し、個人がその能力を発揮しつつ事業を行う機会を提供することにより我が国経済の基盤を形成するもの」と位置付けて、それまでの「画一的な弱者」という中小企業像を払拭した。

新たな政策理念として、「多様で活力ある中小企業の成長発展」を提示している。この新たな政策理念を実現するため、独立した中小企業の自主的な努力を前提としつつ、(1)[B]、(2)[C]、(3)経済的社会的環境の変化への適応の円滑化、の３つを政策の柱としている。

設問1 ●●●

文中の空欄Ａに入る語句として、最も適切なものはどれか。

ア 「自己資本の充実」と「競争力の強化」
イ 「自己資本の充実」と「取引条件の向上」
ウ 「生産性の向上」と「競争力の強化」
エ 「生産性の向上」と「取引条件の向上」

設問2 ●●● ★重要★

文中の空欄ＢとＣに入る語句の組み合わせとして、最も適切なものはどれか。

ア Ｂ：経営の革新及び創業の促進　Ｃ：経営基盤の強化
イ Ｂ：経営の革新及び創業の促進　Ｃ：事業承継の円滑化
ウ Ｂ：公正な市場環境の整備　Ｃ：経営基盤の強化
エ Ｂ：公正な市場環境の整備　Ｃ：事業承継の円滑化

第21問

近年の中小企業支援体制の展開などに関して、下記の設問に答えよ。

設問1 ●●●

経営支援の担い手の多様化・活性化のため、中小企業者などの新たなニーズに対応し、高度かつ専門的な経営支援を行う金融機関や各種士業を取り込むため、2012年に創設された制度に基づく機関として、最も適切なものはどれか。

ア　地域力連携拠点
イ　中小企業応援センター
ウ　都道府県等中小企業支援センター
エ　認定経営革新等支援機関
オ　よろず支援拠点

設問2 ●●●

2017年6月にとりまとめられた「中小企業政策審議会中小企業経営支援分科会中間整理」では、それぞれの中小企業支援機関が果たす役割として、3つのポイントが述べられている。

そのポイントとして、最も不適切なものはどれか。

ア　気付きやきっかけを与えること、事業者の悩みを気軽に受け付けること
イ　それぞれの中小企業支援機関が能力を向上すること
ウ　中小企業支援機関相互がネットワークを形成すること
エ　中小企業の視点で、ハンズオン型の支援を行うこと

第22問　参考問題

次の文章を読んで、下記の設問に答えよ。

「中小企業のものづくり基盤技術の高度化に関する法律」は、我が国製造業の［　　　］及び新たな事業の創出を図るため、中小企業が担うものづくり基盤技術の高度化に向けた研究開発及びその成果の利用を支援するための法律である。

この法律では、経済産業大臣が「特定ものづくり基盤技術」を指定し、川下産業の最先端ニーズを反映して行われるべき研究開発等の内容、人材育成・知的資産活用の在り方、取引慣行の改善等に関する指針を策定する。

中小企業は、指針に基づいて特定研究開発等計画を策定し、経済産業大臣に対し、認定を申請することができる。経済産業大臣は、申請された計画を審査し、技術指針

に照らして適切なものであり、研究開発が遂行可能な実施体制であることなどの要件に合致している場合に認定をする。認定を受けた中小企業は、支援措置を受けることができる。

設問1 ●●●

文中の空欄に入る語句として、最も適切なものはどれか。

ア　国際競争力の強化
イ　市場開拓の支援
ウ　受注機会の増大
エ　人材開発の推進

設問2 ●●●

文中の下線部に関する記述として、最も適切なものはどれか。

ア 「デザイン開発に係る技術」や「精密加工に係る技術」など12技術が指定されている。
イ 「デザイン開発に係る技術」や「精密加工に係る技術」など22技術が指定されている。
ウ 「電子商取引に係る技術」や「光通信システムに係る技術」など12技術が指定されている。
エ 「電子商取引に係る技術」や「光通信システムに係る技術」など22技術が指定されている。

第23問

次の文章を読んで、下記の設問に答えよ。

身近な中小企業支援機関である商工会・商工会議所が伴走型支援を強化して、小規模事業者の経営戦略に踏み込み、経営の改善発達を支援するために、2014年に「[A]の一部を改正する法律」が制定された。具体的には、商工会・商工会議所が「[B]計画」を策定し、[C]がこれを認定する仕組みを設け、商工会・商工会議所による[B]事業の実施を促すこととしている。これにより、商工会・商工会議所の業務は、これまでは経営の基盤である記帳指導・税務指導が中心であったが、今後は、経営状況の分析や市場調査、販路開拓にも力点が置かれることとなった。

設問1 ● ● ●

文中の空欄Aに入る語句として、最も適切なものはどれか。

ア　小規模企業活性化法
イ　小規模企業振興基本法
ウ　小規模事業者支援法
エ　中小企業等経営強化法

設問2 ● ● ●

文中の空欄BとCに入る語句の組み合わせとして、最も適切なものはどれか。

ア　B：経営革新　　　C：国
イ　B：経営革新　　　C：都道府県
ウ　B：経営発達支援　C：国
エ　B：経営発達支援　C：都道府県

第24問 参考問題

次の文章を読んで、下記の設問に答えよ。

中小企業等事業再構築促進事業は、新分野展開や業態転換、事業・業種転換、事業再編またはこれらの取組を通じた規模の拡大等、思い切った事業再構築に意欲を有する中小企業等の挑戦を支援するものである。

この事業の対象となるのは、原則として以下の(1)と(2)の両方を満たす中小企業等である。

(1)　2020年10月以降の連続する[A]のうち、任意の3か月の合計売上高が、コロナ以前の同3か月の合計売上高と比較して[B]していること。
(2)　経済産業省が示す「事業再構築指針」に沿った3～5年の事業計画書を認定経営革新等支援機関等と共同で策定すること。

また、この事業で、中小企業等に対する補助は、「通常枠」と「卒業枠」等に分けられている。ここで、「卒業枠」とは、事業計画期間内に、①事業再編、②新規設備投資、③[C]のいずれかにより、資本金または従業員を増やし、中小企業等から中堅・大企業等へ成長する事業者向けの特別枠である。「卒業枠」の補助額は、「通常枠」に比べ大きくなっている。

設問1 ●●●

文中の空欄AとBに入る語句の組み合わせとして、最も適切なものはどれか。

ア　A：6か月間　　B：10%以上減少
イ　A：6か月間　　B：30%以上減少
ウ　A：10か月間　　B：10%以上減少
エ　A：10か月間　　B：30%以上減少

設問2 ●●●

文中の空欄Cに入る語句として、最も適切なものはどれか。

ア　革新的サービス開発
イ　グローバル展開
ウ　生産プロセス改善
エ　労働環境向上

第25問

次の文章を読んで、下記の設問に答えよ。

中小企業診断士のX氏は、飲食業を営むY氏（従業員数2名）から、新たな販路開拓のためチラシ、ウェブサイト作成を行うための資金調達に関する相談を受けた。
X氏は、Y氏に、「小規模事業者持続化補助金（一般型）」を紹介することとした。
以下は、X氏とY氏との会話である。

X氏：「小規模事業者持続化補助金（一般型）の利用を検討してはいかがでしょうか。」
Y氏：「その補助金には、どのような利用条件があるのでしょうか。また、どの程度の補助を受けることができるのでしょうか。」
X氏：「［　A　］」
Y氏：「他者と連携した販路拡大事業も検討しているのですが、そのような場合にも申請は可能でしょうか。」

X氏：「複数の事業者が連携して取り組む共同事業も対象になります。［　B　］」

設問1 ●●●

文中の空欄Aに入る説明として、最も適切なものはどれか。

ア　この補助金は、市区町村の認定を受けた事業計画に関する販路開拓の取組等を支援するものです。補助率は２分の１になります。

イ　この補助金は、市区町村の認定を受けた事業計画に関する販路開拓の取組等を支援するものです。補助率は３分の２になります。

ウ　この補助金は、経営計画を作成し、その計画に沿って行う販路開拓の取組等を支援するものです。補助率は２分の１になります。

エ　この補助金は、経営計画を作成し、その計画に沿って行う販路開拓の取組等を支援するものです。補助率は３分の２になります。

設問2 ●●● 参考問題

文中の空欄Bに入る説明として、最も適切なものはどれか。

ア　この場合は、最大５者まで共同申請可能です。「１事業者あたりの補助上限額50万円×連携する事業者数」が補助上限額となります。

イ　この場合は、最大５者まで共同申請可能です。「１事業者あたりの補助上限額100万円×連携する事業者数」が補助上限額となります。

ウ　この場合は、最大10者まで共同申請可能です。「１事業者あたりの補助上限額50万円×連携する事業者数」が補助上限額となります。

エ　この場合は、最大10者まで共同申請可能です。「１事業者あたりの補助上限額100万円×連携する事業者数」が補助上限額となります。

第26問　★重要★

次の文章を読んで、下記の設問に答えよ。

中小企業診断士のＸ氏は、製造業を営む小規模事業者のＹ氏から、「小規模事業者向けの融資制度を知りたい」との相談を受けた。

Ｘ氏はＹ氏に「小規模事業者経営改善資金融資制度（マル経融資）」を紹介することとした。

設問1 ●●●

文中の下線部に関するX氏からY氏への説明として、最も適切なものはどれか。

ア　主たる事業所の所在する市区町村の融資担当課へ申し込みをしてください。

イ　小規模事業者が経営計画を作成し、その計画に沿って行う経営発展の取組を資金面から支援します。

ウ　対象資金は、運転資金だけでなく、設備資金も対象になります。設備資金の貸付期間は10年以内です。

エ　地域の小規模事業者を、担保もしくは保証人を付けることによって無利息で支援する制度です。

設問2 ●●●

以下は、文中の下線部の融資対象に関するX氏とY氏の会話である。会話の中の空欄AとBに入る語句の組み合わせとして、最も適切なものを下記の解答群から選べ。

X氏：「融資対象となるには、商工会・商工会議所の経営指導員による経営指導を［ A ］受けていることや、原則として同一の商工会等の地区内で［ B ］ことなどの条件があります。」

Y氏：「この条件は、当社は満たしていますね。」

[解答群]

ア　A：原則３か月以上　　B：１年以上事業を行っている

イ　A：原則３か月以上　　B：２年以上事業を行っている

ウ　A：原則６か月以上　　B：１年以上事業を行っている

エ　A：原則６か月以上　　B：２年以上事業を行っている

第27問

次の文章を読んで、下記の設問に答えよ。

中小企業診断士のX氏は、青色申告書を提出するY氏（従業員数３名の個人小売業）から、「少額の設備投資を行った場合の税制措置を知りたい」との相談を受けた。

Ｘ氏は、Ｙ氏に、「少額減価償却資産の特例」を紹介することとした。

設問1

文中の「少額減価償却資産の特例」の要件に関するＸ氏からＹ氏への説明として、最も適切なものはどれか。

ア　取得価額が10万円未満の減価償却資産の導入が支援の要件になります。
イ　取得価額が30万円未満の減価償却資産の導入が支援の要件になります。
ウ　取得価額が50万円未満の減価償却資産の導入が支援の要件になります。
エ　取得価額が80万円未満の減価償却資産の導入が支援の要件になります。

設問2

文中の「少額減価償却資産の特例」の税制措置に関するＸ氏からＹ氏への説明として、最も適切なものはどれか。

ア　合計額100万円を限度として、合計額の２分の１までを損金に算入することができます。
イ　合計額100万円を限度として、全額損金に算入することができます。
ウ　合計額300万円を限度として、合計額の２分の１までを損金に算入することができます。
エ　合計額300万円を限度として、全額損金に算入することができます。

第28問　★ 重要 ★

独力では退職金制度をもつことが困難な中小企業も多い。中小企業診断士のＡ氏は、顧問先の機械器具卸売業（従業員数10名）の経営者Ｂ氏に、中小企業退職金共済制度を紹介することとした。

Ａ氏からＢ氏への説明として、最も適切なものはどれか。

ア　１年以上継続して事業を行っている中小企業者が対象となります。
イ　掛金は全額非課税になります。
ウ　小規模企業の経営者が利用できる、いわば「経営者の退職金制度」です。
エ　納付した掛金合計額の範囲内で事業資金の貸付けを受けることができます。

第29問

次の文章を読んで、下記の設問に答えよ。

地域団体商標制度は、地域の産品等について、事業者の信用の維持を図り、「地域ブランド」の保護による地域経済の活性化を目的として導入された。

地域ブランドを商標権で保護することによって、①ブランドが有名になった後、ブランドを生み出した事業者がブランド名を使えなくなることを防ぐ、②蓄積したブランドイメージを横取りされないようにする、③ブランドを産地結集の旗印にするなどの効果が期待できる。

設問1

地域団体商標制度に登録するためのポイントに関する記述として、最も適切なものはどれか。

ア　一定の地理的範囲の需要者間で、ある程度有名であること
イ　商標全体が普通名称であること
ウ　商標の構成文字が図案化されていること
エ　品質基準が明文化された商品であること

設問2

地域団体商標制度に登録できる者として、最も不適切なものはどれか。

ア　NPO法人
イ　商工会
ウ　当該地域で30年以上の業歴を有する株式会社
エ　農業協同組合

・第24問につきましては、設問１は、採点の対象外としますので解答する必要はありません。設問２のみ解答してください。

令和3年度
解答・解説

令和3年度 解答

問題	設問	解答	配点	正答率※
第1問		イ	2	C
第2問		エ	3	D
第3問		イ	3	E
第4問	(設問1)	ウ	2	D
	(設問2)	イ	2	B
第5問		エ	3	C
第6問		ウ	3	B
第7問		ウ	2	B
第8問		ウ	2	A
第9問		エ	2	B
第10問		イ	2	B
第11問		ウ	3	B
第12問		ア	2	B
第13問		エ	2	C
第14問	(設問1)	ウ	2	B
	(設問2)	ウ	3	B
第15問	(設問1)	ウ	3	D
	(設問2)	ウ	2	D
第16問		ア	2	A
第17問		ア	2	C
第18問		オ	3	B
第19問	(設問1)	エ	3	B
	(設問2)	エ	2	A
第20問	(設問1)	エ	3	D
	(設問2)	ア	2	A
第21問	(設問1)	エ	2	D
	(設問2)	エ	3	D
第22問	(設問1)	―	2	A
	(設問2)	―	3	A
第23問	(設問1)	ウ	3	D
	(設問2)	ウ	2	D
第24問	(設問2)	イ	3	D
第25問	(設問1)	エ	2	D
	(設問2)	ウ	3	D
第26問	(設問1)	ウ	3	B
	(設問2)	ウ	2	A
第27問	(設問1)	イ	3	C
	(設問2)	エ	2	D
第28問		イ	2	B
第29問	(設問1)	ア	3	A
	(設問2)	ウ	2	B

※TACデータリサーチによる正答率
　正答率の高かったものから順に、A～Eの５段階で表示。
A：正答率80%以上　B：正答率60%以上80%未満　C：正答率40%以上60%未満
D：正答率20%以上40%未満　E：正答率20%未満

解答・配点は一般社団法人日本中小企業診断士協会連合会の発表に基づくものです。
※第24問の設問1は採点の対象外とされました（試験当日に告知されました）。
※令和３年９月13日に同協会より、第22問は、すべての受験者の解答を正解として取り扱う旨が発表されました。

令和3年度 解説

【中小企業経営】

第1問

2020年版中小企業白書（以下「白書」といい、特に発行年度の記載がない場合は2020年版を指す）p.Ⅰ-172、第1-4-2図「業種別・資本金別、中小企業の数」、p.Ⅰ-173、第1-4-3図「業種別・常用雇用者数別、中小企業の数」からの出題である。

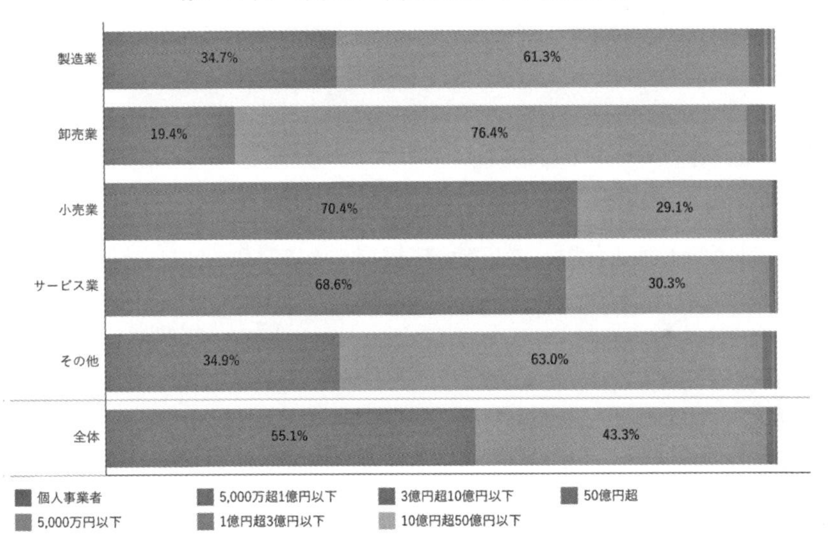

（2020年版　中小企業白書　p.Ⅰ-172）

第1-4-3図　業種別・常用雇用者数別、中小企業の数

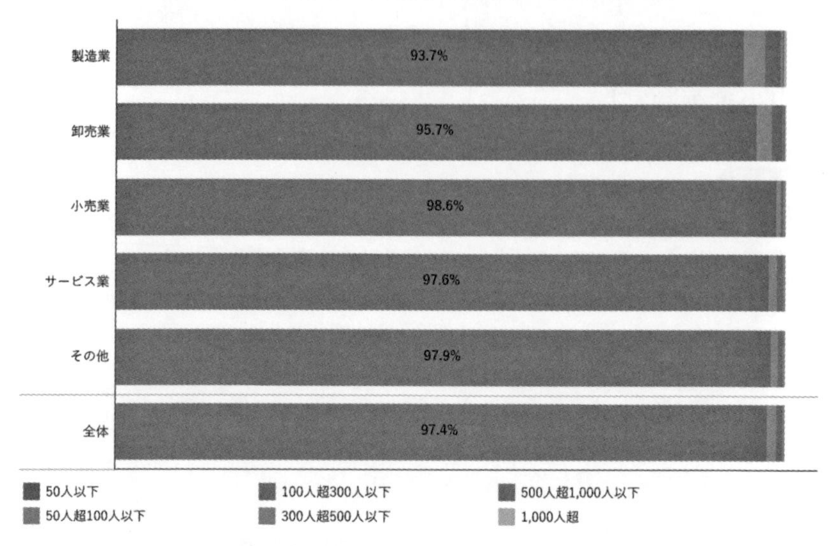

資料：総務省・経済産業省「平成28年経済センサス - 活動調査」再編加工
(注)1. 企業数＝会社数＋個人事業者数とする。
2. 業種は、標準産業分類上の「製造業」、並びに中小企業基本法上で定める「卸売業」、「小売業」、「サービス業」を指す。

(2020年版　中小企業白書　p.Ⅰ-173)

第1-4-2図によると、中小企業全体のうち個人事業者は55.1%、資本金5,000万円以下の会社は43.3%を占めており、合わせると98.4%となる。第1-4-3図によると、常用雇用者数50人以下の企業は中小企業全体の97.4%を占めている。

よって、**イ**が正解である。

第2問

白書p.Ⅰ-171、第1-4-1図「規模別・業種別の企業数・従業者数・付加価値額の内訳」からの出題である。

第1-4-1図　規模別・業種別の企業数・従業者数・付加価値額の内訳

①企業数

②従業者数

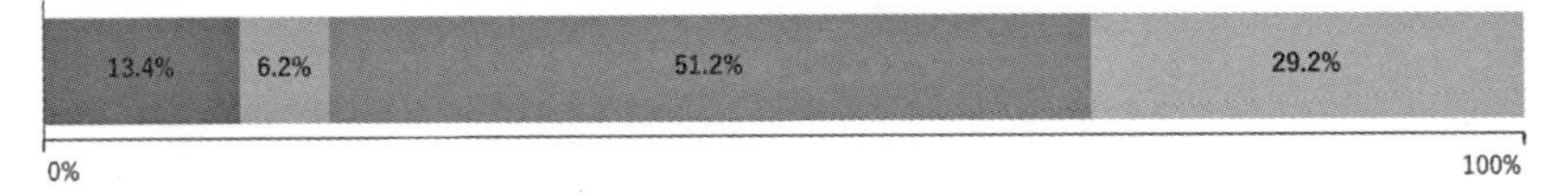

③付加価値額

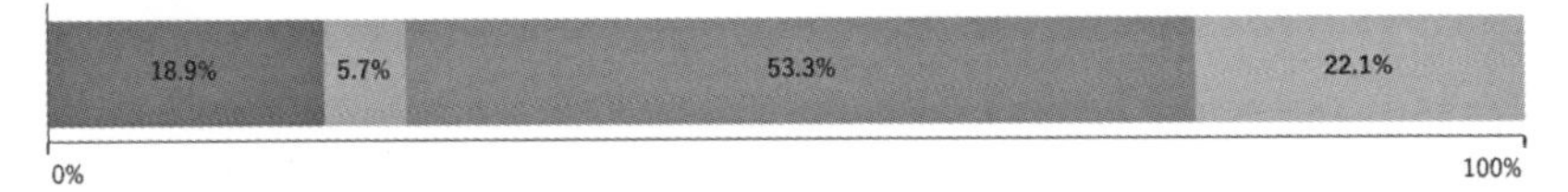

製造業, 中規模企業　製造業, 小規模企業　非製造業, 中規模企業　非製造業, 小規模企業

資料：総務省・経済産業省「平成28年経済センサス-活動調査」再編加工
(注)企業数＝会社数＋個人事業者数とする。

（2020年版　中小企業白書　p.Ⅰ-171）

非製造業の小規模企業は、中小企業数全体の76.0%、中小企業の従業者数全体の29.2%を占めている。非製造業の小規模企業に非製造業の中規模企業も加えて非製造業全体で見ると、中小企業数全体の89.3%（約9割）、中小企業の従業者数全体の80.4%（約8割）を占める。

よって、**エ**が正解である。

解答・解説　3年度

第3問

白書p.Ⅰ-98、第1-2-2図「企業規模別・業種別の資本装備率」からの出題である。

第1-2-2図　企業規模別・業種別の資本装備率

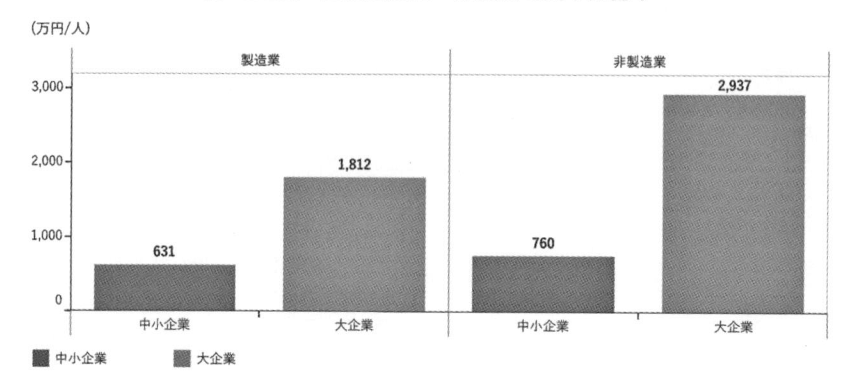

資料：財務省「平成30年度法人企業統計調査年報」
(注)1.ここでいう大企業とは資本金10億円以上、中小企業とは資本金1億円未満の企業とする。
2.資本装備率＝有形固定資産(建設仮勘定を除く)(期首・期末平均)/従業員数

(2020年版　中小企業白書　p.Ⅰ-98)

中小企業の製造業の資本装備率は631万円／人であり、大企業の非製造業2,937万円／人、中小企業の非製造業の760万円／人をともに下回る。

よって、**イ**が正解である。

第4問

経済センサスから企業規模間の移動に関する出題である。

設問1

白書p.Ⅰ-113、第1-3-4図「存続企業の規模間移動の状況（2012年～2016年）」からの出題である。

第1-3-4図　存続企業の規模間移動の状況（2012年～2016年）

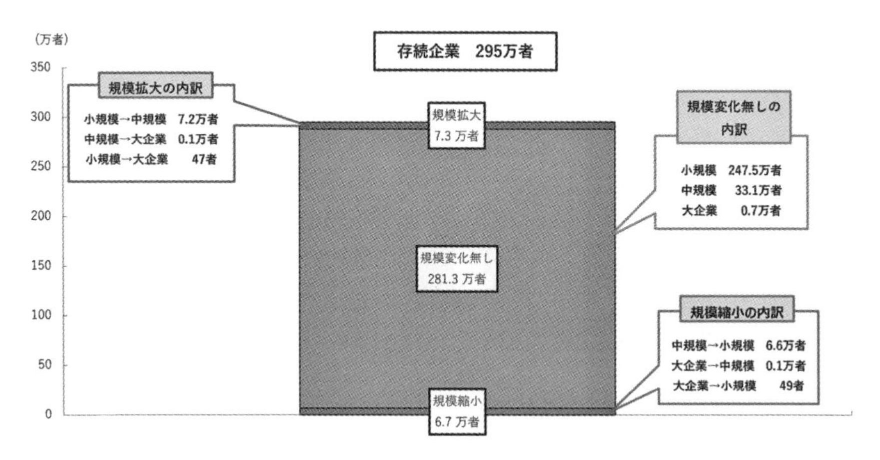

資料：総務省「平成26年経済センサス‐基礎調査」、総務省・経済産業省「平成24年、28年経済センサス‐活動調査」再編加工
（注）ここでいう存続企業とは、各調査によって2012年2月、2014年7月、2016年6月の3時点で存在が確認できた企業を指す。

（2020年版　中小企業白書　p.Ⅰ-113）

企業規模に変化のない企業は、存続企業295万者のうち281.3万者、約「95」（空欄Aに該当）％を占める。企業規模を拡大した企業は7.3万者おり、企業規模を縮小した企業6.7万者を「上回っている」（空欄Bに該当）。

よって、**ウ**が正解である。

設問2

（設問1）と同じ白書p.Ⅰ-113、第1-3-4図「存続企業の規模間移動の状況（2012年～2016年）」からの出題である。

企業規模を拡大した企業7.3万者の内訳を見ると、「小規模企業から中規模企業」（空欄Cに該当）への規模拡大が7.2万者と、ほとんどを占めている。また、企業規模を縮小した企業6.7万者の内訳を見ると、「中規模企業から小規模企業」（空欄Dに該当）への縮小が6.6万者と、ほとんどを占めている。

よって、**イ**が正解である。

第5問

白書p.Ⅰ-103、第1-2-8図「業種別に見た、労働生産性の規模間格差（差分）」からの出題である。

第1-2-8図　業種別に見た、労働生産性の規模間格差（差分）

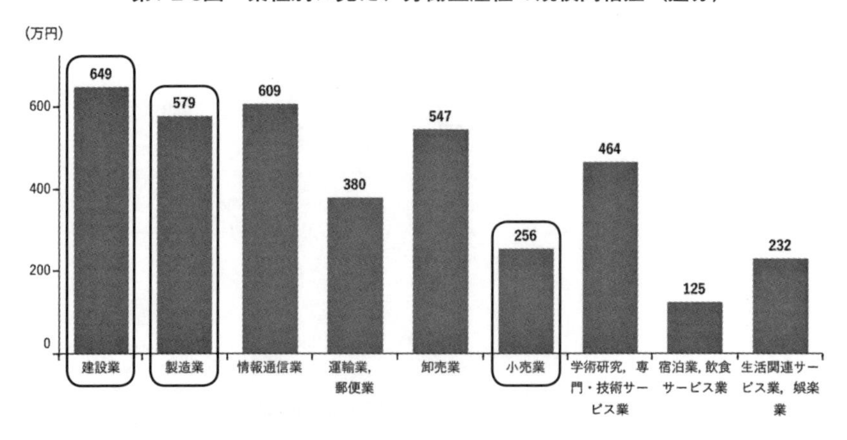

資料：総務省・経済産業省「平成28年経済センサス‐活動調査」再編加工
(注)数値は、大企業と小規模企業の労働生産性(中央値)の差分を示している。

（2020年版　中小企業白書　p.Ⅰ-103）

製造業の規模間格差は579万円であり、建設業の649万円よりも小さく、小売業の256万円よりも大きい。

よって、**エ**が正解である。

第6問

白書p.Ⅱ-3、第2-1-1図「企業規模別、労働分配率の推移」、p.Ⅱ-4、第2-1-2図「企業規模別、付加価値額に占める営業純益の割合の推移」からの出題である。

第2-1-1図　企業規模別、労働分配率の推移

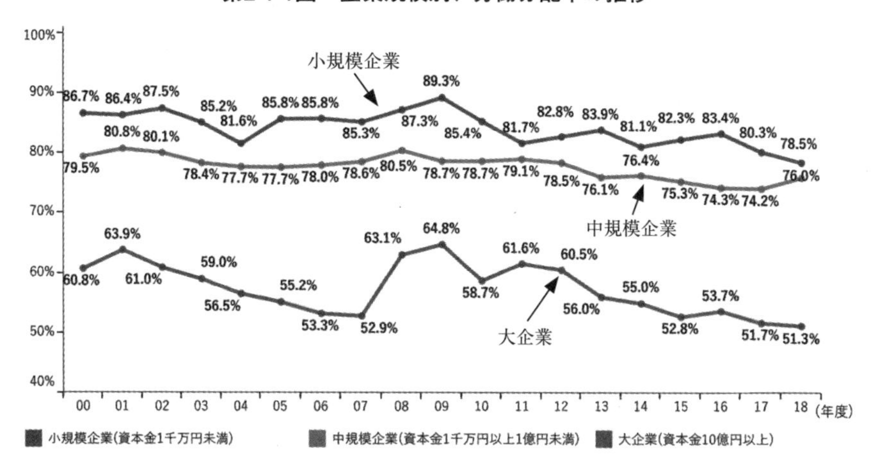

資料：財務省「法人企業統計調査年報」
(注)1.付加価値額＝営業純益（営業利益－支払利息等）＋人件費（役員給与＋役員賞与＋従業員給与＋従業員賞与＋福利厚生費）＋支払利息等＋動産・不動産賃借料＋租税公課。
2.労働分配率＝人件費÷付加価値額。

（2020年版　中小企業白書　p.Ⅱ-3）

2000年度から2018年度にかけて、小規模企業の労働分配率は80％台を中心に推移している。同じ期間、中規模企業は70％台後半を中心に推移し、大企業は50％台から60％台を推移した。企業規模が大きいほど労働分配率は低い。

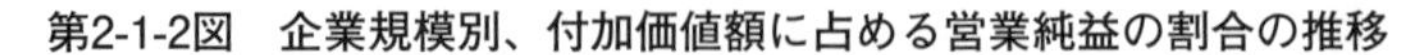
第2-1-2図　企業規模別、付加価値額に占める営業純益の割合の推移

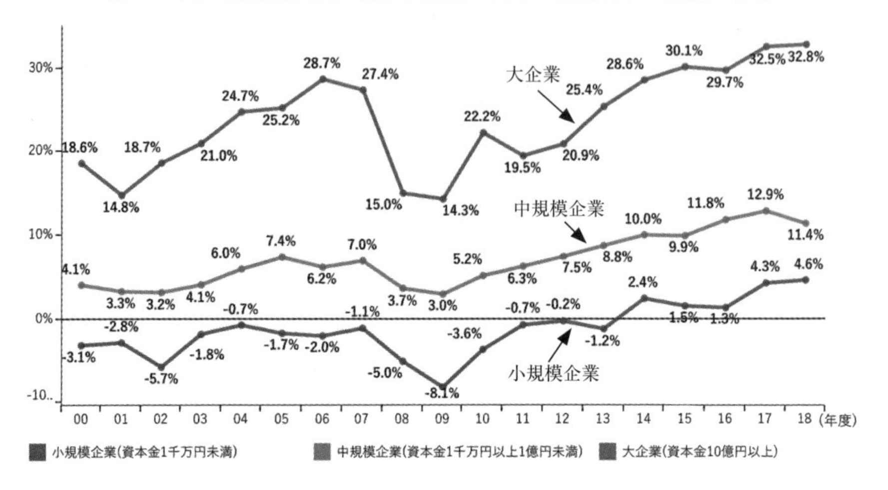

資料：財務省「法人企業統計調査年報」
(注)付加価値額＝営業純益（営業利益－支払利息等）＋人件費（役員給与＋役員賞与＋従業員給与＋従業員賞与＋福利厚生費）＋支払利息等＋動産・不動産賃借料＋租税公課。

（2020年版　中小企業白書　p.Ⅱ-4）

付加価値額に占める営業純益の割合について、小規模企業は2013年度までマイナスだったが2014年度からプラスで推移して2018年度に4.6%まで上昇した。中規模企業は3.0%から12.9%の間を推移し、大企業は14.3%から32.8%の間を推移している。企業規模が大きいほど付加価値額に占める営業純益の割合は高い。労働分配率が高い中規模企業と小規模企業では、生み出した付加価値額のうち、営業純益として残る割合が大企業に比べて低くなっている。

よって、**ウ**が正解である。

第7問

白書p. I -11、第1-1-11図「設備投資の目的」からの出題である。

第1-1-11図　設備投資の目的

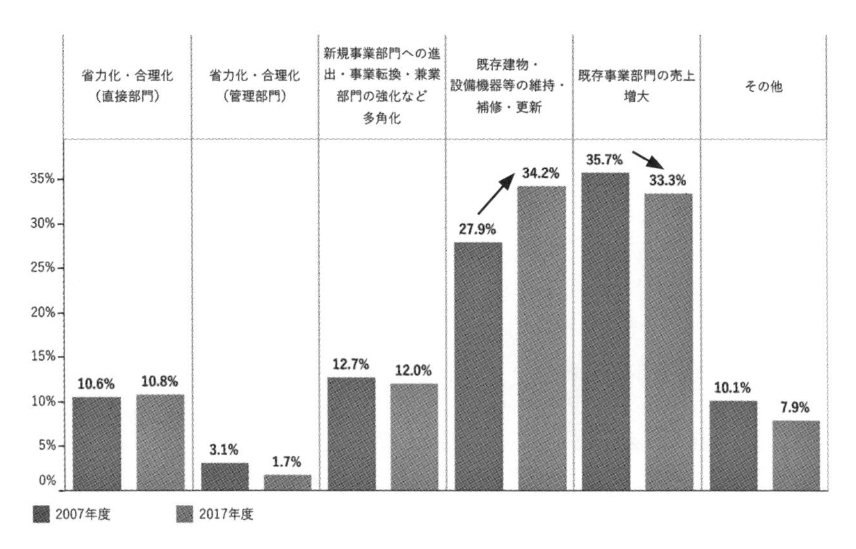

資料：中小企業庁「中小企業実態基本調査」

（2020年版　中小企業白書　p. I -11）

「既存建物・設備機器等の維持・補修・更新」は2017年度で34.2%であり、2007年度の27.9%を上回る。一方、「既存事業部門の売上増大」は2017年度で33.3%であり、2007年度の35.7%を下回る。

よって、**ウ**が正解である。

解答・解説

3年度

第8問

白書p.Ⅰ-14、第1-1-15図「業種別・従業員規模別に見た、中小企業における研究開発の実施割合（2017年度）」からの出題である。

第1-1-15図　業種別・従業員規模別に見た、中小企業における研究開発の実施割合（2017年度）

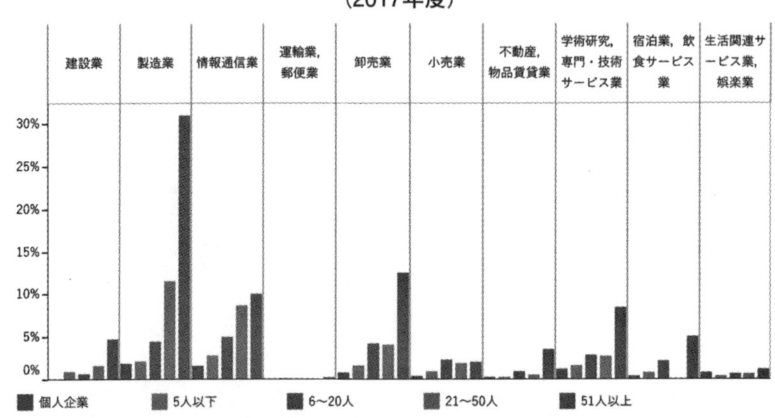

資料：中小企業庁「中小企業実態基本調査」
(注)研究開発を行った企業の割合は、研究開発を行った企業数／企業数合計としている。

（2020年版　中小企業白書　p.Ⅰ-14）

中小企業で研究開発を実施する企業の割合は、製造業や情報通信業では比較的多いが、運輸業・郵便業や生活関連サービス業・娯楽業ではわずかである。このように業種によって実施割合の水準は異なる。また、従業員規模が大きくなるほど、研究開発を実施する企業の割合が総じて高い傾向にある。

よって、**ウ**が正解である。

第9問

白書p.Ⅲ-59、付属統計資料14表「金融機関別中小企業向け貸出残高」からの出題である。

14表　金融機関別中小企業向け貸出残高

（単位：兆円）

金融機関＼年・月	2014				2015				2016			
	3	6	9	12	3	6	9	12	3	6	9	12
国内銀行銀行勘定合計	174.9	170.8	174.5	176.8	178.9	176.1	179.7	182.4	184.7	181.9	185.0	188.3
国内銀行信託勘定他	0.6	0.7	0.8	0.7	0.8	0.9	1.0	1.1	1.2	1.2	1.4	1.4
信用金庫	41.2	40.8	41.6	42.1	41.9	41.5	42.3	42.8	42.7	42.4	43.3	44.0
信用組合	9.8	9.7	9.9	10.0	10.0	10.0	10.1	10.2	10.3	10.3	10.4	10.5
民間金融機関合計	226.5	222.1	226.7	229.5	231.7	228.5	233.1	236.5	238.9	235.8	240.2	244.2
民間金融機関合計（信託勘定他を除く）	225.8	221.4	225.9	228.8	230.9	227.6	232.1	235.4	237.6	234.6	238.8	242.8
(株)商工組合中央金庫	9.4	9.5	9.4	9.6	9.5	9.5	9.5	9.6	9.5	9.5	9.4	9.4
(株)日本政策金融公庫(中小企業事業)	6.3	6.3	6.3	6.2	6.2	6.1	6.1	6.0	5.9	5.9	5.8	5.8
(株)日本政策金融公庫（国民生活事業）	6.4	6.3	6.3	6.4	6.3	6.2	6.2	6.2	6.1	6.1	6.1	6.2
政府系金融機関等合計	22.2	22.1	22.0	22.2	21.9	21.8	21.7	21.9	21.5	21.5	21.4	21.4
中小企業向け総貸出残高	248.6	244.2	248.6	251.7	253.5	250.3	254.8	258.4	260.4	257.3	261.6	265.6
中小企業向け総貸出残高（信託勘定他を除く）	248.0	243.5	247.9	251.0	252.7	249.4	253.8	257.3	259.1	256.1	260.2	264.2

金融機関＼年・月	2017				2018				2019			
	3	6	9	12	3	6	9	12	3	6	9	12
国内銀行銀行勘定合計	191.9	190.9	194.6	196.9	199.5	198.3	200.1	202.2	204.1	203.2	204.3	206.5
国内銀行信託勘定他	1.7	1.6	1.6	1.6	1.6	1.7	1.7	1.7	1.8	1.7	1.8	1.9
信用金庫	43.9	43.7	44.8	45.3	45.2	45.0	45.7	46.1	46.2	45.7	46.3	46.8
信用組合	10.6	10.6	10.8	11.0	11.1	11.1	11.3	11.4	11.5	11.5	11.6	11.7
民間金融機関合計	248.2	246.9	251.8	254.7	257.5	256.1	258.8	261.4	263.6	262.1	264.0	266.9
民間金融機関合計（信託勘定他を除く）	246.5	245.2	250.2	253.1	255.9	254.4	257.2	259.7	261.8	260.4	262.2	265.0
(株)商工組合中央金庫	9.3	9.0	8.9	8.8	8.6	8.5	8.4	8.4	8.2	8.2	8.1	8.3
(株)日本政策金融公庫(中小企業事業)	5.7	5.7	5.6	5.6	5.5	5.5	5.4	5.4	5.3	5.3	5.2	5.2
(株)日本政策金融公庫（国民生活事業）	6.1	6.2	6.2	6.3	6.2	6.2	6.2	6.3	6.2	6.2	6.1	6.2
政府系金融機関等合計	21.1	20.9	20.7	20.7	20.3	20.2	20.0	20.0	19.8	19.7	19.5	19.7
中小企業向け総貸出残高	269.3	267.7	272.5	275.4	277.8	276.3	278.9	281.4	283.3	281.8	283.5	286.6
中小企業向け総貸出残高（信託勘定他を除く）	267.6	266.1	270.9	273.8	276.2	274.6	277.2	279.8	281.5	280.1	281.7	284.7

資料：日本銀行「金融経済統計月報」他より中小企業庁調べ

（注）1. 国内銀行銀行勘定、国内銀行信託勘定他における中小企業向け貸出残高とは、資本金３億円（卸売業は１億円、小売業、飲食店、サービス業は5,000万円）以下、又は常用従業員300人（卸売業、サービス業は100人、小売業、飲食店は50人）以下の企業（法人及び個人企業）への貸出をいう。

2. 信用金庫における中小企業向け貸出残高とは、個人、地方公共団体、海外円借款、国内店名義現地貸を除く貸出残高。

3. 信用組合における中小企業向け貸出残高とは、個人、地方公共団体などを含む総貸出残高。

4. 2020年３月初時点での資料による。数字は遡及して改定される可能性がある。

（2020年版　中小企業白書　p.Ⅲ-59）

民間金融機関の中小企業向け貸出残高は2014年12月の229.5兆円から2019年12月には266.9兆円と増加基調で推移している。政府系金融機関も加えた中小企業向け総貸出残高も2014年12月の251.7兆円から2019年12月には286.6兆円と増加基調で推移している。

よって、**エ**が正解である。

第10問

白書p. I -162、第 1 - 3 -45図「日本のVC等による国内向け投資金額と投資件数の推移」からの出題である。

第1-3-45図　日本のVC等による国内向け投資金額と投資件数の推移

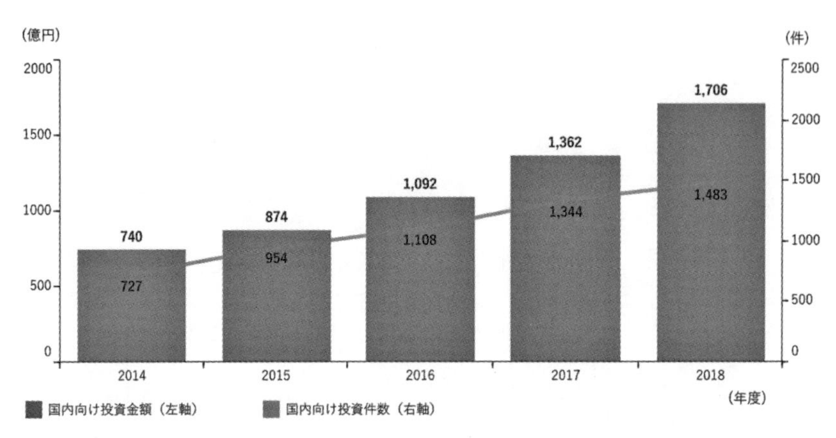

資料：一般財団法人ベンチャーエンタープライズセンター「ベンチャー白書2019」

（2020年版　中小企業白書　p. I -162）

国内のベンチャーキャピタル等による国内向けの投資を見ると、投資金額は2014年度の740億円から2018年度の1,706億円へと増加している。また、投資件数は2014年度の727件から2018年度の1,483件へと増加している。

よって、**イ**が正解である。

第11問

白書p.Ⅱ-89、第2-1-70図「知的財産権別、出願件数に占める中小企業割合（2018年出願）」からの出題である

第2-1-70図　知的財産権別、出願件数に占める中小企業割合（2018年出願）

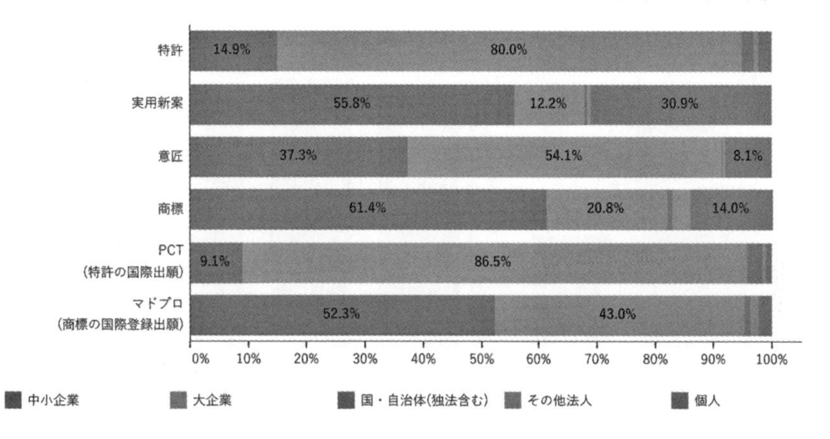

資料：特許庁総務部普及支援課調べ
(注)1.企業の規模区分については、中小企業基本法（昭和38年法律第154号）による。
2.知的財産権別、内国人による出願件数の合計は以下のとおり。特許：25.4万件、実用：0.4万件、意匠：2.3万件、商標：14.5万件、PCT：4.8万件、マドプロ：0.3万件。

（2020年版　中小企業白書　p.Ⅱ-89）

特許権の出願件数に占める中小企業の割合は14.9%と大企業の80.0%を「下回り」（空欄Aに該当）、実用新案権の出願件数に占める中小企業の割合は55.8%と大企業の12.2%を「上回り」（空欄Bに該当）、商標権の出願件数に占める中小企業の割合は61.4%と大企業の20.8%を「上回っている」（空欄Cに該当）。

よって、**ウ**が正解である。

第12問

白書p.Ⅱ-93、第2-1-75図「知的財産権の使用状況」からの出題である。

第2-1-75図　知的財産権の使用状況

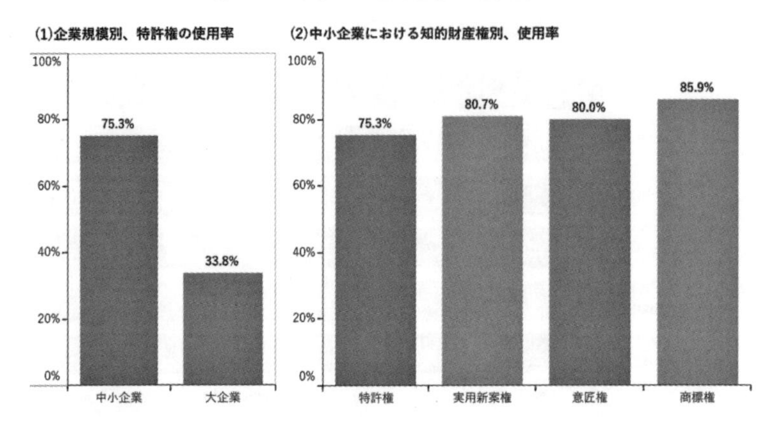

資料：中小企業の数値は「平成30年中小企業実態基本調査」を基に特許庁作成、大企業の数値は経済産業省「平成30年企業活動基本調査」再編加工
(注)ここでは、「使用率」とは、各知的財産権の所有件数に占める使用件数の割合と定義している。

（2020年版　中小企業白書　p.Ⅱ-93）

第2-1-75図（2）中小企業における知的財産権別、使用率によると、中小企業の使用率は、特許権75.3%、実用新案権80.7%、意匠権80.0%、商標権85.9%である。問われた3つの知的財産権を使用率の高い順に並べると、**a**：商標権－**b**：実用新案権－**c**：特許権となる。

よって、**ア**が正解である。

第13問

白書p.Ⅱ-116、第2-1-96図「分野別、外部連携の取組状況（2013年以降）」からの出題である。問われている分野について、外部連携に取り組んでいるとする企業の割合を同図から抜き出すと下表になる。

製造業

	資本提携	業務提携（パートナーシップ）	業務委託（アウトソーシング）	連携なし
企画	1.7%	6.6%	4.7%	87.0%
生産	2.4%	10.7%	26.2%	60.7%

非製造業

	資本提携	業務提携（パートナーシップ）	業務委託（アウトソーシング）	連携なし
企画	0.9%	6.0%	7.1%	86.0%
物流	1.8%	6.8%	16.3%	75.1%

（2020年版　中小企業白書　p.Ⅱ-116から作成）

資本提携、業務提携（パートナーシップ）、業務委託（アウトソーシング）に取り組んでいるとする企業の割合を合計すると、製造業の「企画」分野で13.0%、製造業の「生産」分野で39.3%となり、外部連携に取り組んでいるとする割合は「生産」分野が「企画」分野を上回っている。

また、非製造業において外部連携に取り組んでいるとする企業の割合は、「企画」分野で14.0%、「物流」分野で24.9%となり、「物流」分野が「企画」分野を上回っている。

よって、**エ**が正解である。

第14問

中小企業実態基本調査から受託事業者の割合に関する出題である。

設問1 ●●●

白書p.Ⅱ-213、第2-3-10図「受託事業者数と割合の推移」からの出題である。

第2-3-10図　受託事業者数と割合の推移

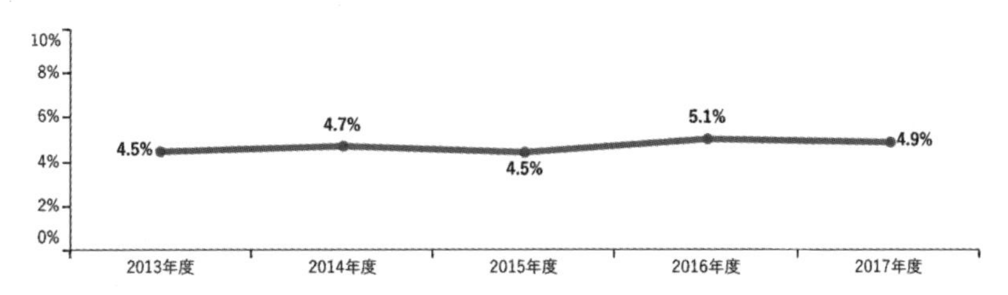

資料：中小企業庁「中小企業実態基本調査」
(注)1.法人・個人の合計値より算出している。
2.受託事業者割合は「受託事業者／母集団事業者数×100」で算出している。

（2020年版　中小企業白書　p.Ⅱ-213、「受託事業者数の推移」は省略）

2017年度の受託事業者割合は4.9%、約「５」（空欄Aに該当）%であり、2013年度から2017年度の期間の推移に「大きな変動はない」（空欄Bに該当）。

よって、**ウ**が正解である。

設問2 ●●●

白書p.Ⅱ-214、第２-３-11図「業種別に見た、受託事業者の割合」からの出題である。

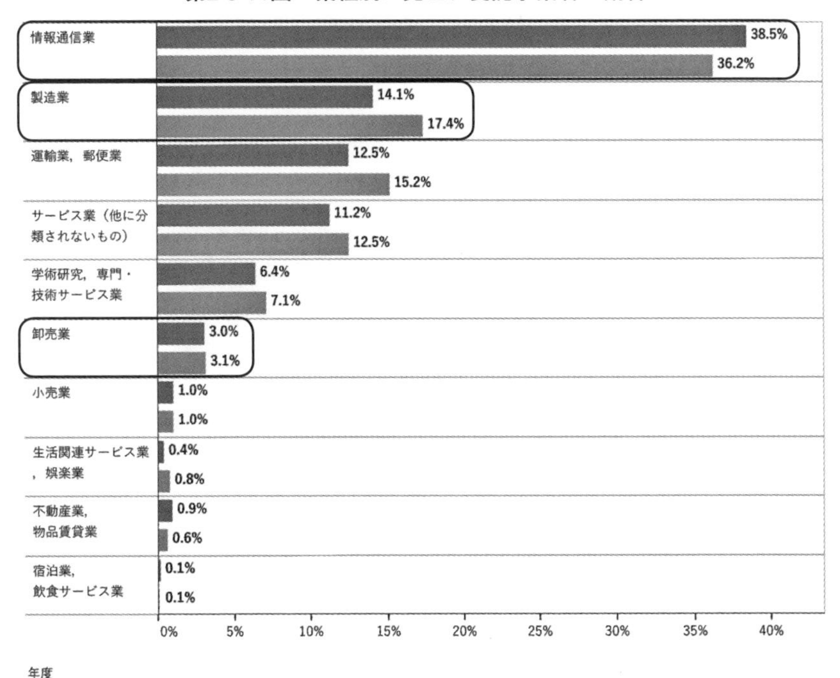

（2020年版　中小企業白書　p.Ⅱ-214）

2017年度の受託事業者割合は、卸売業3.1％、情報通信業36.2％、製造業17.4％である。高い順に並べると、**b**：情報通信業－**c**：製造業－**a**：卸売業となる。

よって、**ウ**が正解である。

第15問

小規模企業白書からものづくり補助金を活用した中小企業に関する出題である。

設問1

2020年版小規模企業白書（以下、特に発行年度の記載がない場合は2020年版を指す）p.Ⅲ-41、コラム３-２-３②図「事業実施に当たって直面した課題・問題点（上位10項目、複数回答)」からの出題である。

コラム3-2-3②図　事業実施に当たって直面した課題・問題点（上位10項目、複数回答）

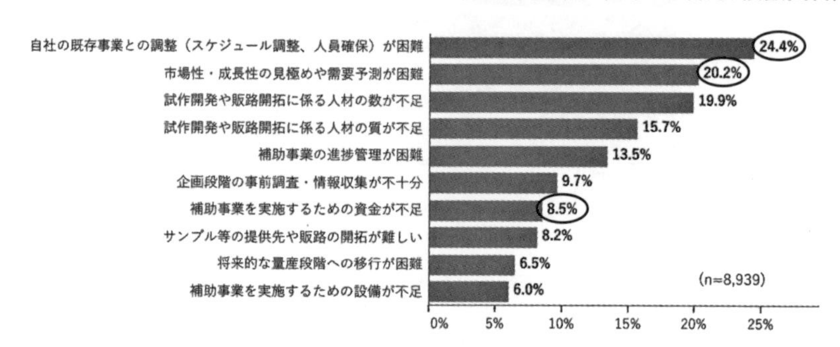

資料：全国中小企業団体中央会「令和元年度版 ものづくり補助金成果評価調査報告書」(2020年３月)
(注)「特に課題はない」の項目は表示していない。

（2020年版　小規模企業白書　p.Ⅲ-41）

ものづくり補助金を活用した補助事業実施に当たって直面した課題・問題点のうち、**a**：「市場性・成長性の見極めや需要予測が困難」は20.2%、**b**：「自社の既存事業との調整（スケジュール調整、人員確保）が困難」は24.4%、**c**：「補助事業を実施するための資金が不足」は8.5%である。高い順に並べると、**b**：「自社の既存事業との調整（スケジュール調整、人員確保）が困難」－**a**：「市場性・成長性の見極めや需要予測が困難」－**c**：「補助事業を実施するための資金が不足」となる。

よって、**ウ**が正解である。

設問2

小規模企業白書p.Ⅲ-42、コラム３-２-３④図「認定支援機関より今後受けたい支援【総合】（複数回答)」からの出題である。

コラム3-2-3④図　認定支援機関より今後受けたい支援【総合】（複数回答）

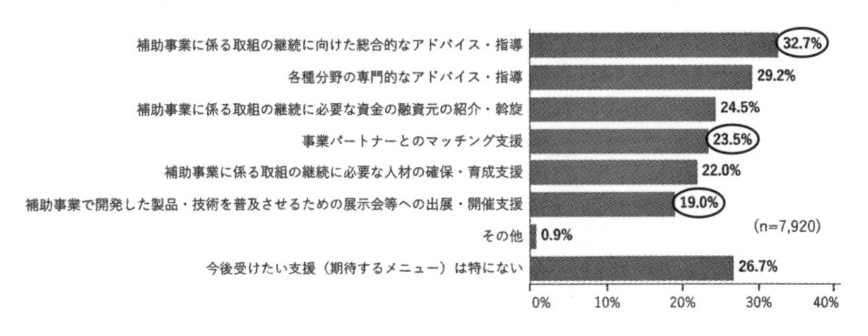

資料：全国中小企業団体中央会「令和元年度版 ものづくり補助金成果評価調査報告書」(2020年３月)

（2020年版　小規模企業白書　p.Ⅲ-42）

認定支援機関より今後受けたい支援のうち、**a**:「事業パートナーとのマッチング支援」は23.5%、**b**:「補助事業に係る取組の継続に向けた総合的なアドバイス・指導」は32.7%、**c**:「補助事業で開発した製品・技術を普及させるための展示会等への出展・開催支援」は19.0%である。高い順に並べると、**b**:「補助事業に係る取組の継続に向けた総合的なアドバイス・指導」－**a**:「事業パートナーとのマッチング支援」－**c**:「補助事業で開発した製品・技術を普及させるための展示会等への出展・開催支援」となる。

よって、**ウ**が正解である。

第16問

小規模企業白書p.Ⅱ-73、第２-３-16図「従業者規模別に見た、従業者の年齢構成」、p.Ⅱ-74、第２-３-17図「従業者規模別に見た従業者の雇用形態」からの出題である。

第2-3-16図　従業者規模別に見た、従業者の年齢構成

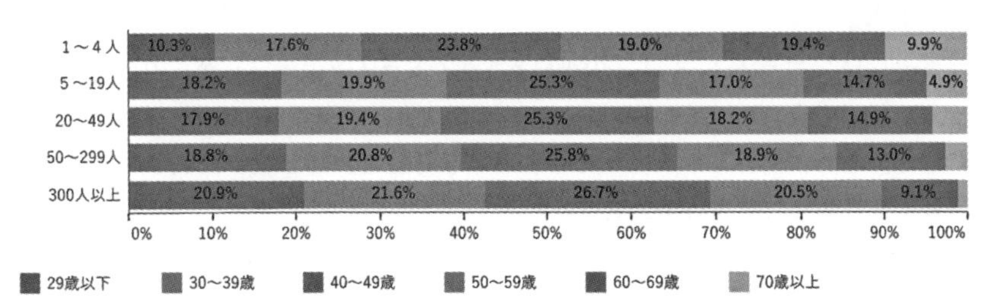

資料：総務省「平成29年就業構造基本調査」

(注)1.「正規の職員・従業員」又は「非正規の職員・従業員」について集計している。

2.官公庁、その他の法人・団体に雇われている者は除いている。

（2020年版　小規模企業白書　p.Ⅱ-73）

従業者数１～４人では60～69歳の従業者割合が19.4％、70歳以上の従業者割合が9.9％であり、合計した60歳以上の従業者割合は29.3％となる。同様に60歳以上の従業者割合を見ていくと、従業者数５～19人は19.6％、従業者数20～49人は19.1％、従業者数50～299人は15.7％、従業者数300人以上は10.3％となる（注：第２-３-16図では70歳以上の値の掲載が一部省かれている）。従業者規模が小さい企業ほど60歳以上の従業者割合が高い。

第2-3-17図　従業者規模別に見た従業者の雇用形態

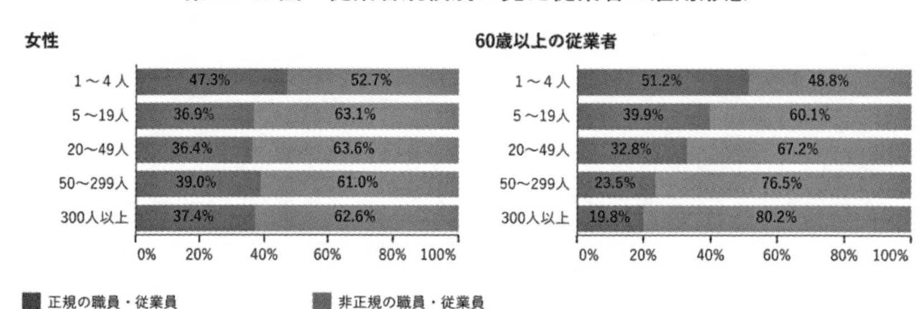

資料：総務省「平成29年就業構造基本調査」
(注)1.「正規の職員・従業員」又は「非正規の職員・従業員」について集計している。
2.官公庁、その他の法人・団体に雇われている者は除いている。

（2020年版　小規模企業白書　p.Ⅱ-74）

60歳以上の雇用形態について、正規の職員・従業員の割合は、従業者数１～４人が51.2％、従業者数５～19人が39.9％、従業者数20～49人が32.8％、従業者数50～299人が23.5％、従業者数300人以上が19.8％である。従業者規模が小さい企業ほど正規での雇用割合が高い。

よって、**ア**が正解である。

第17問

白書p.Ⅰ-147、コラム１-３-４「中小M&Aガイドラインの策定」からの出題である。コラムでは「中小M&Aガイドライン」の概要をまとめている。必要な部分を下記に抜粋する。なお、同ガイドラインは令和５年９月22日に第２版が公表され、さらに、令和６年８月30日に第３版が公表された。

１．後継者不在の中小企業向けの手引き

・約20件の中小M&A事例を紹介し、M&Aを中小企業にとってより身近なものとして理解していただくとともに、M&Aのプロセスごとに確認すべき事項や契約書のサンプル等を提示する。

・仲介手数料（着手金／月額報酬／中間金／成功報酬）の考え方や、具体的事例を提示することにより、手数料の目安を示す。（選択肢**ウ**に該当）
・支援内容に関するセカンド・オピニオンを推奨する。

2．支援機関向けの基本事項

・支援機関の基本姿勢として、事業者の利益の最大化と支援機関同士の連携の重要性を提示する。（選択肢**エ**に該当）
・たとえば、M&A専門業者に対しては、適正な業務遂行のため、
① 売り手と買い手双方の１者による仲介は「利益相反」となり得る旨明記し、不利益情報（両者から手数料を徴収している等）の開示の徹底など、そのリスクを最小化する措置を講じること
② 他のM&A支援機関へのセカンド・オピニオンを求めることを原則として許容する契約とすること（選択肢**イ**に該当）
③ 契約期間終了後の一定期間内に成立したM&Aについても手数料の取得を認める条項（テール条項）を**限定的な運用**とすることといった行動指針を策定した。
・さらに、金融機関、士業等専門家、商工団体、M&Aプラットフォーマーに対しても、M&Aの際に求められる具体的な支援内容や留意点を提示する。

選択肢**ア**については、上記「2．支援機関向けの基本事項」の③が該当するが、M&A専門業者に対しては、適正な業務遂行のため、契約期間終了後の一定期間内に成立したM&Aについても手数料の取得を認める条項（テール条項）を**限定的な運用**とすることを行動指針としている。テール条項は、M&A専門業者が費用をかけてM&A成立直前にまで達した際に、譲り渡し側が手数料の発生を防ぐため、あえて当該M&A専門業者との契約を終了させ、その後に当該M&Aを実行するケース等を念頭に置かれる規定である。テール条項を限定的な運用とする指針を示した理由は、テール条項を認める期間が不当に長いと、契約期間終了後の譲り渡し側の自由な経営判断を損なうおそれがあるからである。また、テール条項の対象となる事業者を、当該M&A専門業者が関与・接触した譲り受け側に限定しないと、譲り渡し側が当該M&A専門業者の手数料などの発生を懸念し、新しいM&Aを断念するおそれもあるためである。選択肢中の「一般的な運用」が誤りとなる。

よって、**ア**が正解である。

第18問

白書p.Ⅲ-60、付属統計資料15表「中小企業の経営指標（2018年度）」からの出題で

ある。同表から小売業、宿泊業・飲食サービス業、製造業、それぞれの売上高経常利益率と自己資本比率を抜き出すと下表になる。

	売上高経常利益率	自己資本比率
製造業	4.43%	44.65%
小売業	1.20%	30.99%
宿泊業・飲食サービス業	2.61%	15.21%

（2020年版　中小企業白書　p.Ⅲ-60）

ア　×：小売業の売上高経常利益率は1.20%と最も低いが、自己資本比率は30.99%であり、宿泊業・飲食サービス業の自己資本比率15.21%より高い。

イ　×：売上高経常利益率は製造業が4.43%で最も高い。自己資本比率は宿泊業・飲食サービス業が最も低いことは正しい。

ウ　×：売上高経常利益率、自己資本比率ともに製造業が最も高い。

エ　×：売上高経常利益率は製造業が最も高いことは正しいが、自己資本比率が最も低いのは宿泊業・飲食サービス業である。

オ　○：正しい。選択肢**エ**の解説参照。

よって、**オ**が正解である。

【中小企業政策】

第19問

中小企業基本法についての出題である。（設問１）（設問２）ともに確実に正解したい。

設問1 ●●●

中小企業基本法の中小企業者の定義（範囲）についての出題である。本問は基本的な事項が問われており、必ず正解しなくてはならない問題である。

下記に中小企業者の定義を掲載する。

業種分類	定義（基準）
製造業その他 （建設業、運輸業など）	資本金3億円以下または 従業員数300人以下
卸売業	資本金1億円以下または 従業員数100人以下
小売業、飲食店	資本金5千万円以下または 従業員数50人以下
サービス業	資本金5千万円以下または 従業員数100人以下

ア　×：「持ち帰り・配達飲食サービス業」は、中小企業者の定義では「小売業、飲食店」で判定する。そうすると、資本金基準、従業員基準ともに満たしていないので、中小企業者の範囲に含まれない。

イ　×：「宿泊業」は、中小企業者の定義では「サービス業」で判定する。そうすると、資本金基準、従業員基準ともに満たしていないので、中小企業者の範囲に含まれない。

ウ　×：「飲食料品卸売業」は、中小企業者の定義では「卸売業」で判定する。そうすると、資本金基準、従業員基準ともに満たしていないので、中小企業者の範囲に含まれない。

エ　○：正しい。「運輸業」は、中小企業者の定義では「製造業その他」で判定する。そうすると、資本金基準、従業員基準ともに満たしており、中小企業者に該当する。なお、中小企業者の判定においては、資本金基準、従業員基準いずれかの基準が満たされれば中小企業者に該当することに注意すること。

よって、**エ**が正解である。

設問2

中小企業基本法の小規模企業者の定義（範囲）についての出題である。本問は基本事項が問われており、必ず正解しなくてはならない問題である。

下記に、小規模企業者の定義を掲載する。

業種分類	定義（基準）
製造業その他	従業員数20人以下
商業（卸売業、小売業、飲食店）・サービス業	従業員数5人以下

ア　×：「駐車場業」は、小規模企業者の定義では「商業・サービス業」で判定する。小規模企業者の定義では、従業員基準を満たしていないので、小規模企業者に該当しない。なお、小規模企業者の判定においては、資本金は一切考慮しなくてよいことに注意すること（以下同じ）。

イ　×：「無店舗小売業」は、小規模企業者の定義では「商業・サービス業」で判定する。小規模企業者の定義では、従業員基準を満たしていないので、小規模企業者に該当しない。

ウ　×：「飲食業」は、小規模企業者の定義では「商業・サービス業」で判定する。小規模企業者の定義では、従業員基準を満たしていないので、小規模企業者に該当しない。

エ　○：正しい。「建設業」は、小規模企業者の定義では「製造業その他」で判定する。小規模企業者の定義では、従業員基準を満たしており、小規模企業者に該当する。

よって、**エ**が正解である。

第20問

中小企業基本法の変遷についての出題である。現行の中小企業基本法について問われた（設問２）は確実に正解したい。なお、『小規模企業白書2020年版』第３部第１章第１節「中小企業基本法の変遷」から抜粋して作問されたと考えられる。

設問１ ●●●

中小企業基本法制定時の内容についての出題である。過去の法律の内容が問われており、難問といえる。

小規模企業白書では、次のように記載されている。

＜『小規模企業白書2020年版』第３部第１章第１節より抜粋＞

１　中小企業基本法の制定（1963年）

中小企業基本法は、中小企業庁の設置（1948年）から15年後の1963年に制定された。同法の制定時においては、中小企業とは「過小過多（企業規模が小さく、企業数が多すぎる）」であり、「一律でかわいそうな存在」として認識されていた。また、中小企業で働く労働者は社会的弱者であり、こうした者に対して社会的な施策を講ずるべきとのスタンスで政策が講じられてきた。このような認識の下、同法は、中小企業と大企業との間の生産性・賃金などに存在する「諸格差の是正」の解消を図ることを政策理念としていた。同法では、**「生産性の向上」と「取引条件の向上」**（空欄Aに該当）を、諸格差を是正するための具体的な目標としており、この目標を達成するための政策手段を規定し、具体的に実現を図ることとしていた。

よって、空欄Aには「「生産性の向上」と「取引条件の向上」」が入り、**エ**が正解である。

設問2

現行の中小企業基本法の基本方針についての出題である。本問は基本的な事項が問われており、必ず正解しなくてはならない問題である。

（設問１）に引き続き、小規模企業白書では、次のように記載されている。

＜『小規模企業白書2020年版』第３部第１章第１節より抜粋＞

２　中小企業基本法の抜本的改正（1999年）

1999年12月に公布された改正中小企業基本法では、中小企業を「多様な事業の分野において特色ある事業活動を行い、多様な就業の機会を提供し、個人がその能力を発揮しつつ事業を行う機会を提供することにより我が国経済の基盤を形成するもの」と位置付けて、これまでの「画一的な弱者」という中小企業像を払拭した。

また、中小企業は、①新たな産業の創出、②就業の機会の増大、③市場における競争の促進、④地域における経済の活性化、の役割を担う存在であることを規定するとともに、これまでの「二重構造の格差是正」に代わる新たな政策理念として、「多様で活力ある中小企業の成長発展」を提示している。この新たな政策理念を実現するため、独立した中小企業の自主的な努力を前提としつつ、①**経営の革新及び創業の促進**（空欄Bに該当）、②**経営基盤の強化**（空欄Cに該当）、③経済的社会的環境の変化への適応の円滑化、の３つを政策の柱としている。

なお、現行の中小企業基本法の基本方針には、上記の３つの柱のほかに「資金の供給の円滑化及び自己資本の充実」もあるが、これは、1999年改正前の中小企業基本法から規定されていた。

よって、空欄Bには「経営の革新及び創業の促進」、空欄Cには「経営基盤の強化」が入り、**ア**が正解である。

第21問

近年の中小企業支援体制の展開についての出題である。『小規模企業白書2020年版』第３部第１章第２節「中小企業支援体制の変遷」と第３節「中小企業支援機関が果たす役割」から作問されたと考えられるが、問われている内容は「中小企業政策」の範囲に含まれる。（設問１）（設問２）ともに難問といえる。

設問1 ●●●

『小規模企業白書2020年版』第３部第１章第２節「中小企業支援体制の変遷」からの出題と考えられる。2012年に創設された中小企業支援機関が問われており、難問といえる。

ア　×：「地域力連携拠点」は、2008年に創設された国の支援機関であるが、事業内容の見直しが行われ、2010年４月に「中小企業応援センター」に引き継がれた。

イ　×：「中小企業応援センター」は、2010年に創設された国の支援機関であるが、2011年３月末に廃止された。

ウ　×：「都道府県等中小企業支援センター」は、中小企業支援法に基づく指定法人で、都道府県および政令指定都市が行う中小企業支援事業の実施体制の中心である。なお、中小企業支援法は2000年に制定された。

エ　○：正しい。小規模企業白書では、「経営支援の担い手の多様化･活性化のため、中小企業者などの新たなニーズに対応し、高度かつ専門的な経営支援を行う金融機関や各種士業を取り込むため、2012年に『認定経営革新等支援機関制度』が創設された。」と記載されている。

オ　×：「よろず支援拠点」は、小規模企業白書では、「様々な支援機関が存在することで、中小企業者などからは、どこに相談すべきか分からないという声が増え、『中小企業・小規模事業者ワンストップ総合支援事業』の一環で、2014年に様々な経営課題にワンストップ対応する相談窓口として『よろず支援拠点』を各都道府県に設置した。」と記載されている。

よって、**エ**が正解である。

設問2 ●●●

『小規模企業白書2020年版』第３部第１章第３節「中小企業支援機関が果たす役割」からの出題と考えられる。（設問１）に続き、難問といえる。

小規模企業白書では、次のように記載されている。

＜『小規模企業白書2020年版』第３部第１章第３節より抜粋＞

2017年６月にとりまとめられた「中小企業政策審議会中小企業経営支援分科会中間整理」では、それぞれの中小企業支援機関が果たす役割として、**①気付きやきっかけを与えること、事業者の悩みを気軽に受け付けること、②中小企業支援機関相互がネットワークを形成すること、③それぞれの中小企業支援機関が能力**

を向上することの３点がポイントであると述べられている。

ア　○：正しい。上記①に該当する。

イ　○：正しい。上記③に該当する。

ウ　○：正しい。上記②に該当する。

エ　×：「中小企業政策審議会中小企業経営支援分科会中間整理」で述べられた３つのポイントに含まれていない。

よって、**エ**が正解である。

第22問

令和２年（2020年）６月12日に国会で成立した「中小企業の事業承継の促進のための中小企業における経営の承継の円滑化に関する法律等の一部を改正する法律」（この改正法を総称して、「中小企業成長促進法」という）により、**2020年９月末に廃止された「中小ものづくり高度化法」**についての出題である。令和３年度の「中小企業経営・中小企業政策」の本試験が実施されたのは2021年８月22日であり、**本試験実施日時点において廃止されている法律が問われたのが本問**である。

「令和３年度中小企業診断士第１次試験案内」p.３の「３．試験実施日と試験科目」の注３では、「法令に関する問題については、原則として、中小企業診断士試験が実施される日に施行されている法令に基づいて出題します。」と記載があり、本問は成立しない。そして、令和３年９月13日に、本問は設問１・２ともに全員正解とすることが中小企業診断協会（現：日本中小企業診断士協会連合会）から発表された。

なお、解説については、廃止された「中小ものづくり高度化法」に基づいて記載している。

設問１ ●●●

「中小ものづくり高度化法」の目的についての出題である。まず、同法第１条で同法の目的について規定されているので、下記のとおり確認する。

＜中小ものづくり高度化法第１条＞

この法律は、中小企業によるものづくり基盤技術に関する研究開発及びその成果の利用を促進するための措置を講ずることにより、中小企業のものづくり基盤技術の高度化を図り、もって我が国製造業の**国際競争力の強化**（空欄Ａに該当）及び新たな事業の創出を通じて、国民経済の健全な発展に寄与することを目的とする。

よって、空欄Ａには「国際競争力の強化」が入り、**ア**が正解である（ただし、本問は全員正解となる)。

設問2 ●●●

「特定ものづくり基盤技術」についての出題である。

従来は、「中小ものづくり高度化法」に基づいて国(経済産業大臣)が「特定ものづくり基盤技術高度化指針」を策定し、**「特定ものづくり基盤技術高度化指針」において「デザイン開発に係る技術」や「精密加工に係る技術」など12技術が「特定ものづくり基盤技術」として指定**されていた。しかし、2020年10月1日に施行された「中小企業の事業承継の促進のための中小企業における経営の承継の円滑化に関する法律等の一部を改正する法律」(この改正法を総称して、「中小企業成長促進法」という)によって**「中小ものづくり高度化法」が廃止されたことに伴い「特定ものづくり基盤技術高度化指針」の根拠法が変更された。**

ところが、本問の問題文では、

「『中小企業のものづくり基盤技術の高度化に関する法律』は、我が国製造業の【設問1の空欄】及び新たな事業の創出を図るため、中小企業が担うものづくり基盤技術の高度化に向けた研究開発及びその成果の利用を支援するための法律である。

この法律では、経済産業大臣が「特定ものづくり基盤技術」を指定し、川下産業の最先端ニーズを反映して行われるべき研究開発等の内容、人材育成・知的資産活用の在り方、取引慣行の改善等に関する指針を策定する。」

と記載があり、本試験当日時点ではすでに廃止されている「中小ものづくり高度化法」に基づいて解答する形となっており、問題として成立していない。

よって、**ア**が正解である(ただし、本問は全員正解となる)。

第23問

「小規模事業者支援法」についての出題である。『小規模企業白書2020年版』第3部第1章第2節「中小企業支援体制の変遷」から作問されたと考えられる。

設問1 ●●●

「小規模事業者支援法」は、商工会および商工会議所がその機能を活用して小規模事業者の経営の改善発達を支援するための措置を講ずることにより、小規模事業者の経営基盤の充実を図り、もって国民経済の健全な発展に寄与することを目的としている。小規模事業者の経営・技術の改善発達の支援を目的とした「経営改善普及事業」もこの法律で規定されている。

本問は、2014年に小規模企業振興基本法(小規模基本法)が制定されたことに伴って、2014年に改正された小規模事業者支援法についての出題である。その時の主な改正事項に「伴走型の事業計画策定・実施支援のための体制整備」があった。具体的には、需要開拓や経営承継等の小規模事業者の課題に対し、事業計画の策定や着実な実施等を事業者に寄り添って支援する体制や能力を整えた商工会・商工会議所の支援計画（経営発達支援計画）を国が認定・公表する制度が2014年の改正法により創設された。

ア ×：「小規模企業活性化法」は、2013年9月20日に施行された「小規模企業の事業活動の活性化のための中小企業基本法等の一部を改正する等の法律」の通称である。

イ ×：「小規模企業振興基本法」（小規模基本法）は、2014年6月27日に施行された法律であり、「小規模企業活性化法」をさらに一歩進める観点から創設された。

ウ ○：正しい。上記解説を参照。

エ ×：「中小企業等経営強化法」は、中小企業新事業活動促進法を改正し、2016年7月1日に施行された。

よって、空欄Aには「小規模事業者支援法」が入り、**ウ**が正解である。

設問2

小規模事業者支援法に基づく「経営発達支援計画」についての出題である。「経営発達支援（空欄Bに該当）計画」は、小規模企業の支援に取り組む商工会・商工会議所の支援計画を国（空欄Cに該当）が認定する制度であり、「経営発達支援計画」に基づいて実施する事業を「経営発達支援事業」という。（設問1）解説を参照。

よって、空欄Bには「経営発達支援」、空欄Cには「国」、が入り、**ウ**が正解である。

第24問

「中小企業等事業再構築促進事業」（いわゆる「事業再構築補助金」）についての出題である。2021年に創設された。

設問1

本設問については、本試験当日に採点の対象外とするので解答する必要がない旨、アナウンスされた。事業再構築補助金の申請要件を問う問題であったが、改正前（2021年5月20日に公表され、7月2日に締め切られた第2回公募）の内容であったため採点対象外としたものと思われる。本試験当日（2021年8月22日）は第3回公募の内容が7月30日に公表されており、申請要件も改正されていた。

よって、正解はない。

設問2 ●●●

「事業再構築補助金」の類型のうち、「卒業枠」の要件についての出題である。ただでさえ新設の補助金で対応できない受験生が多くいる状況で、「卒業枠」という特別枠の細かい要件について問う問題であり、難問である。

「卒業枠」は、事業計画期間内に、①組織再編、②新規設備投資、③グローバル展開（空欄Cに該当）のいずれかにより、資本金または従業員を増やし、中小企業者等から中堅・大企業等へ成長する事業者向けの特別枠である。「卒業枠」は「通常枠」より補助額が大きくなり、最大1億円となっている。ただし、令和4年度以降は「卒業枠」は実施されていない。

よって、空欄Cには「グローバル展開」、が入り、**イ**が正解である。

第25問

「小規模事業者持続化補助金（一般型）」についての出題である。

設問1 ●●●

「小規模事業者持続化補助金（一般型）」についての出題である。「小規模事業者持続化補助金」は、小規模事業者が経営計画を作成し、その計画に沿って行う**販路開拓の取組**等を支援する補助金であり、販路開拓や生産性向上に取り組む費用等を補助する。**補助率は3分の2**で、補助上限額は単独申請の場合50万円となっている。

ア　×：経営計画策定にあたり、市区町村の認定は不要である。

イ　×：経営計画策定にあたり、市区町村の認定は不要である。

ウ　×：補助率は3分の2である。

エ　○：正しい。上記解説を参照。

よって、空欄Aには「この補助金は、経営計画を作成し、その計画に沿って行う販路開拓の取組等を支援するものです。補助率は3分の2になります。」が入り、**エ**が正解である。

設問2 ●●●

「小規模事業者持続化補助金（一般型）」の共同申請の詳細についての出題である。

複数の小規模事業者等が連携して取り組む共同申請の場合、補助上限額は、「1事業者あたりの補助上限額（50万円）×連携小規模事業者等の数」の金額となるが、500万円が上限となる。したがって、共同申請は、最大10者まで可能となる（500万円÷50万円）。なお、令和5年度以降は、共同申請に対するこのような支援は行われていない。

よって、空欄Bには「この場合は、最大10者まで共同申請可能です。「1事業者あたりの補助上限額50万円×連携する事業者数」が補助上限額となります。」が入り、**ウ**が正解である。

第26問

「小規模事業者経営改善資金融資制度（マル経融資）」についての出題である。問われている事項はいずれも基本事項であり、確実に正解したい。

小規模事業者経営改善資金融資制度（マル経融資）の内容は下記のとおりである。

<支援内容>

1）対象資金

設備資金、運転資金

2）貸付限度額

2,000万円

3）貸付期間

運転資金7年以内（据置期間1年以内）

設備資金10年以内（据置期間2年以内）

4）貸付条件

無担保・無保証人（本人保証もなし）

<利用要件>

常時使用する従業員が20人以下（商業・サービス業の場合は5人以下。ただし、宿泊業・娯楽業は20人以下）の法人・個人事業主等で、以下の要件をすべて満たす者が利用できる。

1）商工会・商工会議所の経営指導員による経営指導を**原則6か月以上**（空欄Aに該当）受けていること

2）所得税、法人税、事業税、都道府県民税などの税金を完納していること

3）原則として同一の商工会等の地区内で**1年以上事業を行っている**（空欄Bに該当）こと

4）商工業者であり、かつ、日本政策金融公庫の融資対象業種を営んでいること

<支援機関>

1）商工会・商工会議所：申込みを受け付け、その後、日本政策金融公庫に融資の推薦をする。

2）日本政策金融公庫：審査をして融資を実施する。

設問1

基本事項であり、必ず正解したい。

ア ×：主たる事業所の所在する地区の商工会・商工会議所へ申込みをする。

イ ×：1,500万円超の貸付を受けるには、貸付前に事業計画を作成し、貸付後に残高が1,500万円以下になるまで、経営指導員による実地訪問を半年毎に１回受ける必要がある。つまり1,500万円以下の貸付であれば、経営計画策定は必須ではない。

ウ ○：正しい。上記解説の<支援内容>のうち、３）の内容である。

エ ×：無担保・無保証人が特徴の貸付制度である。上記解説の<支援内容>のうち、４）の内容参照。

よって、**ウ**が正解である。

設問2

基本事項であり、必ず正解したい。上記解説の<利用要件>のうち、１）と３）の内容である。

よって、空欄Aには「原則６か月以上」、空欄Bには「１年以上事業を行っている」が入り、**ウ**が正解である。

第27問

中小企業税制のうち、「少額減価償却資産の特例」についての出題である。令和３年度が初出題となる。

「少額減価償却資産の特例」は、**取得価額が30万円未満の減価償却資産を導入した場合、合計額300万円を限度として、全額損金に算入**することができる税制措置（令和８年３月31日までの時限措置）である。

設問1

上記解説より、「取得価額が30万円未満の減価償却資産の導入が支援の要件」になる。

よって、**イ**が正解である。

設問2 ●●●

上記解説より、「合計額300万円を限度として、全額損金に算入」することができる。

よって、**エ**が正解である。

第28問

「中小企業退職金共済制度」に関する出題である。基本事項であり、必ず正解したい問題である。

ア ×：このような要件はない。なお、中小企業倒産防止共済制度では、「1年以上継続して事業を行っている中小企業者」であることが要件となっている。

イ ○：正しい。掛金は全額が、事業者が法人であれば法人税法上損金に、個人であれば所得税法上必要経費として扱われる。なお、「施策利用ガイドブック」では「掛金は全額非課税」という表現が使われており、本試験でもその表現を踏襲している。

ウ ×：「中小企業退職金共済制度」は中小企業者であることが要件であり、小規模事業者に限られない。また、「経営者の退職金制度」とは「小規模企業共済制度」のことである。

エ ×：「中小企業退職金共済制度」には事業資金の貸付制度はない。なお、「小規模企業共済制度」では、納付した掛金総額の範囲内で事業資金などの貸付けが無担保・無保証人で受けられる契約者貸付制度がある

よって、**イ**が正解である。

第29問

「地域団体商標制度」についての出題である。経営法務でも問われる論点であるが、「中小企業経営・中小企業政策」では平成19年度以来の出題となる。経営法務を学習している受験生であれば基本事項といえる。

設問1 ●●●

地域団体商標の登録要件についての出題である。

ア ○：正しい。出願団体またはその構成員の使用により、一定の地理的範囲の需要者（最終消費者または取引事業者）に知られていることが客観的事実（販売数量、新聞報道など）によって証明できることが必要である。

イ ×：商標全体が普通名称で**ないこと**が必要である。

ウ ×：商標の構成文字が図案化されて**いないこと**が必要である。

エ ×：このような要件はない。なお、農林水産省が管轄している「地理的表示(GI)

保護制度」では、産品（特定農林水産物等）をその生産地や品質の基準等とともに登録することが求められている。

よって、**ア**が正解である。

設問2

地域団体商標の登録者についての出題である。

ア　〇：正しい。NPO法人は出願可能である。

イ　〇：正しい。商工会・商工会議所は出願可能である。

ウ　×：このような要件はない。そもそも会社は、団体商標・地域団体商標のいずれも登録不可である。

エ　〇：正しい。事業協同組合等の特別の法律により設立された組合が出願可能であり、①法人格を有する、②当該特別の法律に構成員資格者の加入の自由が担保されていることが要件となっている。たとえば、農業協同組合、漁業協同組合等が想定されており、農業協同組合は出願可能である。

よって、**ウ**が正解である。

令和2年度問題

Questions 令和 2 年度 問題

第1問 参考問題

総務省・経済産業省「平成28年経済センサス－活動調査」に基づき、従業者総数（会社及び個人の従業者総数、2016年、非一次産業）と、付加価値額（会社及び個人の付加価値額、2015年、非一次産業）について、おのおのの全体に占める中小企業の割合を見た場合の記述として、最も適切なものはどれか。

ア　従業者総数、付加価値額とも全体の約50％を占めている。
イ　従業者総数、付加価値額とも全体の約70％を占めている。
ウ　従業者総数は全体の約50％、付加価値額は全体の約70％を占めている。
エ　従業者総数は全体の約70％、付加価値額は全体の約50％を占めている。

第2問 参考問題

次の文章を読んで、下記の設問に答えよ。

総務省・経済産業省「平成28年経済センサス－活動調査」に基づき、中小企業数を見た場合（2016年）、規模別では中小企業数全体の［ A ］割以上が①小規模企業であり、個人法人別では中小企業数全体の［ B ］割以上が個人事業者である。

また、総務省「平成11年、13年、16年、18年事業所・企業統計調査」、「平成21年、26年経済センサス－基礎調査」、総務省・経済産業省「平成24年、28年経済センサス－活動調査」に基づき、1999年から2016年の期間について、②個人事業者数の推移を見ると大幅に減少している。

なお企業規模区分は、中小企業基本法に準ずるものとする。

設問1

文中の空欄AとBに入る数値の組み合わせとして、最も適切なものはどれか。

ア　A：8　B：5
イ　A：8　B：7
ウ　A：9　B：5
エ　A：9　B：7

設問2 ●●●

文中の下線部①について、総務省「平成11年、13年、16年、18年事業所・企業統計調査」、「平成21年、26年経済センサス－基礎調査」、総務省・経済産業省「平成24年、28年経済センサス－活動調査」に基づき、1999年から2016年の期間について、業種別小規模企業数の推移を見た場合の記述として、最も適切なものはどれか。

ア　小売業、建設業、製造業の企業数は減少傾向である。
イ　小売業の企業数は減少傾向、建設業の企業数は増加傾向である。
ウ　小売業の企業数は増加傾向、建設業の企業数は減少傾向である。
エ　製造業の企業数は減少傾向、小売業の企業数は増加傾向である。
オ　製造業の企業数は増加傾向、小売業の企業数は減少傾向である。

設問3 ●●●

文中の下線部②について、総務省「平成11年、13年、16年、18年事業所・企業統計調査」、「平成21年、26年経済センサス－基礎調査」、総務省・経済産業省「平成24年、28年経済センサス－活動調査」に基づき、1999年から2016年の期間について、個人事業者数の推移を見た場合の記述として、最も適切なものはどれか。

なお、ここで中規模企業とは、中小企業のうち小規模企業以外を示すものとする。

ア　個人事業者数は約４割減少しており、とりわけ小規模企業である個人事業者の減少が顕著である。
イ　個人事業者数は約４割減少しており、とりわけ中規模企業である個人事業者の減少が顕著である。
ウ　個人事業者数は約６割減少しており、とりわけ小規模企業である個人事業者の減少が顕著である。
エ　個人事業者数は約６割減少しており、とりわけ中規模企業である個人事業者の減少が顕著である。

第3問　参考問題

経済産業省「企業活動基本調査」に基づき、売上高に占める研究開発費の割合（研究開発費比率）の推移を、1994年度から2016年度の期間について、企業規模別、業種別に見た場合の記述として、最も適切なものはどれか。
なお、経済産業省「企業活動基本調査」は、従業者数50人以上かつ資本金又は出資金3,000万円以上の法人企業を調査対象としている。

ア　製造業、非製造業とも、大企業が中小企業の研究開発費比率を上回っている。
イ　製造業、非製造業とも、中小企業が大企業の研究開発費比率を上回っている。
ウ　製造業では大企業が中小企業の研究開発費比率を上回り、非製造業では中小企業が大企業の研究開発費比率を上回っている。
エ　製造業では中小企業が大企業の研究開発費比率を上回り、非製造業では大企業が中小企業の研究開発費比率を上回っている。

第4問　参考問題

次の文章を読んで、下記の設問に答えよ。

中小企業庁がCRD協会の法人データベース（CRDデータ）を活用して行った分析によれば、中小企業の売上高、営業利益、総資産、純資産の分布状況（2016年度）を見た場合、①中小企業の中でも大きなばらつきがある。
また、CRDデータに基づき、2007年度から2016年度の期間について、中小企業の営業利益の推移を見た場合、リーマンショック後、②赤字企業の割合は漸減傾向にある。
なお、CRDデータは、全国の信用保証協会と金融機関を中心とした会員から匿名形式で提供されており、中小企業の財務情報、非財務・属性データ、デフォルト情報を基に構築されている。

設問1

文中の下線部①について、CRDデータに基づき、中小企業の売上高、営業利益、総資産、純資産の分布状況（2016年度）を見た場合の記述として、最も適切なものはどれか。

ア　売上高、営業利益、総資産、純資産とも、中央値が平均値を上回っている。
イ　売上高、営業利益、総資産、純資産とも、中央値が平均値を下回っている。
ウ　売上高、営業利益では中央値が平均値を上回っており、総資産、純資産では中央値が平均値を下回っている。
エ　総資産、純資産では中央値が平均値を上回っており、売上高、営業利益では中央値が平均値を下回っている。

設問2 ● ● ●

文中の下線部②について、CRDデータに基づき、2007年度から2016年度の期間について、営業利益が赤字である中小企業の割合（赤字企業割合）の推移を見た場合の記述として、最も適切なものはどれか。

ア　2009年度の赤字企業割合は約50％に達したが、2016年度には約25％にまで低下している。
イ　2009年度の赤字企業割合は約50％に達したが、2016年度には約35％にまで低下している。
ウ　2009年度の赤字企業割合は約70％に達したが、2016年度には約35％にまで低下している。
エ　2009年度の赤字企業割合は約70％に達したが、2016年度には約50％にまで低下している。

第5問　参考問題

財務省「法人企業統計調査年報」に基づき、2003年度から2017年度の期間について、中小企業の業種別従業員一人当たりの付加価値額（労働生産性）の推移を見た場合の記述として、最も適切なものはどれか。

なお、ここでは資本金１億円未満の企業を中小企業とする。

ア　建設業、卸売業、製造業、小売業、サービス業とも上昇傾向で推移している。
イ　建設業、卸売業、製造業、小売業、サービス業とも低下傾向で推移している。
ウ　建設業や卸売業では緩やかな上昇傾向にあるのに対し、製造業、小売業、サービス業では大きく低下傾向で推移している。
エ　建設業や卸売業では緩やかな上昇傾向にあるのに対し、製造業、小売業、サービス業では横ばい傾向で推移している。
オ　建設業や卸売業では緩やかな低下傾向にあるのに対し、製造業、小売業、サービス業では大きく上昇傾向で推移している。

第6問　参考問題

次の文章を読んで、下記の設問に答えよ。

厚生労働省「雇用保険事業年報」に基づき、1981年度から2017年度の期間について、わが国の開業率と廃業率の推移を見る。開業率は2000年代には緩やかな［ A ］傾向で推移している。廃業率は1996年度以降増加傾向が続いたが、2010年度以降は減少傾向で推移している。また、2010年度以降、開業率と廃業率の差は［ B ］傾向にある。

もっとも、業種別開廃業率の分布状況を見ると、ばらつきが見られることにも留意する必要がある。

なお、雇用保険事業年報による開業率は、当該年度に雇用関係が新規に成立した事業所数を前年度末の適用事業所数で除して算出している。雇用保険事業年報による廃業率は、当該年度に雇用関係が消滅した事業所数を前年度末の適用事業所数で除して算出している。適用事業所数とは、雇用保険に係る労働保険の保険関係が成立している事業所数である。

設問1

文中の空欄AとBに入る語句の組み合わせとして、最も適切なものはどれか。

ア　A：減少　B：拡大
イ　A：減少　B：縮小
ウ　A：上昇　B：拡大
エ　A：上昇　B：縮小

設問2

文中の下線部について、厚生労働省「雇用保険事業年報」に基づき、製造業、建設業、宿泊業・飲食サービス業の業種別開廃業率（2017年度）を比較した場合の記述として、最も適切なものはどれか。

ア　開業率は建設業が最も高く、廃業率は宿泊業・飲食サービス業が最も高い。
イ　開業率は建設業が最も高く、廃業率は製造業が最も高い。
ウ　開業率は宿泊業・飲食サービス業が最も高く、廃業率は建設業が最も高い。
エ　開業率は宿泊業・飲食サービス業が最も高く、廃業率は製造業が最も高い。

第7問　参考問題

次の文章を読んで、下記の設問に答えよ。

中小企業の事業承継を円滑に進めるために、①経営の担い手を確保する重要性が高まっている。

中小企業庁が2016年に策定した「事業承継ガイドライン」では、事業承継の類型として、親族内承継、役員・従業員承継、社外への引継ぎの３つを示し、②事業承継の形態ごとの特徴を指摘している。

また、中小企業庁の分析によれば、３つの事業承継の形態に応じて、事業承継した経営者が、後継者を決定する上で重視した資質・能力や有効だと感じた後継者教育にも違いがある。

中小企業診断士をはじめとする支援者が、中小企業の円滑な事業承継を支援するためには、事業承継の形態ごとの、このような特徴や違いも十分に理解したうえで、取り組むことが必要である。

設問1 ●●●

文中の下線部①について、総務省「就業構造基本調査」に基づき、年齢階層別にわが国企業の経営の担い手数を1992年と2017年で比較した場合の記述として、最も適切なものはどれか。

なお、ここでいう経営の担い手とは、会社などの役員又は自営業主をいう。

ア　59歳以下の経営の担い手数、60歳以上の経営の担い手数とも減少している。

イ　59歳以下の経営の担い手数、60歳以上の経営の担い手数とも増加している。

ウ　59歳以下の経営の担い手数は減少、60歳以上の経営の担い手数は増加している。

エ　59歳以下の経営の担い手数は増加、60歳以上の経営の担い手数は減少している。

設問2 ●●●

文中の下線部②について、中小企業庁「事業承継ガイドライン」に基づき、事業承継の形態別のメリットを見た場合の記述として、最も適切なものはどれか。

ア「社外への引継ぎ」は、親族や社内に適任者がいない場合でも広く候補者を外部に求めることができ、「役員・従業員承継」は、長期の準備期間の確保が可能であり所有と経営の一体的な承継が期待できる。

イ「親族内承継」は、一般的に他の方法と比べて内外の関係者から心情的に受け入れられやすく、「役員・従業員承継」は、経営者としての能力のある人材を見極めて承継することができる。

ウ 「親族内承継」は、後継者の社内経験にかかわらず経営方針等の一貫性を保ちやすく、「社外への引継ぎ」は、親族や社内に適任者がいない場合でも広く候補者を外部に求めることができる。

エ 「役員・従業員承継」は、一般的に他の方法と比べて内外の関係者から心情的に受け入れられやすく、「社外への引継ぎ」は、経営者としての能力のある人材を見極めて承継することができる。

第8問 参考問題

総務省「平成29年通信利用動向調査」に基づき、従業者規模別にEC（インターネットを利用した調達・販売）の利用状況（2017年）と利用目的（2017年、複数回答）を見た場合の記述として、最も適切なものはどれか。

なお、ここでは従業者数100～299人の企業を中小企業、従業者数300人以上の企業を大企業とする。利用目的は、企業からの調達、企業へ販売、一般消費者へ販売に大別する。

ア 中小企業・大企業とも、利用目的を「一般消費者へ販売」とする回答企業割合は「企業から調達」とする回答企業割合を上回っている。

イ 中小企業・大企業とも、利用目的を「一般消費者へ販売」とする回答企業割合は「企業へ販売」とする回答企業割合を上回っている。

ウ 中小企業・大企業とも、利用目的を「企業へ販売」とする回答企業割合は「企業から調達」とする回答企業割合を上回っている。

エ 中小企業のECの利用状況は約３割、大企業の利用状況は約５割である。

オ 中小企業のECの利用状況は約６割、大企業の利用状況は約８割である。

第9問 参考問題

次の文章を読んで、下記の設問に答えよ。

融資などに際しての金融機関による経営者保証の徴求が、中小企業の後継者確保の阻害要因となっていることが指摘されている。

金融庁、中小企業庁の調べに基づき、経営者保証の動向を見ると、2014年２月の「経営者保証に関するガイドライン」の運用開始以降、新規融資に占める経営者保証に依存しない融資の割合は、民間金融機関、政府系金融機関ともに着実に増加している。

同様に事業承継時（代表者交代時）の経営者保証の徴求状況（2018年度上期）についても、旧経営者の保証を残しつつ新経営者（後継者）からも保証を徴求する、い

問題

2年度

わゆる「二重徴求」の割合は約[A]割まで減少している。もっとも、新経営者（後継者）が保証提供するケースは、「二重徴求」を含めて、全体で約[B]割に上っており、後継者にとっては少なからず負担になっていることがうかがえる。

設問1

文中の下線部について、金融庁、中小企業庁の調べに基づき、新規融資に占める経営者保証に依存しない融資の割合（2018年度上期）について、民間金融機関、政府系金融機関別に見た場合の記述として、最も適切なものはどれか。

ア　政府系金融機関では約５割に達している。
イ　政府系金融機関では約７割に達している。
ウ　民間金融機関では約２割に達している。
エ　民間金融機関では政府系金融機関よりも割合が高い。

設問2

文中の空欄AとBに入る数値の組み合わせとして、最も適切なものはどれか。

ア　A：2　B：4
イ　A：2　B：6
ウ　A：4　B：6
エ　A：4　B：8

第10問　参考問題

次の文章を読んで、下記の設問に答えよ。

総務省「就業構造基本調査」に基づき、2007年、2012年、2017年の期間について、起業や事業承継等により「①新たな経営の担い手」となった者の数の推移を見た場合、減少傾向にある。

新たな経営の担い手のうち「起業家」について見ても、②起業家数は減少傾向にあるが、年齢階層別に起業率の推移を見ると、多くの年代で起業率が低下傾向にある中で、26～39歳では上昇傾向にあるなど違いも見られる。

なお、ここでいう「新たな経営の担い手」とは、過去１年間に職を変えた又は新たに職についた者のうち、現在は「会社等の役員」又は「自営業主」と回答した者をいう。「起業家」とは、過去１年間に職を変えた又は新たに職についた者のうち、現在は「会社等の役員」又は「自営業主」と回答し、かつ「自分で事業を起こした」と回答した者をいう。なお、副業としての起業家は含まれていない。

設問1

文中の下線部①について、総務省「就業構造基本調査」に基づき、2007年、2012年、2017年の期間について、「新たな経営の担い手」の推移と、参入した業種の全業種に占める構成割合の推移を見た場合の記述として、最も適切なものはどれか。

ア　新たな経営の担い手の減少数は、2007年から2012年にかけてよりも、2012年から2017年にかけての方が大きい。
イ　新たな経営の担い手の減少数は、2007年から2012年にかけてと、2012年から2017年にかけてで、ほぼ同水準である。
ウ　運輸業の構成割合は上昇傾向、建設業の構成割合は減少傾向である。
エ　小売業の構成割合は減少傾向、建設業の構成割合は横ばい傾向である。
オ　情報通信業の構成割合は減少傾向、小売業の構成割合は上昇傾向である。

設問2

文中の下線部②について、総務省「就業構造基本調査」に基づき、2007年、2012年、2017年の期間について、男女別に起業家数の推移を見た場合の記述として、最も適切なものはどれか。

ア　男性、女性とも起業家は減少している。
イ　男性の起業家は増加、女性の起業家は減少している。
ウ　男性の起業家は横ばい、女性の起業家は減少している。
エ　女性の起業家は増加、男性の起業家は減少している。
オ　女性の起業家は横ばい、男性の起業家は減少している。

第11問　参考問題

わが国経済において、製造業はGDPの約２割を占めており大きな役割を担っているが、近年構造的な環境変化に直面している。

経済産業省「工業統計」に基づき、1989年から2016年の期間について、製造事業所数と1事業所当たり付加価値額の推移を見た場合の記述として、最も適切なものはどれか。

ア　製造事業所数は減少傾向、1事業所当たり付加価値額は減少傾向で推移している。
イ　製造事業所数は減少傾向、1事業所当たり付加価値額は増加傾向で推移している。
ウ　製造事業所数は増加傾向、1事業所当たり付加価値額は減少傾向で推移している。
エ　製造事業所数は増加傾向、1事業所当たり付加価値額は増加傾向で推移している。

第12問　参考問題

次の文章を読んで、下記の設問に答えよ。

経済産業省「企業活動基本調査」に基づき、1997年度から2016年度の期間について、中小企業の海外展開状況を見ると、中小企業の直接輸出企業割合の推移は、[A]傾向にある。また、中小企業の業種別輸出額の推移を見ると、製造業は[B]傾向、非製造業は[C]傾向にある。

また、海外子会社を保有する企業割合の推移を見ると、海外子会社を保有する中小企業の割合は増加傾向にある。

なお、経済産業省「企業活動基本調査」は、従業者数50人以上かつ資本金又は出資金3,000万円以上の法人企業を調査対象としている。

設問1

文中の空欄A～Cに入る語句の組み合わせとして、最も適切なものはどれか。

ア　A：減少　B：減少　C：減少
イ　A：減少　B：増加　C：減少
ウ　A：減少　B：増加　C：増加
エ　A：増加　B：増加　C：減少
オ　A：増加　B：増加　C：増加

設問2

文中の下線部について、経済産業省「海外事業活動基本調査」に基づき、2000年から2017年の期間について、中小企業の海外子会社の国・地域構成割合の推移を見た場合の記述として、最も適切なものはどれか。

なお、ここでは各年に設立された海外子会社の国・地域の構成の推移を見るものとし、「海外子会社」とは、子会社と孫会社を総称したものをいう。「子会社」とは、日本側出資比率の合計が10%以上の外国法人をいう。また、孫会社とは、日本側出資比率の合計が50%超の子会社が50%超の出資を行っている外国法人、及び日本側親会社の出資と日本側出資比率の合計が50%超の子会社出資合計が50%超の外国法人をいう。

ア　2000年代前半にはASEANへの進出が約50%を占め、その後減少傾向にある。
イ　2000年代前半にはASEANへの進出が約50%を占め、その後増加傾向にある。
ウ　2000年代前半には中国への進出が約50%を占め、その後減少傾向にある。
エ　2000年代前半には中国への進出が約50%を占め、その後増加傾向にある。

第13問　参考問題

わが国の特許出願総件数と中小企業の特許出願件数の推移を、特許庁「特許行政年次報告書2018年版」に基づき、2010年から2017年の期間について見た場合の記述として、最も適切なものはどれか。

ア　特許出願総件数、中小企業の特許出願件数とも減少基調で推移している。
イ　特許出願総件数、中小企業の特許出願件数とも増加基調で推移している。
ウ　特許出願総件数は減少基調、中小企業の特許出願件数は増加基調で推移している。
エ　特許出願総件数は増加基調、中小企業の特許出願件数は減少基調で推移している。

第14問　★ 重要 ★

次の文章を読んで、下記の設問に答えよ。

「①中小企業基本法」第三条の基本理念において、小規模企業は「地域の特色を生かした事業活動を行い、就業の機会を提供するなどして地域における経済の安定並びに［　　　］に寄与するとともに、創造的な事業活動を行い、新たな産業を創出するなどして将来における我が国の経済及び社会の発展に寄与するという重要な意義を有する」と規定されている。

それを踏まえ、第八条では、②「小規模企業」に対する中小企業施策の方針が具体的に示されている。

設問1 ● ● ●

文中の下線部①に基づく、「小規模企業者」の範囲に関する記述の正誤の組み合わせとして、最も適切なものを下記の解答群から選べ。

a　常時使用する従業員数が20人のパン製造業（資本金1千万円）は、小規模企業者に該当する。

b　常時使用する従業員数が10人の広告代理業（資本金5百万円）は、小規模企業者に該当する。

c　常時使用する従業員数が8人の野菜卸売業（資本金1百万円）は、小規模企業者に該当する。

[解答群]

ア　a：正　b：正　c：誤

イ　a：正　b：誤　c：誤

ウ　a：誤　b：正　c：正

エ　a：誤　b：誤　c：正

設問2 ● ● ●

文中の空欄に入る語句として、最も適切なものはどれか。

ア　活力ある経済と豊かな国民生活

イ　雇用基盤の維持及び国民の豊かな生活基盤の形成

ウ　地域住民の生活の向上及び交流の促進

エ　挑戦と創意工夫の積み重ねによる社会の変革

設問3 ● ● ●

文中の下線部②に関する記述として、最も不適切なものはどれか。

ア　経営の発達及び改善に努めるとともに、金融、税制、情報の提供その他の事項について必要な考慮を払うこと。

イ　生産性の格差の是正並びに自己資本の充実を図ること。

ウ　地域の多様な主体との連携の推進によって、地域における多様な需要に応じた事業活動の活性化を図ること。

エ　着実な成長発展を実現するための適切な支援を受けられるよう必要な環境の整備を図ること。

第15問

次の文章を読んで、下記の設問に答えよ。

中小企業は、人手不足などさまざまな経営上の課題を抱える中で、防災・減災対策に取り組む必要性は認識しているものの、何から始めれば良いか分からないなどの課題により、対策は十分に進んでいない。

このような状況を踏まえて、国は「①中小企業の事業活動の継続に資するための中小企業等経営強化法等の一部を改正する法律」を制定し、中小企業者の防災・減災に向けた取り組みを明記した「□」を認定する制度を創設した。認定を受けた中小企業には、②さまざまな支援措置を講じ、防災・減災に向けて取り組む上でのハードルの解消を図っている。

設問1

文中の下線部①の法律は、通称で何と呼ばれるか。最も適切なものを選べ。

ア　産業競争力強化法
イ　中小企業強靱化法
ウ　中小企業経営安定対策法
エ　中小ものづくり高度化法

設問2　★重要★

文中の空欄に入る語句として、最も適切なものはどれか。

ア　企業活力強化計画
イ　経営革新計画
ウ　事業継続力強化計画
エ　中小企業承継事業再生計画

設問3

文中の下線部②に関する記述として、最も不適切なものはどれか。

ア　信用保証枠の拡大
イ　相続税の免除制度
ウ　日本政策金融公庫による低利融資
エ　補助金の優先採択

第16問　★重要★

下請取引の適正化を図るため、「下請代金支払遅延等防止法」は、下請取引のルールを定めている。中小企業庁と公正取引委員会は、親事業者がこのルールを遵守しているかどうか調査を行い、違反事業者に対しては同法を遵守するよう指導している。

下請代金支払遅延等防止法に関して、下記の設問に答えよ。

設問1

この法律の内容として、最も適切なものはどれか。

ア　親事業者には、委託後、直ちに、給付の内容、下請代金の額、支払期日及び支払方法等の事項を記載した書面を交付する義務がある。
イ　親事業者には、下請代金の支払期日について、給付を受領した日（役務の提供を受けた日）から30日以内で、かつ出来る限り短い期間内に定める義務がある。
ウ　親事業者の禁止行為として、発注書面の修正の禁止など、15項目が課せられている。
エ　親事業者は、下請事業者が認めた遅延利息を支払うことによって、支払代金の支払期日の延長が認められる。

設問2

この法律が適用される取引として、最も適切なものはどれか。

ア　資本金300万円の企業が、個人事業者に物品の製造委託をする。
イ　資本金800万円の企業が、資本金500万円の企業に物品の修理委託をする。
ウ　資本金３千万円の企業が、資本金１千万円の企業に物品の製造委託をする。
エ　資本金８千万円の企業が、資本金２千万円の企業に物品の修理委託をする。

第17問

中小企業の経営者であるＡ氏は、後継者に事業を円滑に引き継ぎたいと考えている。中小企業診断士のＢ氏は、「経営承継円滑化法」による総合的支援をＡ氏に紹介することとした。

以下は、Ａ氏とＢ氏との会話である。

Ｂ氏：「後継者に事業を承継する場合などに、経営承継円滑化法に基づき、事業承継の円滑化に向けた支援を受けることができます。」

Ａ氏：「どのような支援を受けることができるのでしょうか。」

文中の下線部に関する記述として、最も不適切なものはどれか。

ア　遺留分に関する民法の特例

イ　事業再編、事業統合を含む経営者の交代を契機として経営革新を行う場合、その取り組みに要する経費の３分の１補助

ウ　事業承継に伴う多額の資金ニーズが生じている場合、都道府県知事の認定を受けることを前提として、信用保険の別枠化による信用保証枠の実質的な拡大

エ　都道府県知事から経営承継円滑化法の認定を受けた場合、相続税・贈与税の納税の猶予・免除

第18問　★重要★

商店街振興組合は、商店街が形成されている地域において、小売商業又はサービス業に属する事業その他の事業を営む者及び定款で定めた者のための組織であって、共同経済事業や環境整備事業を行うことを目的とするものである。

商店街振興組合に関して、下記の設問に答えよ。

設問１

商店街振興組合の設立要件に関する記述として、最も適切なものはどれか。

ア　１地区に２組合までしか設立できない。

イ　組合員としての資格を有する者の３分の１以上が組合員となること。

ウ　組合員になろうとする４人以上の者が発起人となること。

エ　総組合員の２分の１以上が小売商業又はサービス業に属する事業を営む者であること。

問題

2年度

設問2 ● ● ●

商店街振興組合に関する記述として、最も適切なものはどれか。

ア　株式会社への制度変更が認められる。
イ　議決権は出資比例である。
ウ　その名称中に、商店街振興組合という文字を用いなければならない。
エ　中小企業等協同組合法に基づく組合制度である。

第19問　★重要★

小規模企業共済制度は、小規模企業の経営者が廃業や退職に備え、生活の安定や事業の再建を図るための資金をあらかじめ準備しておくための共済制度で、いわば「経営者の退職金制度」である。

小規模企業共済制度に関して、下記の設問に答えよ。

設問1 ● ● ●

この制度の加入対象に該当する者として、最も不適切なものはどれか。

ア　事業に従事する組合員数が10人の企業組合の役員
イ　事業に従事する組合員数が10人の事業協同組合の役員
ウ　常時使用する従業員数が10人の製造業の個人事業主、共同経営者
エ　常時使用する従業員数が10人の会社（製造業）の役員

設問2 ● ● ●

この制度に関する記述として、最も適切なものはどれか。

ア　掛金総額の10倍以内の範囲で事業資金の貸付制度を利用できる。
イ　共済金の受け取りは一括・分割どちらも可能である。
ウ　その年に納付した掛金は、課税所得金額に税率を乗じて計算した税額から全額控除できる。
エ　月々の掛金は定額10,000円である。

第20問

中小企業者等には、法人税率の特例が設けられている。

この制度の対象となる者や、措置の内容に関して、下記の設問に答えよ。

なお、ここでいう中小企業者等には、大法人との間に完全支配関係がある法人、完全支配関係にある複数の大法人に発行済株式等の全部を保有されている法人、相互会社、投資法人、特定目的会社、受託法人は含まない。

設問1 ●●● ★重要★

中小企業者等の法人税率の特例の対象に関する記述として、最も適切なものはどれか。

ア　資本金又は出資金の額が3千万円以下の法人等であること。
イ　資本金又は出資金の額が5千万円以下の法人等であること。
ウ　資本金又は出資金の額が1億円以下の法人等であること。
エ　資本金又は出資金の額が3億円以下の法人等であること。

設問2 ●●● 参考問題

中小企業者等の法人税率の特例の内容として、最も適切なものはどれか。

ア　年所得800万円以下の部分にかかる法人税率が、令和3年3月31日までの措置として、15%に引き下げられている。
イ　年所得800万円以下の部分にかかる法人税率が、令和3年3月31日までの措置として、19%に引き下げられている。
ウ　年所得1,000万円以下の部分にかかる法人税率が、令和3年3月31日までの措置として、15%に引き下げられている。
エ　年所得1,000万円以下の部分にかかる法人税率が、令和3年3月31日までの措置として、19%に引き下げられている。

第21問

次の文中の下線部に関する記述として、最も適切なものを下記の解答群から選べ。

「中小企業等経営強化法」は、自社の生産性向上など中小企業・小規模事業者等による経営力向上に係る取り組みを支援する法律である。この法律の認定事業者は、税制や金融支援等の措置を受けることができる。

[解答群]

ア　事業者は事業分野別指針に沿って、「経営力向上計画」を作成し、国の認定を受ける。

イ　事業者は事業分野別指針に沿って、「生産性向上計画」を作成し、国の認定を受ける。

ウ　事業者は中小サービス事業者の生産性向上のためのガイドラインに沿って、「経営力向上計画」を作成し、国の認定を受ける。

エ　事業者は中小サービス事業者の生産性向上のためのガイドラインに沿って、「生産性向上計画」を作成し、国の認定を受ける。

第22問　参考問題

次の文章を読んで、下記の設問に答えよ。

「中小企業地域資源活用促進法」は、地域経済の活性化及び地域中小企業の振興のため、同法で規定する「①地域産業資源」を活用した新商品・新役務の開発や販路開拓などを支援するものである。

この法律に基づいて、②事業計画（「地域産業資源活用事業計画」、「地域産業資源活用支援事業計画」）を作成し、国の認定を受けると、③各種支援を受けることができる。

設問1

文中の下線部①に関する記述として、最も適切なものはどれか。

ア　地域産業資源に、「農林水産物」は含まれるが、「鉱工業品、鉱工業品の生産に係る技術、自然の風景地」は含まれない。

イ　地域産業資源に、「農林水産物、鉱工業品」は含まれるが、「鉱工業品の生産に係る技術、自然の風景地」は含まれない。

ウ　地域産業資源に、「農林水産物、鉱工業品、鉱工業品の生産に係る技術」は含まれるが、「自然の風景地」は含まれない。

エ　地域産業資源に、「農林水産物、鉱工業品、鉱工業品の生産に係る技術、自然の風景地」のいずれも含まれる。

設問2 ●●●

文中の下線部②に関する記述として、最も適切なものはどれか。

ア　NPO法人は「地域産業資源活用支援事業計画」を作成することができる。
イ　一般財団法人は「地域産業資源活用事業計画」を作成することができる。
ウ　一般社団法人は「地域産業資源活用事業計画」を作成することができる。
エ　企業組合は「地域産業資源活用支援事業計画」を作成することができる。

設問3 ●●●

文中の下線部③に関する記述として、最も適切なものはどれか。

ア　JETROのリソースを活用した海外研修プログラムの実施
イ　固定資産税の特例
ウ　地域団体商標の登録料の減免
エ　都道府県による運転資金の融資制度

第23問　参考問題

次の文章を読んで、下記の設問に答えよ。

小規模事業者経営発達支援融資制度は、①一定の要件を満たす小規模事業者が、②事業の持続的発展のための取り組みに必要な資金について低利で融資を受けることができる制度である。

設問1 ●●●

文中の下線部①に関する記述として、最も不適切なものはどれか。

ア　一定期間内に労働生産性を一定程度向上させるため、先端設備等を導入する計画を策定すること。
イ　経営者及び従業員の知識、技能、管理能力の向上を図る研修に参加するなど人材の確保・育成に努めていること。
ウ　経営発達支援計画の認定を受けた商工会・商工会議所から、売上の増加や収益の改善、持続的な経営のための事業計画策定に当たり助言とフォローアップを受けること。
エ　地域経済の活性化のために、一定の雇用効果が認められること。

問題
2年度

設問2 ● ● ●

文中の下線部②に関する記述として、最も適切なものはどれか。

ア　対象資金は「設備資金」であり、「運転資金」は含まれない。貸付限度は3,600万円である。

イ　対象資金は「設備資金」であり、「運転資金」は含まれない。貸付限度は7,200万円である。

ウ　対象資金は「設備資金及びそれに付随する運転資金」であり、貸付限度は3,600万円である。

エ　対象資金は「設備資金及びそれに付随する運転資金」であり、貸付限度は7,200万円である。

令和2年度
解答・解説

令和2年度 解答

問題	解答	配点	正答率※
第1問	エ	3	A
第2問（設問1）	ア	2	C
第2問（設問2）	ア	3	C
第2問（設問3）	ア	2	C
第3問	ア	2	A
第4問（設問1）	イ	3	D
第4問（設問2）	イ	2	C
第5問	エ	3	C
第6問（設問1）	ウ	2	B
第6問（設問2）	ア	3	B
第7問（設問1）	ウ	2	B
第7問（設問2）	イ	2	B
第8問	イ	3	D
第9問（設問1）	ウ	2	E
第9問（設問2）	イ	2	C
第10問（設問1）	エ	2	D
第10問（設問2）	エ	2	A
第11問	イ	2	A
第12問（設問1）	オ	3	B
第12問（設問2）	ウ	2	B
第13問	ウ	3	B
第14問（設問1）	イ	3	B
第14問（設問2）	ウ	2	B
第14問（設問3）	イ	2	B
第15問（設問1）	イ	2	B
第15問（設問2）	ウ	3	A
第15問（設問3）	イ	2	B
第16問（設問1）	ア	3	A
第16問（設問2）	ウ	2	A
第17問	イ	2	C
第18問（設問1）	エ	3	B
第18問（設問2）	ウ	2	B
第19問（設問1）	イ	3	D
第19問（設問2）	イ	2	C
第20問（設問1）	ウ	3	A
第20問（設問2）	ア	2	B
第21問	ア	3	B
第22問（設問1）	エ	3	C
第22問（設問2）	ア	2	A
第22問（設問3）	ウ	2	B
第23問（設問1）	ア	2	C
第23問（設問2）	エ	2	D

※TACデータリサーチによる正答率
　正答率の高かったものから順に、A～Eの５段階で表示。
A：正答率80％以上　B：正答率60％以上80％未満　C：正答率40％以上60％未満
D：正答率20％以上40％未満　E：正答率20％未満

解答・配点は一般社団法人日本中小企業診断士協会連合会の発表に基づくものです。

【中小企業経営】

第1問

2019年版中小企業白書（以下「白書」といい、特に発行年度の記載がない場合は2019年版を指す）p.335、第３－１－52図「我が国経済における中小企業の存在感（2016年）」からの出題である。

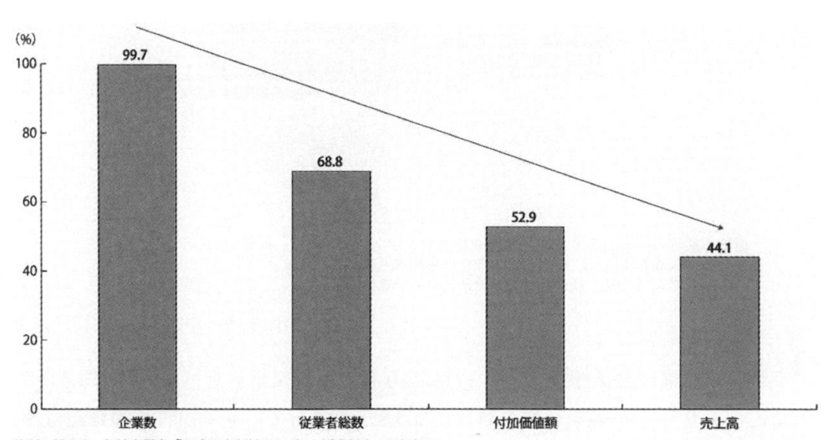

（2019年版　中小企業白書　p.335）

従業者総数のうち中小企業が占める割合は68.8%（約70%）、付加価値額のうち中小企業が占める割合は52.9%（約50%）である。図の表題には2016年と記されているが、付加価値額は注のとおり2015年の実績である。

よって、**エ**が正解である。

第2問

小規模企業白書から小規模企業や個人事業者に関する出題である。

設問1 ●●●

2019年版小規模企業白書（以下、特に発行年度の記載がない場合は2019年版を指す）p.30、第２－１－１図「規模別、個人法人別、中小企業数（2016年）」からの出題である。

第2-1-1図　規模別、個人法人別、中小企業数（2016年）

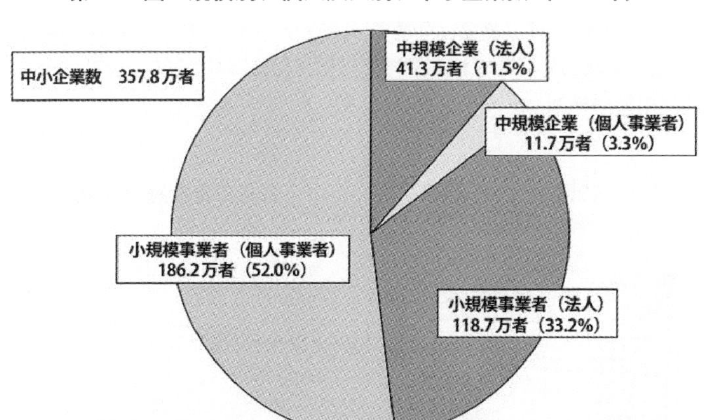

資料：総務省・経済産業省「平成28年経済センサス－活動調査」再編加工
（注）1. 中規模企業とは、中小企業のうち小規模事業者以外を指す。
2. 会社以外の法人及び農林漁業は含まれていない。

（2019年版　小規模企業白書　p.30）

小規模事業者（個人事業者）は約186.2万者、小規模事業者（法人）は約118.7万者で、合計すると小規模企業の数は約304.8万者である（注：白書の図は端数を四捨五入している）。これは中小企業の約357.8万者の約85.2％を占めており、空欄Aには「８」が入る。

中規模企業（個人事業者）は約11.7万者であり、小規模企業（個人事業者）と合わせると、個人事業者数は約197.9万者である。これは中小企業の約55.3％を占めており、空欄Bには「５」が入る。

よって、**ア**が正解である。

設問2 ●●●

小規模企業白書p.22、第１－２－３図「業種別小規模事業者数の推移」からの出題である。

第1-2-3図　業種別小規模事業者数の推移

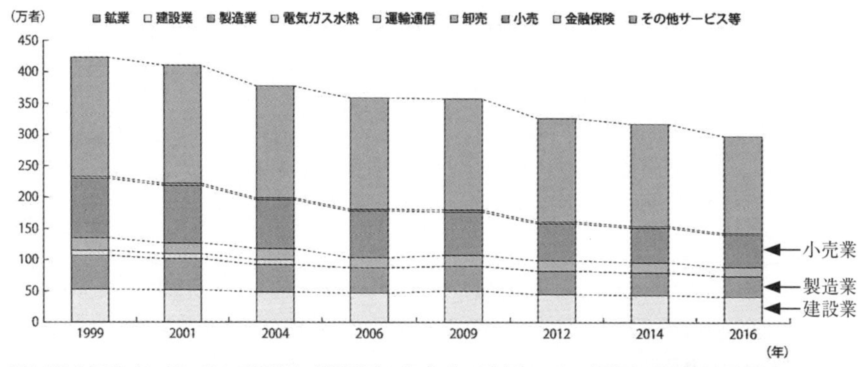

資料：総務省「平成11年、13年、16年、18年事業所・企業統計調査」、「平成21年、26年経済センサス－基礎調査」、総務省・経済産業省「平成24年、28年経済センサス－活動調査」再編加工
(注)1. 企業数＝会社数＋個人事業者数とする。
2. 経済センサスでは、商業・法人登記等の行政記録を活用して、事業所・企業の捕捉範囲を拡大しており、本社等の事業主が支所等の情報も一括して報告する本社等一括調査を実施しているため、「事業所・企業統計調査」による結果と単純に比較することは適切ではない。

(2019年版　小規模企業白書　p.22)

小売業は1999年の約95万者から2016年の約51万者に**減少**している。建設業は約53万者から約41万者に**減少**し、製造業も約54万者から約33万者に**減少**している。なお、電気ガス水熱業以外の業種はすべて減少傾向にある。

よって、**ア**が正解である。

設問3

小規模企業白書p.31、第２－１－２図「個人事業者数の推移」からの出題である。

第2-1-2図　個人事業者数の推移

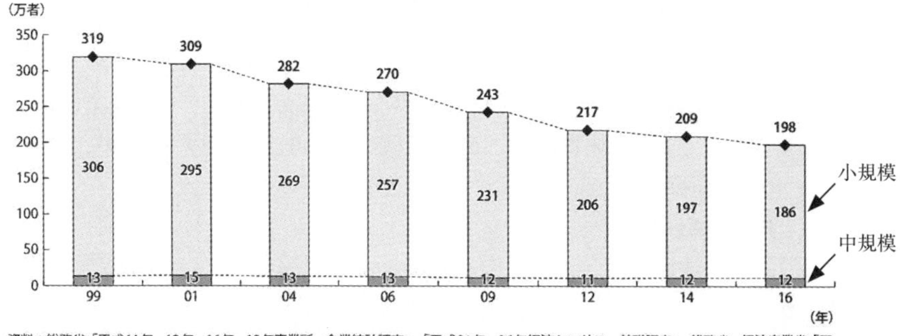

資料：総務省「平成11年、13年、16年、18年事業所・企業統計調査」、「平成21年、26年経済センサス－基礎調査」、総務省・経済産業省「平成24年、28年経済センサス－活動調査」再編加工
(注)1. 経済センサスでは、商業・法人登記等の行政記録を活用して、事業所・企業の捕捉範囲を拡大しており、本社等の事業主が支所等の情報も一括して報告する本社等一括調査を実施しているため、「事業所・企業統計調査」による結果と単純に比較することは適切ではない。
2. 中規模企業とは、中小企業のうち小規模事業者以外を指す。
3. 会社以外の法人及び農林漁業は含まれていない。
4. 大企業を除く、中小企業数を示している。

(2019年版　小規模企業白書　p.31)

1999年から2016年にかけて、個人事業者数は319万者から198万者へと約４割減少している。小規模企業白書の本文（p.31）には「約６割に減少している。」と記されているため、選択肢を誤って選ばないように注意する必要があった。

小規模企業である個人事業者は、中規模企業である個人事業者より減少数や減少割合が大きく、減少が顕著である。

よって、**ア**が正解である。

第３問

白書p.354、第３－１－65図「企業規模別、業種別に見た、売上高対研究開発費（比率）の推移」からの出題である（注：白書の表題は「企業規模別、業種別に見た、売上高対研究開発費の推移」）。

第3-1-65図　企業規模別、業種別に見た、売上高対研究開発費の推移

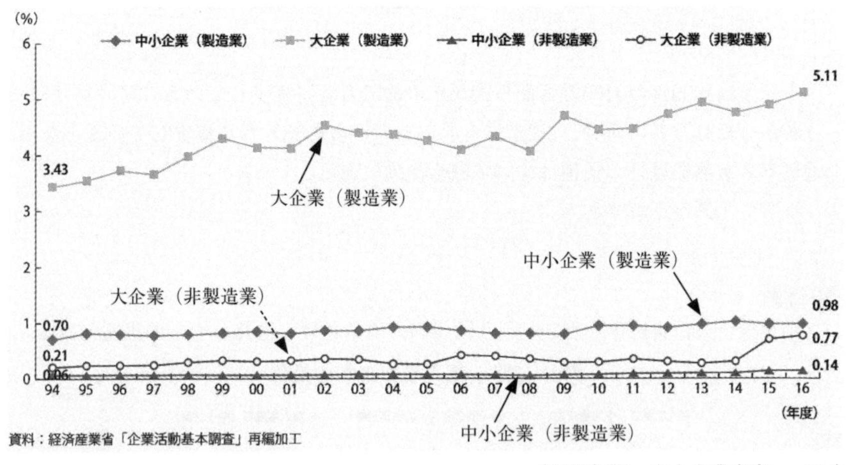

（2019年版　中小企業白書　p.354）

製造業では、大企業が概ね3.4％～5.1％で推移しているのに対し、中小企業は概ね0.7～1.0％で推移している。非製造業では、大企業が概ね0.2％～0.8％で推移しているのに対し、中小企業は概ね0.06～0.14％で推移している。

よって、**ア**が正解である。

第４問

CRD協会のデータから中小企業の財務状況に関する出題である。

設問1 ●●●

白書p.34、第１－３－１図「CRDデータから見た、中小企業の売上高の分布（2016年度）」、第１－３－２図「CRDデータから見た、中小企業の営業利益の分布（2016年度）」、p.35、第１－３－３図「CRDデータから見た、中小企業の総資産の分布（2016年度）」、第１－３－４図「CRDデータから見た、中小企業の純資産の分布（2016年度）」からの出題である。

第1-3-1図　CRDデータから見た、中小企業の売上高の分布（2016年度）

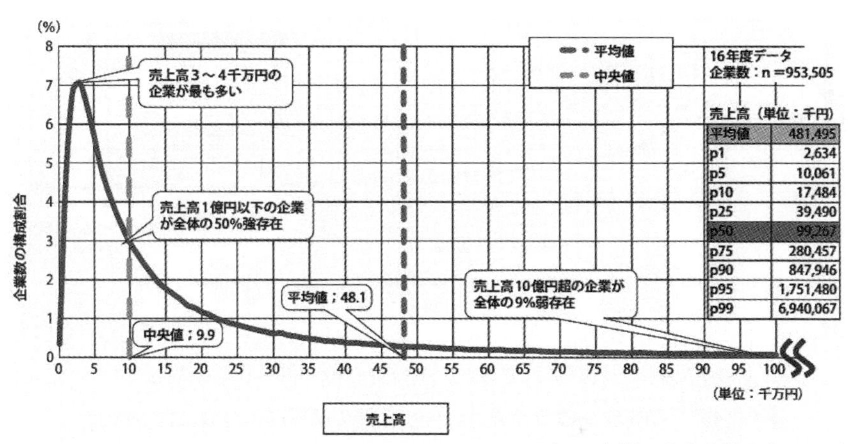

（2019年版　中小企業白書　p.34）

売上高の中央値は99,267千円であり、平均値の481,495千円を下回っている。

第1-3-2図　CRDデータから見た、中小企業の営業利益の分布（2016年度）

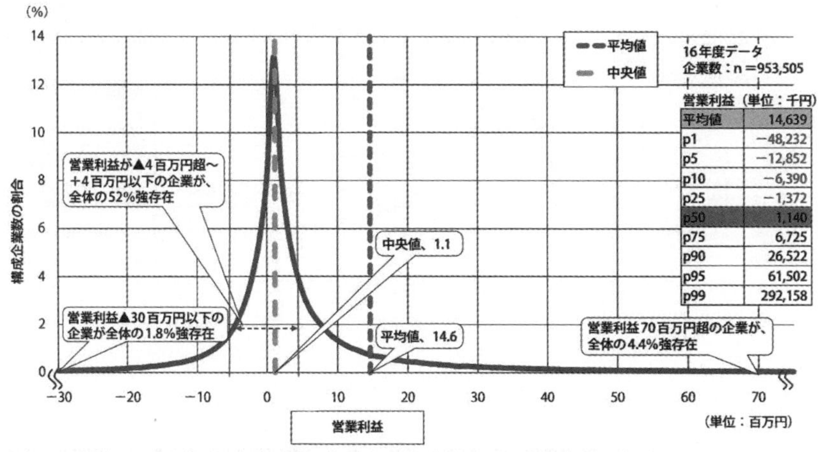

資料：一般社団法人CRD協会「平成30年度財務情報に基づく中小企業の実態調査に係る委託事業」（2019年3月）

（2019年版　中小企業白書　p.34）

営業利益の中央値は1,140千円であり、平均値の14,639千円を下回っている。

第1-3-3図　CRDデータから見た、中小企業の総資産の分布（2016年度）

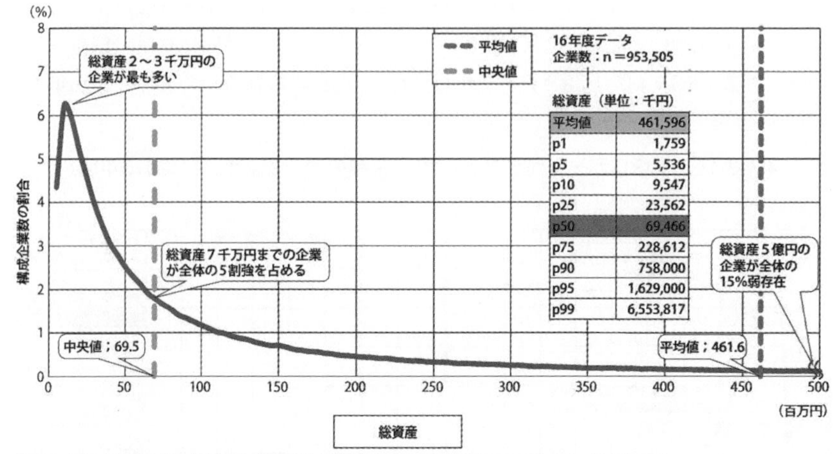

資料：一般社団法人CRD協会「平成30年度財務情報に基づく中小企業の実態調査に係る委託事業」（2019年3月）

（2019年版　中小企業白書　p.35）

総資産の中央値は69,466千円であり、平均値の461,596千円を下回っている。

第1-3-4図　CRDデータから見た、中小企業の純資産の分布（2016年度）

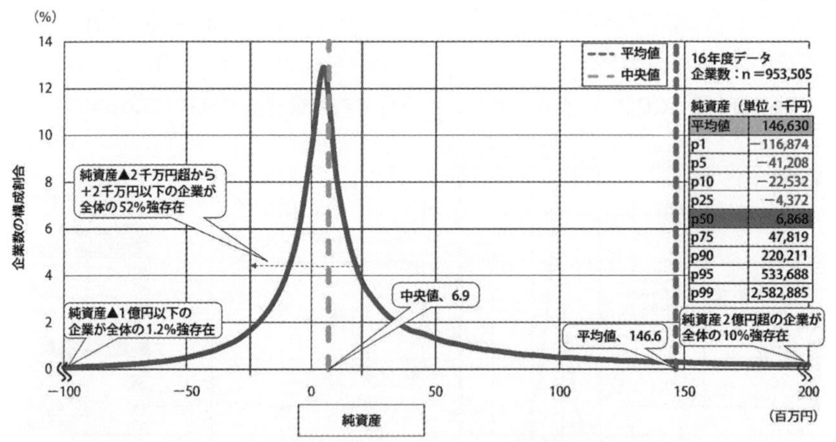

資料：一般社団法人CRD協会「平成30年度財務情報に基づく中小企業の実態調査に係る委託事業」（2019年3月）

（2019年版　中小企業白書　p.35）

純資産の中央値は6,868千円であり、平均値の146,630千円を下回っている。

売上高、営業利益、総資産、純資産の４指標とも、平均値は金額の大きい一部の企業によって引き上げられるため、中央値より大きくなっている。下線部①の「中小企業の中でも大きなばらつきがある。」という記述がヒントになっている。

よって、**イ**が正解である。

＜参考＞

中小企業・小規模事業者に関する統計を見ていく場合、中小企業・小規模事業者は大企業と異なり、指標によっては企業間のばらつきが大きいため、**平均値は中小企業・小規模事業者の標準的な姿を代表していない可能性があることに注意を要する。**

（2019年版　中小企業白書　p. xi）

設問2

白書p.36、第１－３－５図「CRDデータから見た、営業利益の黒字／赤字企業の割合の推移」からの出題である。

第1-3-5図　CRDデータから見た、営業利益の黒字/赤字企業の割合の推移

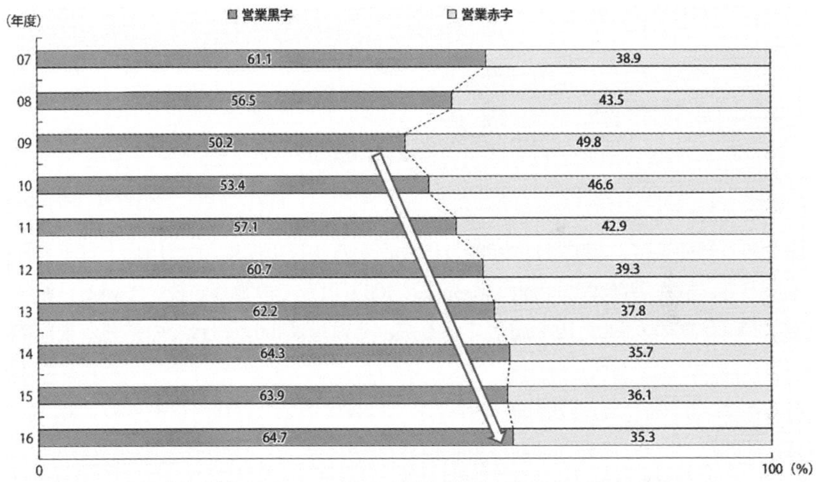

資料：一般社団法人CRD協会「平成30年度財務情報に基づく中小企業の実態調査に係る委託事業」(2019年3月)

（2019年版　中小企業白書　p.36）

2009年度では営業赤字となった企業の割合が49.8%（約50%）であったが、2016年度では35.3%（約35%）まで低下している。

よって、**イ**が正解である。

第5問

白書p.56、第１－４－14図「業種別中小企業の従業員一人当たり付加価値額（労働生産性）の推移」からの出題である。

第1-4-14図　業種別中小企業の従業員一人当たり付加価値額（労働生産性）の推移

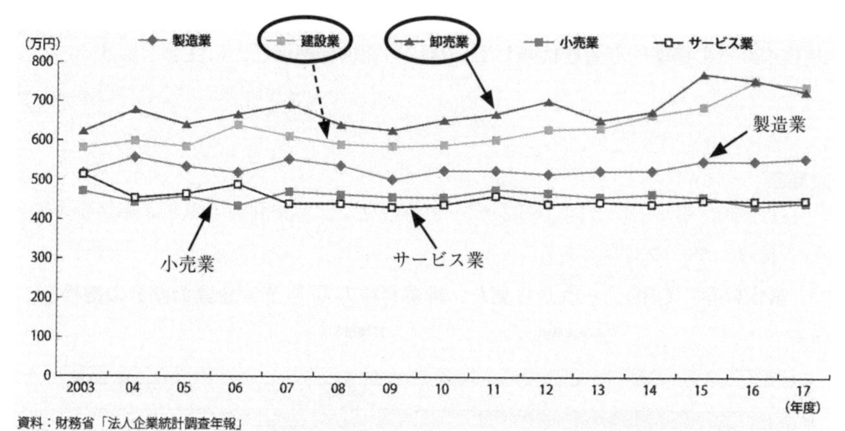

資料：財務省「法人企業統計調査年報」
(注)1. ここでいう中小企業とは、資本金１億円未満の企業とする。
2. 平成18年度調査以前は付加価値額＝営業純益（営業利益－支払利息等）＋役員給与＋従業員給与＋福利厚生費＋支払利息等＋動産・不動産賃借料＋租税公課とし、平成19年度調査以降はこれに役員賞与、及び従業員賞与を加えたものとする。

（2019年版　中小企業白書　p.56）

建設業と卸売業は、2003年度の600万円付近から2017年度は700万円以上に上昇している。一方、製造業は500万円台、小売業は400万円台での推移が続いている。サービス業は2003年度のみ500万円を超えているが、その後は400万円台での推移が続いている。

白書本文（p.56）にも「建設業や卸売業では緩やかな上昇傾向にあるのに対し、製造業、小売業、サービス業では横ばいに推移していることが分かる」と記されている。

よって、**エ**が正解である。

第6問

雇用保険事業年報から開廃業率に関する出題である。

設問1 ●●●

白書p.67、第１－５－１図「開業率・廃業率の推移」からの出題である。

第1-5-1図　開業率・廃業率の推移

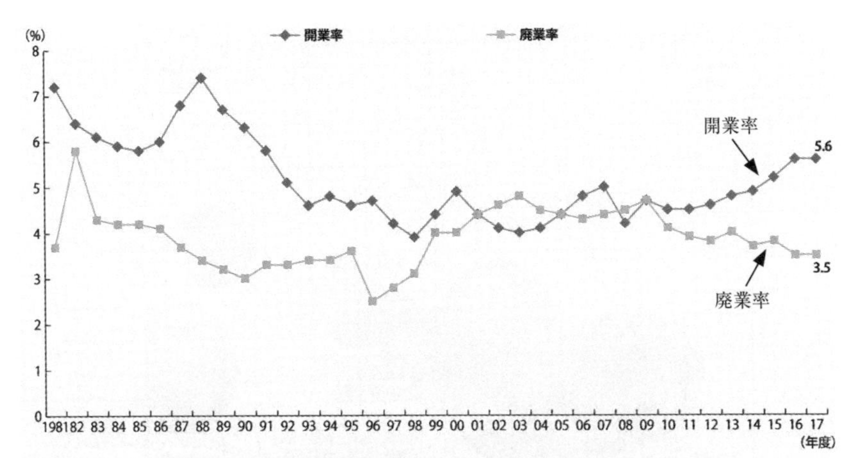

資料：厚生労働省「雇用保険事業年報」
(注) 1. 雇用保険事業年報による開業率は、当該年度に雇用関係が新規に成立した事業所数/前年度末の適用事業所数である。
2. 雇用保険事業年報による廃業率は、当該年度に雇用関係が消滅した事業所数/前年度末の適用事業所数である。
3. 適用事業所とは、雇用保険に係る労働保険の保険関係が成立している事業所数である（雇用保険法第5条）。

（2019年版　中小企業白書　p.67）

開業率は2000年度前後で４％程度であったが、その後は緩やかな「上昇」（空欄Aに該当）傾向で推移している。廃業率は2009年度に4.7%と開業率と同じ値だったが、その後減少傾向であるため2010年度以降、開業率との差は「拡大」（空欄Bに該当）傾向にある。

よって、**ウ**が正解である。

設問2 ● ● ●

白書p.69、第１－５－３図「業種別開廃業率の分布状況（2017年度）」からの出題である。

解答・解説
2年度

第1-5-3図　業種別開廃業率の分布状況（2017年度）

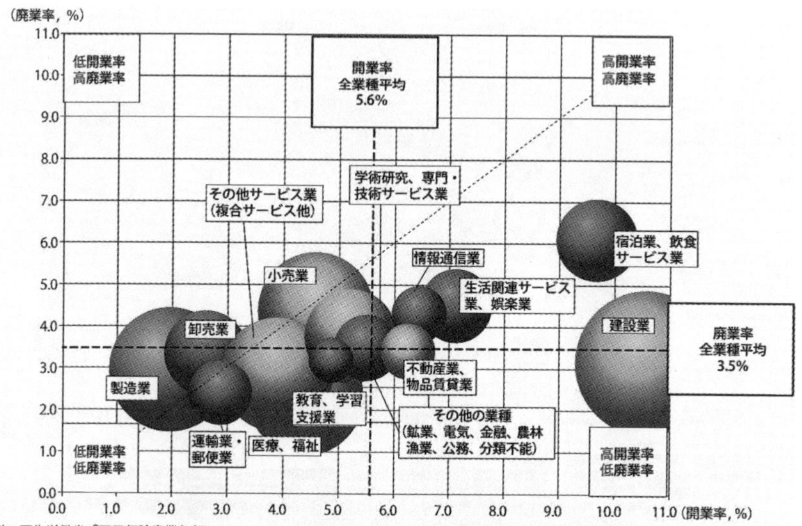

資料：厚生労働省「雇用保険事業年報」
（注）1. 雇用保険事業年報による開業率は、当該年度に雇用関係が新規に成立した事業所数/前年度末の適用事業所数である。
2. 雇用保険事業年報による廃業率は、当該年度に雇用関係が消滅した事業所数/前年度末の適用事業所数である。
3. 適用事業所とは、雇用保険に係る労働保険の保険関係が成立している事業所である（雇用保険法第5条）

（2019年版　中小企業白書　p.69）

図では開業率が横軸で示され右にいくほど高い。開業率が最も高いのは建設業（10.6%）である。製造業の開業率は2.0%、宿泊業・飲食サービス業の開業率は9.7%である。一方、廃業率は縦軸で上にいくほど高く、宿泊業・飲食サービス業（6.2%）が最も高い。製造業の廃業率は3.0%、建設業の廃業率は3.2%である。

よって、**ア**が正解である。

第7問

事業承継に関する出題である。

設問1 ●●●

白書p.75、第2－1－2図「経営の担い手の推移」からの出題である。

第2-1-2図　経営の担い手の推移

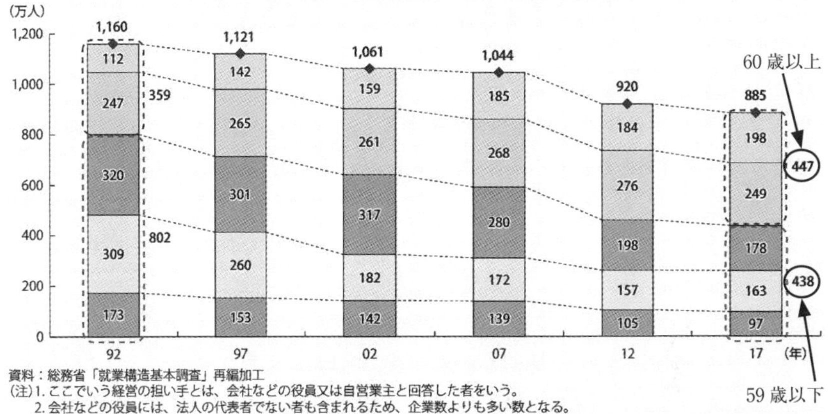

資料：総務省「就業構造基本調査」再編加工
(注)1. ここでいう経営の担い手とは、会社などの役員又は自営業主と回答した者をいう。
2. 会社などの役員には、法人の代表者でない者も含まれるため、企業数よりも多い数となる。
3. 全産業を対象としている。

（2019年版　中小企業白書　p.75）

59歳以下の経営の担い手は1992年の802万人から2017年の438万人へと**減少**している。一方、60歳以上の経営の担い手は359万人から447万人へと**増加**している。

よって、**ウ**が正解である。

設問2

中小企業庁が2016年に策定した「事業承継ガイドライン」からの出題である。事業承継ガイドラインでは事業承継を「親族内承継」「役員・従業員承継」（令和４年３月の改訂版では「従業員承継」）「社外への引継ぎ（M&A等）」の３つの類型に区分し、それぞれのメリットを記している。それぞれのメリットを下表にまとめた。

親族内承継	・**一般的に他の方法と比べて、内外の関係者から心情的に受け入れられやすい** ・長期の準備期間の確保が可能である ・所有と経営の一体的な承継が期待できる
役員・従業員承継	・**経営者としての能力のある人材を見極めて承継することができる** ・社内で長期間働いてきた従業員であれば経営方針等の一貫性を保ちやすい
社外への引継ぎ	・親族や社内に適任者がいない場合でも広く候補者を外部に求めることができる ・現経営者は会社売却の利益を得ることができる

（中小企業庁　事業承継ガイドライン　p.25～26をもとに作成）

ア　×：前半の「親族や社内に適任者がいない場合でも広く候補者を外部に求める

ことができ、」という記述は「社外への引継ぎ」に関する説明として正しい。しかし、「長期の準備期間の確保が可能であり所有と経営の一体的な承継が期待できる。」のは、「役員・従業員承継」ではなく「親族内承継」のメリットに関する説明である。

イ　○：正しい。上表中の太字部分を参照。

ウ　×：「経営方針等の一貫性が保ちやすく、」という記述は、「社内で長期間働いてきた従業員であれば」の条件付きで「役員・従業員承継」のメリットに関する説明である。なお、後半の「親族や社内に適任者がいない場合でも広く候補者を外部に求めることができる。」という記述は「社外への引継ぎ」に関する説明として正しい。

エ　×：「一般的に他の方法と比べて内外の関係者から心情的に受け入れられやすく、」という記述は、「役員・従業員承継」ではなく「親族内承継」のメリットに関する説明である。また、「経営者として能力のある人材を見極めて承継することができる。」という記述は、「社外への引継ぎ」ではなく「役員・従業員承継」のメリットに関する説明である。

よって、**イ**が正解である。

第8問

白書p.286、第3-1-14図「従業員規模別に見た、ECの利用状況（2017年）」、p.287、第3-1-15図「従業員規模別に見た、EC実施企業の利用目的（2017年）」からの出題である。

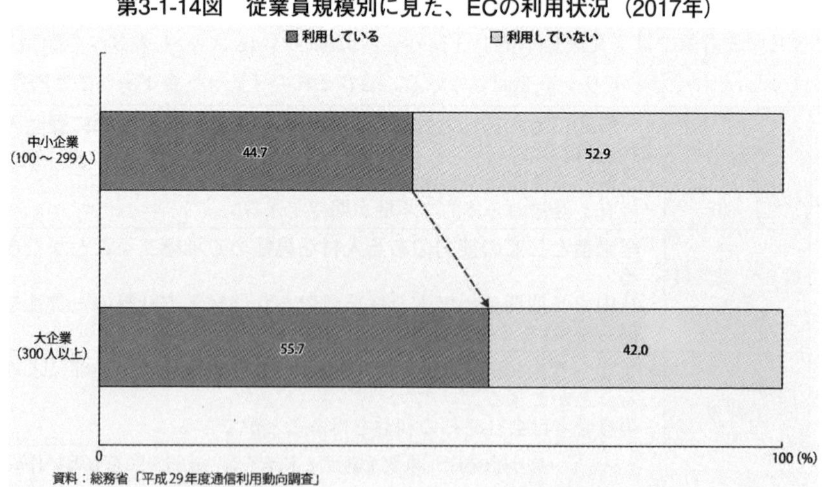

（2019年版　中小企業白書　p.286）

第3-1-15図　従業員規模別に見た、EC実施企業の利用目的（2017年）

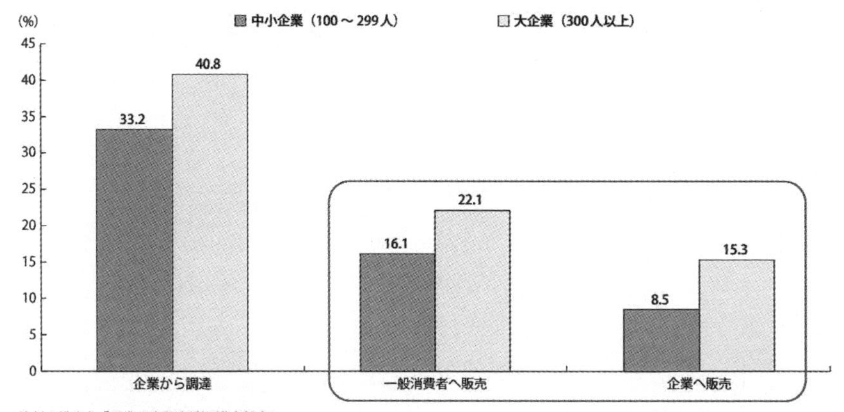

資料：総務省「平成29年通信利用動向調査」
(注) 1. 複数回答のため、合計は必ずしも100%とならない。
2.「ECを利用している」と回答した者に対する質問。

（2019年版　中小企業白書　p.287）

まず、第３-１-14図によると、ECを利用している中小企業は44.7%（約４割）、大企業は55.7%（約６割）であるから、選択肢**エ**（中小企業約３割、大企業約５割）・**オ**（中小企業約６割、大企業約８割）は誤りとなる。次に第３-１-15図によると、ECの利用目的の回答は**中小企業・大企業とも多い順に「企業から調達」＞「一般消費者へ販売」＞「企業へ販売」となる**から、選択肢**ア**（「一般消費者への販売＞「企業から調達」)・**ウ**（「企業へ販売」＞「企業から調達」）は誤りとなる。

よって、**イ**が正解である。

第９問

経営者保証に関する出題である。

設問１ ●●●

白書p.150、コラム第２-１-６①図「新規融資に占める経営者保証に依存しない融資割合の推移」からの出題である。

コラム第2-1-6①図　新規融資に占める経営者保証に依存しない融資割合の推移

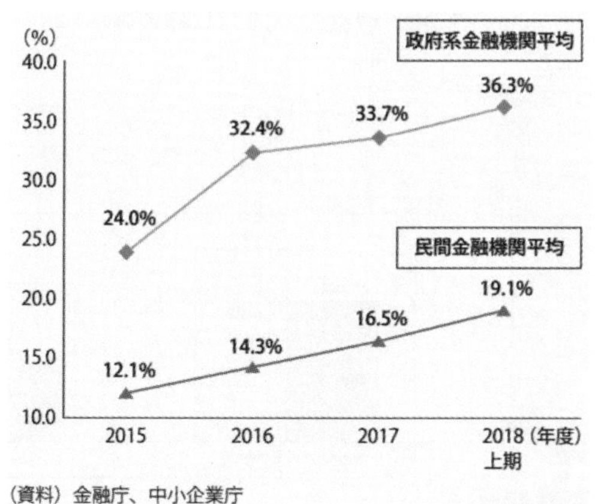

(2019年版　中小企業白書　p.150)

2018年度上期における新規融資に占める経営者保証に依存しない融資割合は、政府系金融機関平均が36.3%（約４割）と、民間金融機関平均の19.1%（約２割）を上回っている。

よって、**ウ**が正解である。

設問2

白書p.150、コラム第２-１-６②図「事業承継時の保証徴求割合の推移」からの出題である。

コラム第2-1-6②図　事業承継時の保証徴求割合の推移

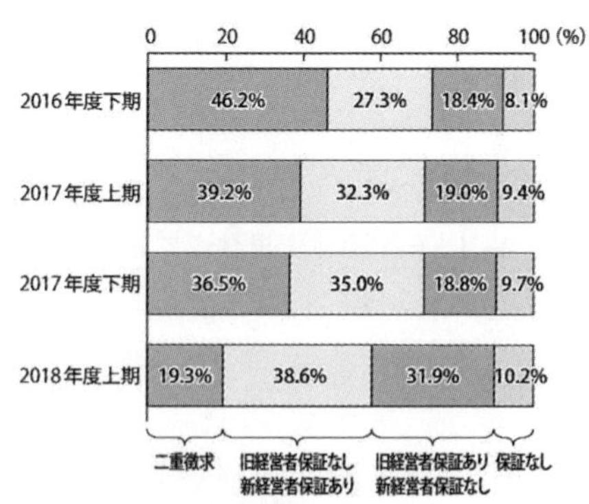

(2019年版　中小企業白書　p.150)

旧経営者の保証を残しつつ新経営者（後継者）からも保証を徴求する、いわゆる「二重徴求」の割合は、2018年度上期において19.3％と、約「２」（空欄Aに該当）割まで減少している。「旧経営者保証なし、新経営者保証あり」は38.6％であり、新経営者が保証するケースは「二重徴求」と合わせると57.9％と、約「６」（空欄Bに該当）割に上っている。

よって、**イ**が正解である。

第10問

就業構造基本調査から新たな経営の担い手に関する出題である。

設問1

白書p.164、第２－２－２図「新たな経営の担い手の推移」、p.165、第２－２－３図「新たな経営の担い手が参入する業種」からの出題である。

第2-2-2図　新たな経営の担い手の推移

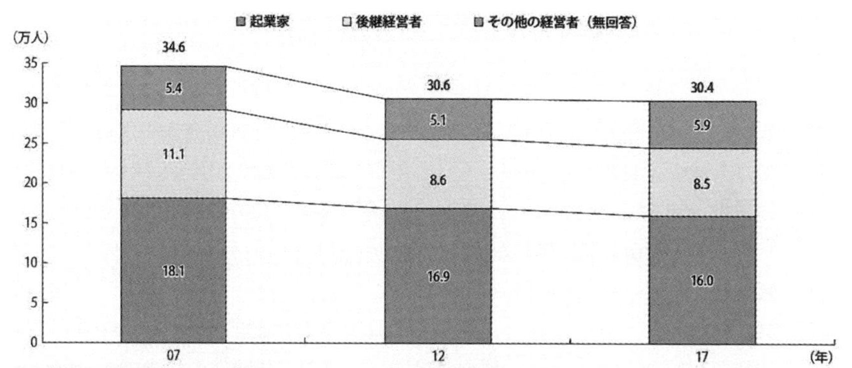

資料：総務省「就業構造基本調査」再編加工
(注) 1. ここでいう「新たな経営の担い手」とは、過去1年間に職を変えた又は新たに職についた者のうち、現在は「会社等の役員」又は「自営業主」と回答した者をいう。代表権のない役員も含まれることには留意が必要である。
2. ここでいう「起業家」とは、過去1年間に職を変えた又は新たに職についた者のうち、現在は「会社等の役員」又は「自営業主」と回答し、かつ「自分で事業を起こした」と回答した者をいう。なお、副業としての起業家は含まれていない。
3. ここでいう「後継経営者」とは、過去1年間に職を変えた又は新たに職についた者のうち、現在は「会社等の役員」又は「自営業主」と回答し、かつ「自分で事業を起こしていない」と回答した者をいう。
4. ここでいう「その他の経営者（無回答）」とは、過去1年間に職を変えた又は新たに職についた者のうち、現在は「会社等の役員」又は「自営業主」と回答し、自分で事業を起こしたかについて無回答だった者をいう。

（2019年版　中小企業白書　p.164）

第2-2-3図　新たな経営の担い手が参入する業種

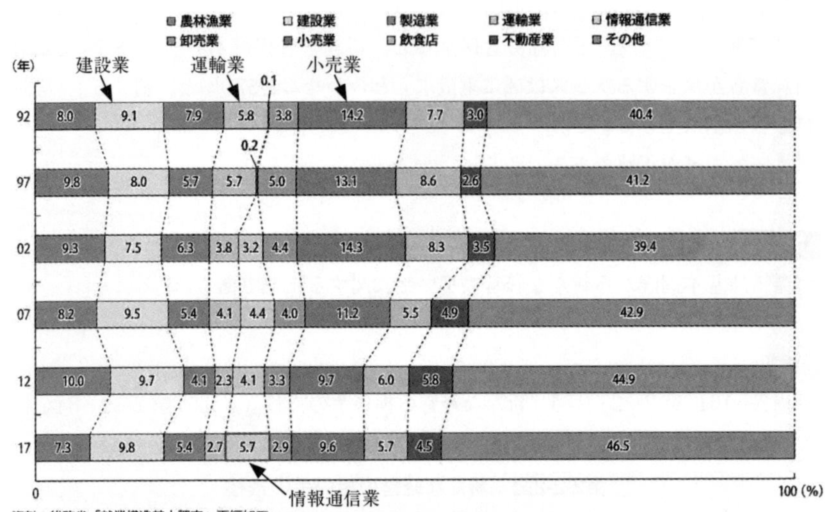

資料：総務省「就業構造基本調査」再編加工
(注) ここでいう「新たな経営の担い手」とは、過去1年間に職を変えた又は新たに職についた者のうち、現在は「会社等の役員」又は「自営業主」と回答した者をいう。代表権のない役員も含まれることには留意が必要である。

（2019年版　中小企業白書　p.165）

ア　×：第２－２－２図によると、新たな経営の担い手は、2007年から2012年にかけて４万人減少（34.6万人→30.6万人）したが、2012年から2017年にかけては0.2万人の減少（30.6万人→30.4万人）であり、減少数は、2007年から2012年にかけてよりも、2012年から2017年にかけての方が**小さい**。

イ　×：選択肢**ア**の解説を参照。

ウ　×：第２－２－３図によると、運輸業の構成割合は2007年4.1％→2012年2.3％→2017年2.7％と推移し、上昇傾向ではない。また、建設業の構成割合は2007年9.5％→2012年9.7％→2017年9.8％と推移し、減少傾向ではない。

エ　○：正しい。第２－２－３図によると、小売業の構成割合は2007年11.2％→2012年9.7％→2017年9.6％と推移し、**減少傾向**である。また、建設業の構成割合は2007年9.5％→2012年9.7％→2017年9.8％と**横ばい傾向**である。

オ　×：第２－２－３図によると、情報通信業の構成割合は2007年4.4％→2012年4.1％→2017年5.7％と推移し、減少傾向ではない。また、小売業の構成割合は選択肢**エ**の解説のとおり、減少傾向である。

よって、**エ**が正解である。

設問2 ● ● ●

白書p.167、第２－２－６図「男女別に見た、起業家の推移」からの出題である。

第2-2-6図　男女別に見た、起業家の推移

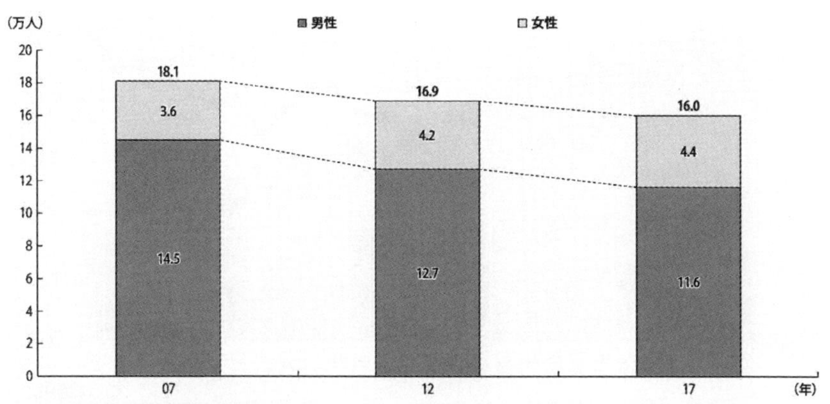

資料：総務省「就業構造基本調査」再編加工
(注) ここでいう「起業家」とは、過去1年間に職を変えた又は新たに職についた者のうち、現在は「会社等の役員」又は「自営業主」と回答し、かつ「自分で事業を起こした」と回答した者をいう。なお、副業としての起業家は含まれていない。

(2019年版　中小企業白書　p.167)

2007年、2012年、2017年の期間で、男性の起業家は14.5万人→12.7万人→11.6万人と**減少**している。他方、女性の起業家は3.6万人→4.2万人→4.4万人と**増加**している。

よって、**エ**が正解である。

第11問

2019年版ものづくり白書p.８、図111－４「平成以降の製造事業所数と１事業所当たり付加価値額の推移」からの出題である。

図111-4　平成以降の製造事業所数と１事業所当たり付加価値額の推移

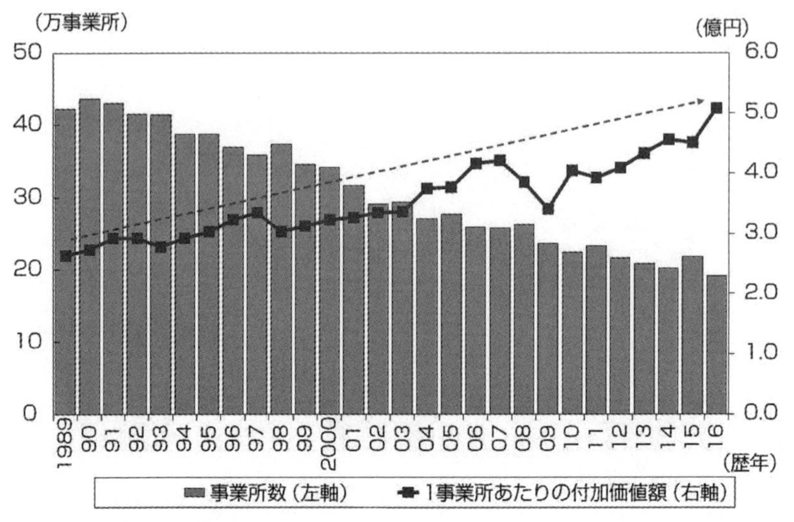

資料：経済産業省「工業統計」

（2019年版　ものづくり白書　p.８）

製造事業所数は1989年の42.2万から2016年には19.1万へと**減少傾向**である。他方、１事業所当たり付加価値額は1989年では３億円に満たなかったが、2016年には５億円を超えており**増加傾向**にある。

よって、**イ**が正解である。

第12問

海外展開に関する出題である。

設問１

白書p.316、第３-１-31図「企業規模別に見た、直接輸出企業割合の推移」、第３-１-32図「中小企業の業種別輸出額及び売上高輸出比率の推移」からの出題である。

第3-1-31図　企業規模別に見た、直接輸出企業割合の推移

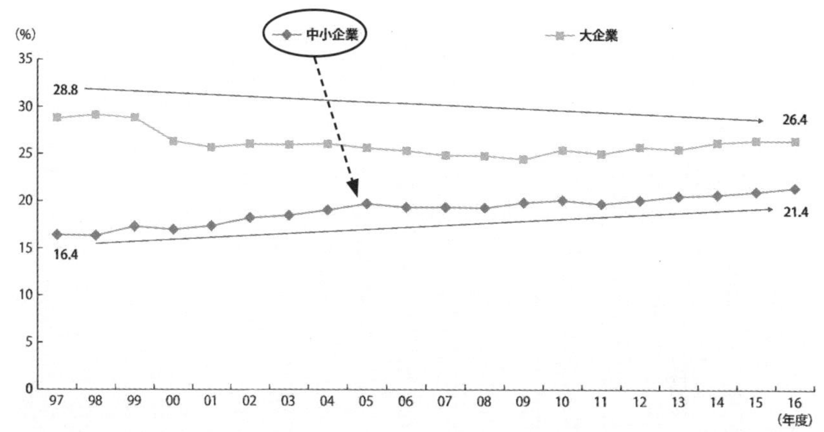

資料：経済産業省「企業活動基本調査」再編加工

（2019年版　中小企業白書　p.316）

第3-1-32図　中小企業の業種別輸出額及び売上高輸出比率の推移

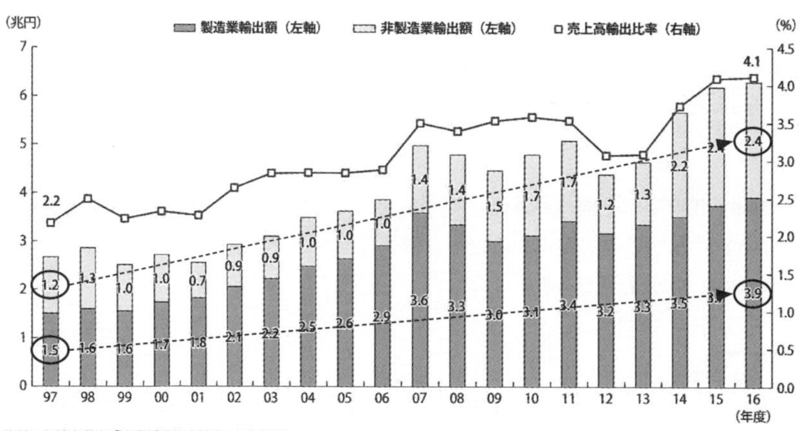

資料：経済産業省「企業活動基本調査」再編加工
（注）売上高輸出比率は、中小企業の売上高に占める中小企業の輸出額（製造業・非製造業の合算）を算出したもの。

（2019年版　中小企業白書　p.316）

第３－１－31図によると、中小企業の直接輸出企業割合は1997年度の16.4％から2016年度の21.4％へと「増加」（空欄Ａに該当）傾向にある。

第３－１－32図によると、中小企業の輸出額について、製造業は1997年度の1.5兆円から2016年度の3.9兆円へと「増加」（空欄Ｂに該当）傾向にあり、非製造業も1997年度の1.2兆円から2016年度の2.4兆円へと「増加」（空欄Ｃに該当）傾向にある。

よって、**オ**が正解である。

設問2 ●●●

白書p.317、第３－１－34図「設立年別に見た、中小企業の海外子会社の国・地域構成の推移」からの出題である。

第3-1-34図　設立年別に見た、中小企業の海外子会社の国・地域構成の推移

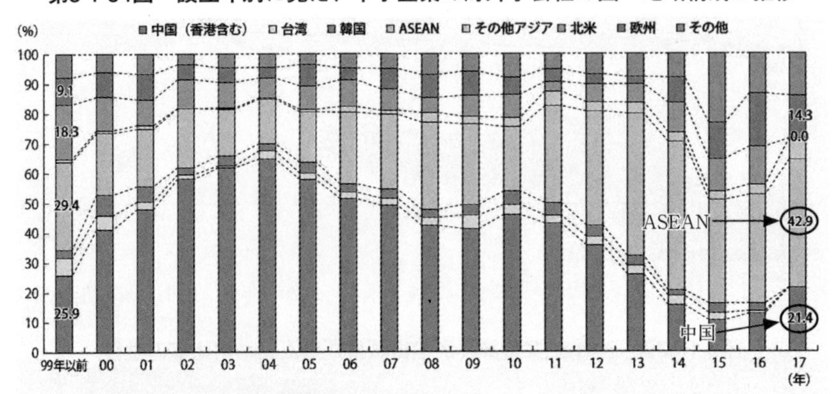

資料：経済産業省「海外事業活動基本調査」再編加工
(注) 1. 各年に設立された海外子会社の国・地域の構成の推移。
2. 設立年が不明な海外子会社は集計の対象外としている。
3.「海外子会社」とは、子会社と孫会社を総称したものいう。「子会社」とは、日本側出資比率の合計が10%以上の外国法人をいう。また、孫会社とは、日本側出資比率の合計が50%超の子会社が50%超の出資を行っている外国法人、及び日本側親会社の出資と日本側出資比率の合計が50%超の子会社出資合計が50%超の外国法人をいう。
4. 集計の対象とした海外子会社は「操業中および開業準備中・開業後初決算前」の状況の企業を集計した。

（2019年版　中小企業白書　p.317）

2000年代前半は中国への進出が約50%を占めていた。その後ASEANへの進出が増加し、中国への進出が占める割合は減少傾向にある。

よって、**ウ**が正解である。

第13問

白書p.357、第３－１－69図「我が国の特許出願件数と中小企業の特許出願件数の推移」からの出題である。

第3-1-69図　我が国の特許出願件数と中小企業の特許出願件数の推移

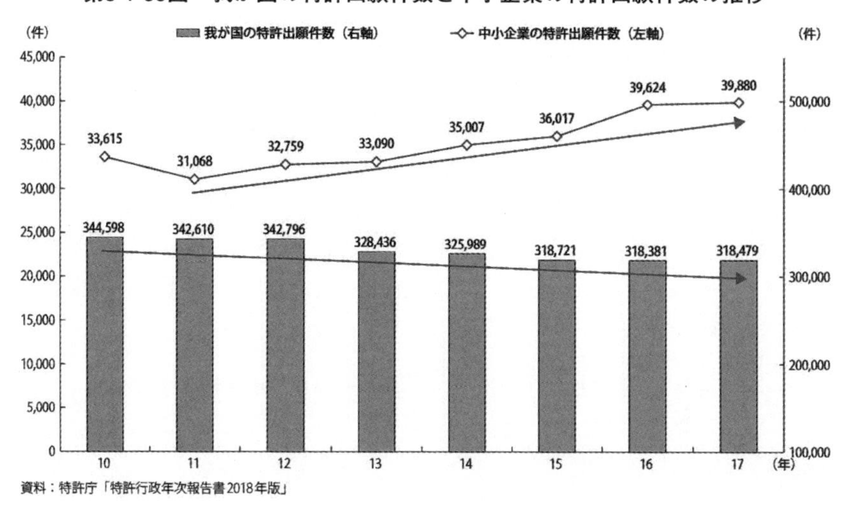

資料：特許庁「特許行政年次報告書2018年版」

（2019年版　中小企業白書　p.357）

2010年から2017年の期間について、特許出願総件数は344,598件から318,479件へと**減少基調**にある。しかし、中小企業の特許出願件数は33,615件から39,880件へと**増加基調**にある。

よって、**ウ**が正解である。

【中小企業政策】

第14問

中小企業基本法についての出題である。（設問１）（設問２）（設問３）ともに確実に正解したい。

設問1

中小企業基本法の小規模企業者の定義（範囲）についての出題である。本問は基本事項が問われており、必ず正解しなければならない問題である。

下記に、小規模企業者の定義を掲載する。

業種分類	定義（基準）
製造業その他	従業員数 20 人以下
商業（卸売業、小売業、飲食店）・サービス業	従業員数５人以下

a　〇：正しい。「パン製造業」は、小規模企業者の定義では「製造業その他」で判定する。小規模企業者の定義では、従業員基準を満たしており、小規模企業者に該当する。なお、小規模企業者の判定においては、資本金は一切考慮しなくてよいことに注意すること（以下同じ）。

b　×：「広告代理業」は、小規模企業者の定義では「商業・サービス業」で判定する。小規模企業者の定義では、従業員基準を満たしていないので、小規模企業者に該当しない。

c　×：「野菜卸売業」は、小規模企業者の定義では「商業・サービス業」で判定する。小規模企業者の定義では、従業員基準を満たしていないので、小規模企業者に該当しない。

よって、**a**＝「正」、**b**＝「誤」、**c**＝「誤」となり、**イ**が正解である。

設問2

中小企業基本法の基本理念についての出題である。平成25年９月20日に施行された中小企業基本法等の改正法（通称：小規模企業活性化法）により追加された、中小企業基本法第３条２項の条文が問われている。

中小企業基本法第３条２項では小規模企業の位置づけを規定しており、この法改正の流れで「小規模基本法」が新たに制定（平成26年６月27日施行）されたことは理解しておきたい。

中小企業基本法第３条２項については、条文に接する機会が少ないと思われるので、あえて本問に関係している部分について、法律の条文を下記に示すことにする。

＜中小企業基本法第３条２項（基本理念）＞

中小企業の多様で活力ある成長発展に当たっては、小規模企業が、地域の特色を生かした事業活動を行い、就業の機会を提供するなどして地域における経済の安定並びに**地域住民の生活の向上及び交流の促進**に寄与するとともに、創造的な事業活動を行い、新たな産業を創出するなどして将来における我が国の経済及び社会の発展に寄与するという重要な意義を有するものであることに鑑み、独立した小規模企業者の自主的な努力が助長されることを旨としてこれらの事業活動に資する事業環境が整備されることにより、小規模企業の活力が最大限に発揮されなければならない。

よって、空欄には「地域住民の生活の向上及び交流の促進」が入り、**ウ**が正解である。

設問3 ●●●

中小企業基本法第８条の「小規模企業に対する中小企業施策の方針」についての出題である。

従来、中小企業基本法第８条は「小規模企業への配慮」となっていたが、平成25年９月20日に施行された中小企業基本法等の改正法（通称：小規模企業活性化法）により、「小規模企業に対する中小企業施策の方針」に改められ、内容も刷新された。

中小企業基本法第８条については、条文に接する機会が少ないと思われるので、あえて本問に関係している部分について、法律の条文を下記に示すことにする。

＜中小企業基本法第８条（小規模企業に対する中小企業施策の方針）＞

国は、次に掲げる方針に従い、小規模企業者に対して中小企業に関する施策を講ずるものとする。

一　小規模企業が地域における経済の安定並びに地域住民の生活の向上及び交流の促進に寄与するという重要な意義を有することを踏まえ、適切かつ十分な経営資源の確保を通じて地域における小規模企業の持続的な事業活動を可能とするとともに、**地域の多様な主体との連携の推進によって地域における多様な需要に応じた事業活動の活性化を図ること。**

二　小規模企業が将来における我が国の経済及び社会の発展に寄与するという重要な意義を有することを踏まえ、小規模企業がその成長発展を図るに当たり、その状況に応じ、**着実な成長発展を実現するための適切な支援を受けられるよう必要な環境の整備を図ること。**

三　経営資源の確保が特に困難であることが多い小規模企業者の事情を踏まえ、小規模企業の**経営の発達及び改善に努めるとともに、金融、税制、情報の提供その他の事項について、**小規模企業の経営の状況に応じ、**必要な考慮を払うこと。**

ア　○：正しい。中小企業基本法第８条３号に該当する。

イ　×：「生産性の格差の是正」は、平成11年（1999年）に改正される前の中小企業基本法（旧法）の政策目標に掲げられていた。また、「自己資本の充実」は、平成11年（1999年）に改正された中小企業基本法の基本方針（現行法においても同じ）の１つである。

ウ　○：正しい。中小企業基本法第８条１号に該当する。

エ　○：正しい。中小企業基本法第８条２号に該当する。

よって、**イ**が正解である。

第15問

令和元年7月16日に施行された中小企業等経営強化法の改正についての出題である。

設問1 ●●●

国は、中小企業の自然災害に対する事前対策（防災・減災対策）を促進するため、「中小企業の事業活動の継続に資するための中小企業等経営強化法等の一部を改正する法律（この改正法を総称して、**「中小企業強靱化法」**という）」を令和元年7月16日に施行した。この改正により、防災・減災に取り組む中小企業を支援するための「事業継続力強化計画」制度が創設された。

ア ×：産業競争力強化法は中小企業再生支援協議会(現：中小企業活性化協議会)の根拠法ともなっている法律であり、「一部を改正する法律」の通称ではない。

イ ○：正しい。上記解説の太字部分に該当する。

ウ ×：中小企業経営安定対策法という法律は存在しない。

エ ×：中小ものづくり高度化法は、正式名称を「中小企業のものづくり基盤技術の高度化に関する法律」といい、「一部を改正する法律」の通称ではない。なお、中小ものづくり高度化法は、令和2年10月1日に施行された「中小企業の事業承継の促進のための中小企業における経営の承継の円滑化に関する法律等の一部を改正する法律」（この改正法を総称して、「中小企業成長促進法」という）により廃止され、中小ものづくり高度化法の特定研究開発等計画の内容は、中小企業等経営強化法の経営革新計画に統合された。

よって、**イ**が正解である。

設問2 ●●●

（設問1）の解説のとおり、令和元年7月16日に施行された「中小企業の事業活動の継続に資するための中小企業等経営強化法等の一部を改正する法律（この改正法を総称して、「中小企業強靱化法」という）」により中小企業等経営強化法が改正され、防災・減災に取り組む中小企業を支援するための**「事業継続力強化計画」**制度が創設された。

よって、空欄には「事業継続力強化計画」が入り、**ウ**が正解である。

設問3 ●●●

「事業継続力強化計画」制度の具体的な支援内容についての出題である。国から「事業継続力強化計画」の認定を受けた中小企業者は、政府系金融機関による低利融資等の金融支援、防災・減災に係る設備投資を行った際の税制優遇（中小企業防災・減災投資促進税制）、補助金の加点、認定ロゴマークの付与等の支援策が受けられる。なお、計画の認定を受けても各種支援策が受けられるわけではなく、計画とは別に、各種支援策の実施機関の個別の審査を受ける必要がある。

ア ○：正しい。信用保証枠の拡大の金融支援がある。

イ ×：このような支援措置はない。問題文に「中小企業者の**防災・減災**に向けた取り組み」と記述されており、相続税と直接関係ないことはわかるだろう。

ウ ○：正しい。日本政策金融公庫による低利融資がある。

エ ○：正しい。一定の補助金について優先採択（審査上の加点）を受けられる。

よって、**イ**が正解である。

第16問

下請代金支払遅延等防止法についての出題である。頻出論点であり、（設問１）（設問２）ともに確実に正解したい。

設問1

親事業者の義務と禁止行為についての出題である。

親事業者の義務として、下記の４つについて必ず押さえていただきたい。

1） 発注書面の交付義務
2） 下請取引の内容を記録した書類の作成、保存義務
3） 下請代金の支払期日を定める義務
4） 遅延利息の支払義務

ア ○：正しい。委託後、直ちに、給付の内容、下請代金の額、支払期日および支払方法等の事項を記載した**書面を交付**する義務が親事業者に課される。

イ ×：下請代金の支払期日について、給付を受領した日（役務の提供を受けた日）から**60日以内**で、かつ出来る限り短い期間内に定める義務が親事業者にある。

ウ ×：下請事業者の利益を不当に害する行為を親事業者が行うことは禁止されており、禁止行為として不当なやり直しや下請代金の減額など**11項目**が課せられている。なお、「発注書面の修正」は禁止行為ではない。

エ ×：支払期日までに支払わなかった場合は、給付を受領した日（役務の提供を受けた日）の60日後から、支払を行った日までの日数に、**年率14.6%**を乗じた金額を「**遅延利息**」として支払う義務が親事業者にある。遅延利息を支払うことによって、支払代金の支払期日の延長が認められることはない。

よって、**ア**が正解である。

設問2

下請代金支払遅延等防止法の適用範囲についての出題である。

まず、解答の手順として最初に、⑴「物品の製造・修理委託および政令で定める情報成果物作成・役務提供委託」か、⑵「⑴以外の情報成果物作成・役務提供委託」かを見極めなければならない。本設問では物品の製造委託か修理委託となっているので、⑴に該当することがわかる。⑴に該当する場合、下記の図表の範囲に委託者（親事業者）と受託者（下請事業者）が含まれるかを判断する。

⑴　物品の製造・修理委託および政令で定める情報成果物作成・役務提供委託の場合の対象者

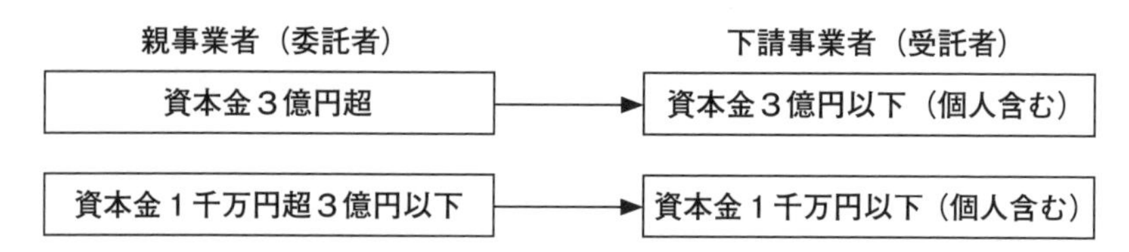

ア　×：委託者の資本金が１千万円以下であるので、親事業者の範囲に含まれない。したがって、同法の適用はない。

イ　×：委託者の資本金が１千万円以下であるので、親事業者の範囲に含まれない。したがって、同法の適用はない。

ウ　○：正しい。委託者の資本金が１千万円超３億円以下（３千万円）であり、受託者の資本金が１千万円以下（１千万円）である。したがって、法の定める適用範囲に含まれ、同法が適用される。

エ　×：委託者の資本金が１千万円超３億円以下（８千万円）であり、受託者の資本金は１千万円超（２千万円）である。したがって、同法の適用はない。

よって、**ウ**が正解である。

第17問

「中小企業における経営の承継の円滑化に関する法律（経営承継円滑化法）」に関する出題である。細かい知識が問われている部分もあり、解答が困難だったと思われる。

ア　○：正しい。相続による自社株式等の散逸を防止したい非上場中小企業の後継者について、民法の遺留分の特例（除外合意、固定合意等）が講じられている。

イ　×：事業承継・引継ぎ補助金に関する記述である。同補助金は、事業再編、事業統合を含む経営者の交代を契機として経営革新等を行う事業者に対して、その取組に要する経費の一部を補助する支援措置である。補助率は２分の１～３分の２である。

ウ　○：正しい。「事業承継に伴う多額の資金ニーズ」とは、自社株式や事業用資産の買取資金、相続税の納税資金などである。その際は、都道府県知事の認定を受けることを前提として、信用保険の別枠化による信用保証枠の実質的な拡大の制度を利用することができる。

エ　○：正しい。なお、「猶予」だけでなく「免除」も記述されているため迷ったかもしれないが、相続・遺贈・贈与によって非上場会社の株式等を先代経営者から取得した後継者が死亡した場合などには、猶予税額が免除される。

よって、**イ**が正解である。

第18問

「商店街振興組合」についての出題である。商店街振興組合は、商店街振興組合法に基づく組合であり、仕入、保管、運送、宣伝などの共同経済事業やアーケード、駐車場設置などの環境整備事業を行っている。

設問1 ●●●

商店街振興組合の設立要件についての出題である。

ア　×：商店街振興組合は**地区の重複が禁止**されており、１地区１組合しか設立できない。

イ　×：組合員としての資格を有する者の**３分の２以上**が組合員とならなければ設立できない。

ウ　×：商店街振興組合の発起人数は７人以上である。試験対策上、商店街振興組合以外の中小企業組合は、発起人数が４人以上であり、例外として、**商店街振興組合の発起人数は７人以上**と覚えておけばよい。

エ　○：正しい。総組合員の**２分の１以上**が**小売商業またはサービス業**に属する事業を営む者でなければ設立できない。

よって、**エ**が正解である。

設問2 ●●●

商店街振興組合についての出題である。基本事項であり、確実に正解しなければならない。

ア　×：現行の中小企業組合制度においては、**事業協同組合、協業組合、企業組合しか株式会社への組織変更は認められていない。**

イ　×：中小企業組合の議決権は平等（１人１票）である。なお、協業組合は平等（１人１票）のほか、定款で定めた場合は出資比例の議決権が認められる。

ウ　〇：正しい。商店街振興組合は、必ず「商店街振興組合」の文字を名称に用いなければならない（商店街振興組合法第５条１項）。

エ　×：商店街振興組合の根拠法は**商店街振興組合法**である。

よって、**ウ**が正解である。

第19問

小規模企業共済制度は、小規模企業の経営者が廃業や退職に備え、生活の安定や事業の再建を図るための資金をあらかじめ準備しておくための共済制度で、いわば「経営者の退職金制度」である。

設問1 ●●●

小規模企業共済制度の対象者を正確に押さえていないと正解は難しかったであろう。

ア　〇：正しい。組合に関しては、事業に従事する組合員の数が20人以下の**企業組合**の役員、常時使用する従業員の数が20人以下の**協業組合**の役員、常時使用する従業員の数が20人以下であって農業の経営を主として行っている農事組合法人の役員は加入対象となる。

イ　×：事業協同組合の役員は加入対象とならない。

ウ　〇：正しい。個人事業主が営む事業の経営に携わる個人（**共同経営者**）も加入対象となる。

エ　〇：正しい。「建設業、製造業、運輸業、サービス業（宿泊業･娯楽業に限る）、不動産業、農業などを営む場合は、常時使用する従業員の数が20人以下の個人事業主・会社の役員」または「商業（卸売業・小売業）、サービス業（宿泊業・娯楽業を除く）を営む場合は、常時使用する従業員の数が５人以下の個人事業主・会社の役員」の場合に加入対象となる。

よって、**イ**が正解である。

設問2 ●●●

中小企業退職金共済制度や中小企業倒産防止共済制度（経営セーフティ共済）と引っ掛からないように注意したい。

ア　×：中小企業倒産防止共済制度（経営セーフティ共済）に関連する内容である。

イ　〇：正しい。一括して受け取る共済金は退職所得、分割して受け取る共済金は雑所得として取り扱われる。なお、解約の場合は一時所得として取り扱われる。

ウ　×：納付した掛金は、納付した年の加入者個人の総所得金額から全額**所得控除**できる。「所得控除」とは、課税対象となる所得を減らすことをいい、「税額控除」は算出された税額から一定金額を直接減らすことをいうので、明確に区別しなければならない。なお、小規模企業共済の掛金は、法人の損金や個人事業の必要経費となるわけではないので注意すること。

エ　×：掛金月額は、1,000円～70,000円（500円きざみ）で、加入者が任意に選択できる。

よって、**イ**が正解である。

第20問

中小企業税制のうち、法人税の軽減税率についての出題である。基本事項が問われており、（設問１）（設問２）ともに確実に正解したい。

現行の法人税率については、下記のとおりである。資本金（または出資金）の額が１億円以下の法人等の法人税率は、年所得800万円以下の部分については本来19％であるが、時限措置として15％に引き下げられている。

<法人税率>

対　象	法人税法における税率（本則）		令和７年３月31日までの時限的な軽減税率※
普通法人 （中小法人以外） 資本金１億円超	所得区分なし	23.2%	―
中小法人 資本金１億円以下	年所得800万円超の部分	23.2%	―
	年所得800万円以下の部分	19%	15%
商工会、商工会議所、 中小企業等協同組合、 商店街振興組合など	所得区分なし	19%	15% （年所得800万円以下の部分）

※　２年間の延長要望が出されている。

設問1

法人税率の特例の対象についての出題であるが、実質、中小法人の定義についての出題といってよい。過去頻繁に出題実績がある基本事項であり、確実に正解しなければならない。

中小法人に該当した場合、頻出論点である法人税の軽減税率や交際費等の損金算入の特例の対象となる。中小法人とは、業種や従業員数にかかわらず、**資本金または出資金の額が１億円以下の法人**である。ただし、資本金１億円以下の法人であっても、大法人（資本金または出資金の額が５億円以上の法人）や相互会社等の100％子会社は中小法人とはならない。

よって、**ウ**が正解である。

設問2

中小法人については**年所得800万円以下**の部分について、法人税率は軽減税率が適用されることを押さえていれば、選択肢**ア**か**イ**の２択に絞り込むことができる。

ア　○：正しい。選択肢**イ**の解説を参照のこと。

イ　×：資本金（または出資金）の額が１億円以下の法人等の法人税率は、年所得800万円以下の部分については本来19％であるが、令和７年３月31日までの措置として15％に引き下げられている。

ウ　×：年所得の金額が誤っている。選択肢**イ**の解説を参照。

エ　×：年所得の金額と税率ともに誤っている。選択肢**イ**の解説を参照。

よって、**ア**が正解である。

第21問

中小企業等経営強化法の経営力向上計画についての出題である。基本事項が問われており、確実に正解したい。

ア　○：正しい。原則として、国（主務大臣）が策定した事業分野別指針に沿って、事業者は「経営力向上計画」を作成し、国の認定を受ける。

イ　×：事業者が作成するのは、「経営力向上計画」である。中小企業等経営強化法において「生産性向上計画」という名称の計画はない。

ウ　×：中小企業等経営強化法において「中小サービス事業者の生産性向上のためのガイドライン」（現在は運用されていない）に沿って計画作成を求められることはない。経営力向上計画の場合は、原則として、事業分野別指針に沿って計画作成をする必要がある。

エ　×：選択肢**イ・ウ**の解説参照。

よって、**ア**が正解である。

第22問

中小企業地域資源活用促進法（正式名称は「中小企業による地域産業資源を活用した事業活動の促進に関する法律」）に関する出題である。

なお、中小企業地域資源活用促進法は、令和２年10月１日に施行された「中小企業の事業承継の促進のための中小企業における経営の承継の円滑化に関する法律等の一部を改正する法律」（この改正法を総称して、「中小企業成長促進法」という）により廃止された。しかし、本試験当日においてはまだ中小企業成長促進法が施行されていなかったため、中小企業地域資源活用促進法が存続している状態であった。したがって、中小企業地域資源活用促進法が本試験で出題されるのは、今回の試験で最後である。

設問1

中小企業地域資源活用促進法第２条２項に「地域産業資源」について定義されているので紹介する。

<中小企業地域資源活用促進法第２条２項>

この法律において「地域産業資源」とは、次の各号のいずれかに該当するものをいう。

一　自然的経済的社会的条件からみて一体である地域（以下単に「地域」という。）の特産物として相当程度認識されている**農林水産物又は鉱工業品**

二　前号に掲げる**鉱工業品の生産に係る技術**

三　文化財、**自然の風景地**、温泉その他の地域の観光資源として相当程度認識されているもの

ア　×：鉱工業品、鉱工業品の生産に係る技術、自然の風景地のいずれも地域産業資源に含まれる。

イ　×：鉱工業品の生産に係る技術、自然の風景地も地域産業資源に含まれる。

ウ　×：自然の風景地も地域産業資源に含まれる。

エ　○：正しい。上記の同法第２条２項を参照。

よって、**エ**が正解である。

設問2

法のスキームについて問われている。細かな内容が問われているが、「**支援事業**計画」の作成者の代表例が選択肢にあるので、確実に正解したい。

ア　○：正しい。NPO法人（特定非営利活動法人）は、「地域産業資源活用**支援事**業計画」を作成することができる。

イ　×：一般財団法人は、「地域産業資源活用**支援事業**計画」を作成することができる。

ウ　×：一般社団法人は、「地域産業資源活用**支援事業**計画」を作成することができる。

エ　×：同法において企業組合は中小企業者に該当するので、「地域産業資源活用事業計画」を作成することができる。

よって、**ア**が正解である。

設問3 ● ● ●

支援措置の具体的な内容が問われている。

ア ×：このような制度はない。なお、事業計画作成から試作品開発、販路開拓まで専門家による一貫した支援を実施する「新事業創出支援事業」が受けられる。

イ ×：税制の特別措置はない。

ウ ○：正しい。地域団体商標の登録手数料等の減免（半減）が講じられる。

エ ×：**日本政策金融公庫**による低利融資制度がある。

よって、**ウ**が正解である。

第23問

「小規模事業者経営発達支援融資制度」についての出題である。

同制度は、主たる事業所の所在する地区の商工会・商工会議所が経営発達支援計画の認定を受けている場合に、一定の要件を満たす小規模事業者に対して、事業の持続的発展のための取組に必要な設備資金およびそれに付随する運転資金について低利で融資する制度である。なお、同制度は令和４年度をもって廃止された。

設問1 ● ● ●

小規模事業者経営発達支援融資制度の支援対象についての出題である。細かい知識が問われているように見えるが、明らかに別施策の内容が入っていることから、確実に正解したかった問題といえる。

ア ×：先端設備等導入計画の内容であり、小規模事業者経営発達支援融資制度とは関係がない。当然、小規模事業者経営発達支援融資制度の活用にあたって、先端設備等導入計画の認定は不要である。

イ ○：正しい。経営者および従業員の知識、技能、管理能力の向上を図る研修に参加するなど人材の確保・育成に努めていることが要件のひとつとなっている。

ウ ○：正しい。経営発達支援計画の認定を受けた商工会・商工会議所から、売上の増加や収益の改善、持続的な経営のための事業計画策定にあたり助言とフォローアップを受けることが要件のひとつとなっている。

エ ○：正しい。地域経済の活性化のために、一定の雇用効果（新たな雇用または雇用の維持）が認められることが要件のひとつとなっている。

よって、**ア**が正解である。

設問2 ● ● ●

小規模事業者経営発達支援融資制度の支援措置についての出題である。支援措置の具体的な内容まで学習できていた受験生は少なく、難問であったといえる。

小規模事業者経営発達支援融資制度は、設備資金及びそれに付随する運転資金を対象資金としており、貸付限度は7,200万円（運転資金は4,800万円）である。

ア　×：設備資金及びそれに付随する運転資金を対象資金としており、貸付限度は7,200万円（運転資金は4,800万円）である。

イ　×：設備資金及びそれに付随する運転資金を対象資金としている。

ウ　×：貸付限度は7,200万円（運転資金は4,800万円）である。

エ　○：正しい。上記解説を参照。

よって、**エ**が正解である。

参考資料 出題傾向分析表

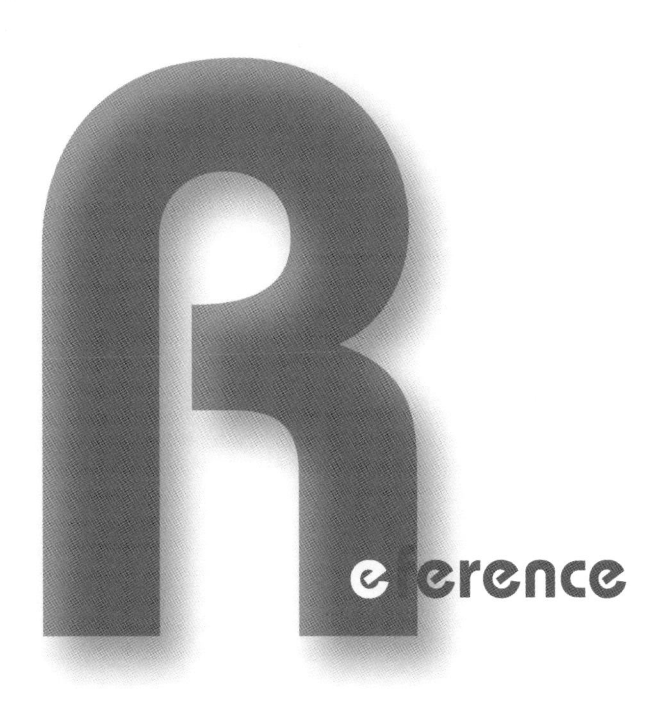

参考資料 出題傾向分析表

〈中小企業経営〉

		R2	R3
第1章	中小企業とは		
	中小企業の位置づけ		金融機関別中小企業向け貸出残高の推移 9 業種別の売上高経常利益率・自己資本比率 18
第2章	中小企業白書第1部	中小企業の売上高・営業利益・総資産・純資産の分布状況、赤字企業割合の推移 4 中小企業の業種別労働生産性の推移 5 開業率と廃業率の推移等、業種別開廃業率の比較 6	資本金規模別と常用雇用者規模別に見た企業数 1 業種別・企業規模別の企業数と従業者数 2 企業規模別・業種別の資本装備率 3 存続企業における企業規模間の移動状況、規模拡大企業・規模縮小企業の内訳 4 業種別の大企業と小規模企業の労働生産性の規模間格差 5 中小企業の設備投資の目的 7 業種別・従業員規模別の中小企業の研究開発の実施企業割合 8 国内のベンチャーキャピタル等による国内向けの投資状況 10 中小Ｍ＆Ａガイドライン 17

※出題領域の区分は、弊社「2025年度版　最速合格のためのスピードテキスト」に準拠したものです。
※表中の項目名とともに付されている白抜き数字は、本試験における問題番号となります。

R4	R5	R6
企業規模別の従業者数と付加価値額 1	業種別の小規模企業の売上高 1 産業別企業規模別企業数 2 業種別の売上高経常利益率と自己資本比率 3	従業者数全体に占める中小企業の従業者総数の割合、規模別の従業者総数 1 全企業数に占める小規模企業の企業数の割合・小規模企業数全体に占める個人事業者数の割合、業種別の小規模企業の付加価値額 2 業種別の売上高経常利益率と自己資本比率 3 業種別の中小企業の企業数14
製造業、卸売業、小売業における企業数割合 2 製造業・非製造業別の中小企業の労働生産性の推移 4 業種別の大企業と中小企業の労働生産性の格差（倍率） 5 開業率と廃業率の推移 6 中小企業の直接投資企業割合・直接輸出企業割合の推移等 8 企業規模別のソフトウェア投資比率の推移10	業種別の開廃業率の全産業平均との比較 4 中小企業の交易条件指数の推移 5 業種別の借入金月商倍率の推移 6 在留資格別の就労業種の比較 8 製造業・非製造業別の研究開発費割合と能力開発費割合の規模間格差、製造業・非製造業別の中小企業の研究開発費と能力開発費の推移10 中小企業における直近３年間のBCPの策定状況11 製造業・非製造業別の中小企業の労働生産性の推移等、企業規模別の労働分配率の推移12 中小 PMI ガイドライン13 中小企業の設備投資・ソフトウェア投資額の推移14 倒産件数の推移等17	中小企業の設備投資額（ソフトウェアを除く）の動向、中小企業の今後の設備投資における優先度の推移 4 中小企業の常用労働者の業種別所定内給与額 5 大企業、中堅企業および中小企業の１企業当たりの売上高の推移 6 中小企業における人材確保のための方策12

		R2	R3
第3章	中小企業白書第2部	年齢階層別の経営の担い手数の比較 7 新規融資に占める経営者保証に依存しない融資の割合、事業承継時の経営者保証の徴求状況 9 新たな経営の担い手の推移・参入した業種の全業種に占める構成割合の推移、男女別の起業家数の推移10	企業規模別の労働分配率・付加価値額に占める営業純益の割合の推移 6 中小企業の知的財産権別出願件数11 中小企業の知的財産権別使用率12 業種別・連携する分野別の外部連携に取り組む割合13 中小企業の受託事業者割合の推移、業種別の受託事業者割合14
	中小企業白書第3部	従業者総数と付加価値額に占める中小企業の割合 1 企業規模別業種別の研究開発費比率の推移 3 従業者規模別のECの利用状況と利用目的 8 中小企業の直接輸出企業割合と業種別輸出額の推移、中小企業の海外子会社の国・地域構成割合の推移12 特許出願総件数と中小企業の特許出願件数の推移13	
	小規模企業白書第1部	業種別小規模企業数の推移 2	

※出題領域の区分は、弊社「2025年度版　最速合格のためのスピードテキスト」に準拠したものです。
※表中の項目名とともに付されている白抜き数字は、本試験における問題番号となります。

R4	R5	R6
小規模企業の1社当たりの売上高と売上高経常利益率の推移 3 企業規模別の自己資本比率の推移、業種別（小売業、宿泊業・飲食サービス業、製造業）の中規模企業の借入金依存度の比較 7 大企業と中小企業の直接輸出企業割合の推移の比較 8 企業規模別の損益分岐点比率の比較 9 領域別のITツール・システムの導入状況、デジタル化推進に向けた課題 11 休廃業・解散企業の業種構成比 12 「事業引継ぎ支援センター」の相談社数・成約件数の推移 13 中小企業の多様な資金調達手段 17	経営力再構築伴走支援 9 中小企業のためのデザイン経営ハンドブック 15	中小企業の海外展開の推移等・中小企業の輸出実施企業と輸出非実施企業の労働生産性の推移、業種別の海外展開の実施状況 9 開業率と廃業率の推移、業種別開廃業率の比較 10 社齢別の常用雇用者数の純増数 11 製造業における直近1年のエネルギー価格、原材料価格および労務費の変動に対する価格転嫁の状況 13

		R2	R3
第4章	小規模企業白書第２部	小規模企業の割合・個人事業者の割合、個人事業者数の推移 ❷	従業者規模別の高齢者の雇用実態⓰
	小規模企業白書第３部		補助事業実施に当たって直面した課題・問題点、補助事業に関与する認定支援機関から今後受けたい支援内容⓯
その他		事業承継の形態別のメリット ❼ 製造事業所数と１事業所当たり付加価値額の推移⓫	

※出題領域の区分は、弊社「2025年度版　最速合格のためのスピードテキスト」に準拠したものです。
※表中の項目名とともに付されている白抜き数字は、本試験における問題番号となります。

R4	R5	R6
小規模事業所の業種別構成比の比較14 小規模企業が考える自社の経営課題、業種別・顧客属性別の小規模企業のブランド化に対する自己評価15		地域課題解決事業単体での収支状況、地域課題解決事業に取り組む事業者の資金調達方法15
業種別の事業継続力強化計画の認定状況16	全産業に占める製造業の就業者数の割合の推移等 7 開業時の平均年齢等16 中小企業者数に占める信用保証利用企業者数の割合、信用保証協会の保証債務残高（金額）の推移等18	中小企業・小規模事業者人手不足対応ガイドライン 7 エクイティ・ファイナンスに関する基礎知識 8 中小企業と大企業・中堅企業の総資本営業利益率の比較16

〈中小企業政策〉

		R2	R3
第1章	中小企業基本法	小規模企業者の範囲、基本理念、小規模企業に対する中小企業施策の方針14	中小企業者の範囲、小規模企業者の範囲19 1999年改正前の旧法の目標、基本理念（政策の柱）20
	小規模基本法		
	中小企業憲章		
第2章	資金供給の円滑化および自己資本の充実	中小企業に適用される税制20	少額減価償却資産の特例27
	中小企業等経営強化法に基づく支援	中小企業強靱化法、事業継続力強化計画15 経営力向上計画21	
	新たな事業展開支援		中小企業等事業再構築促進事業24
	経営基盤の強化	下請代金支払遅延等防止法（親事業者の義務等、適用範囲）16 商店街振興組合18	中小企業退職金共済制度28
	環境変化への対応		
	中小企業の事業承継および再生支援	経営承継円滑化法17	
	小規模企業対策	小規模企業共済制度19	小規模事業者支援法23 小規模事業者持続化補助金25 マル経融資26
第3章	中小企業政策の変遷		中小企業政策の変遷（支援機関等）21
その他		中小企業地域資源活用促進法（廃止）22 小規模事業者経営発達支援融資制度（廃止）23	中小ものづくり高度化法（廃止）22 地域団体商標制度29

※出題領域の区分は、弊社「2025年度版　最速合格のためのスピードテキスト」に準拠したものです。
※表中の項目名とともに付されている白抜き数字は、本試験における問題番号となります。

R4	R5	R6
中小企業者の範囲、小規模企業者の範囲、基本方針18	中小企業者の範囲、用語の定義、基本理念19	中小企業者の範囲、小規模企業者の範囲、基本方針17
中小企業向け賃上げ促進税制19 中小企業に適用される税制25 女性、若者/シニア起業家支援資金26	先端設備等導入計画に係る固定資産税の特例24 中小企業に適用される税制26	
経営革新支援事業20 事業分野別指針等24		経営革新計画22
	事業再構築補助金28	
下請代金支払遅延等防止法（適用範囲、親事業者の義務）21 ものづくり補助金28 成長型中小企業等研究開発支援事業29	高度化事業22 IT 導入補助金25	中小企業退職金共済制度19 下請中小企業振興法（振興基準）20 事業協同組合21 下請代金支払遅延等防止法（適用範囲）23
中小企業倒産防止共済制度23	BCP 貸金（旧：社会環境対応施設整備資金融資制度）23	
PMI 30	経営承継円滑化法27	
小規模事業者持続化補助金22	小規模企業共済制度21	マル経融資18
JAPAN ブランド育成支援等事業（廃止）27 経営力再構築伴走支援モデル31	新創業融資制度（廃止）20	流通業務総合効率化法（名称変更）21 中小企業省力化投資補助事業24 産業競争力強化法に基づく創業支援25

MEMO

中小企業診断士　2025年度版
最速合格のための第1次試験過去問題集　7　中小企業経営・中小企業政策

（2005年度版　2005年3月15日　初版　第1刷発行）
2024年12月2日　初　版　第1刷発行

編著者　TAC株式会社
（中小企業診断士講座）
発行者　多田敏男
発行所　TAC株式会社　出版事業部
（TAC出版）
〒101-8383
東京都千代田区神田三崎町3-2-18
電話　03(5276)9492(営業)
FAX　03(5276)9674
https://shuppan.tac-school.co.jp
印刷　株式会社ワコー
製本　株式会社常川製本

ISBN 978-4-300-11421-6
N.D.C. 335

TAC中小企業診断士パンフレット

- 戦略的カリキュラム
- 学習メディア・フォロー制度
- 開講コース・受講料
- 無料体験入学のご案内

など

資格＆試験ガイド

- 中小企業診断士の魅了
- 実務家インタビュー
- 試験ガイド
- 学習プラン

など

TAC合格者の声

祝賀会・東京会場

長山 萌音さん

表面的な理解ではなく、根本から理解をすることができた

「財務・会計」が苦手で1年目に独学で勉強していた際には理解しないまま試験を受けておりました。そこでTACに通学し、わからない箇所を講師の方に聞くことで、表面的な理解ではなく、根本から理解をすることができました。また、講義の中で効率的な勉強方法をご教示いただき、勉強への取り組み方を身につけることができました。TACを選んだ理由は、①生徒数が多く、合格ノウハウが集まっている、②一次試験から二次口述試験までのカリキュラムが組まれているため、試験ごとの情報収集や模試の検討などの手間が省けると感じたからです。

中尾 文哉さん

TACを活用し本来行うべき学習に集中して労力を割く

学習開始が12月上旬だったため、1,000時間の逆算が成り立たず、合格の為に効率を求めたこと、初回の受験で全体像を把握しながら学習ができるガイドラインや合格の為のノウハウを徹底的に仕入れたかったため、TACのWeb通信講座を受講しました。講義動画がリリースされるタイミングや、各科目のまとめテストの「養成答練」の提出期限も含め、すべてTACのノウハウに基づいてスケジュール化されています。その為、進度管理には労力をかけず、TACが敷いてくれた時間軸のレールの上で本来行うべき学習に集中して労力を割くことができました。

中小企業診断士講座のご案内

学習したい科目のみのお申込みができる、学習経験者向けカリキュラム
1次上級単科生(応用+直前編)

- □ 必ず押さえておきたい論点や合否の分かれ目となる論点をピックアップ!
- □ 実際に問題を解きながら、解法テクニックを身につける!
- □ 習得した解法テクニックを実践する答案練習!

カリキュラム
※講義の回数は科目により異なります。

1次応用編 2024年10月～2025年4月 → 1次直前編 2025年5月～ → 1次試験【2025年8月】

1次上級講義
[財務5回/経済5回/中小3回/その他科目各4回]
講義140分/回
過去の試験傾向を分析し、頻出論点や重要論点を取り上げ、実際に問題を解きながら知識の再確認をするとともに、解法テクニックも身につけていきます。
[使用教材]
1次上級テキスト
(上・下巻)
(デジタル教材付)

➡INPUT⬅

1次上級答練
[各科目1回]
答練60分+解説80分
1次上級講義で学んだ知識を確認・整理し、習得した解法テクニックを実践する答案練習です。
[使用教材]
1次上級答練

⬅OUTPUT➡

1次完成答練
[各科目2回]
答練60分+解説80分/回
重要論点を網羅した、TAC厳選の本試験予想問題による答案練習です。
[使用教材]
1次完成答練

⬅OUTPUT➡

1次最終講義
[各科目1回]
講義140分/回
1次対策の最後の総まとめです。法改正などのトピックを交えた最新情報をお伝えします。
[使用教材]
1次最終講義レジュメ

➡INPUT⬅

1次養成答練 [各科目1回] ※講義回数には含まず。
基礎知識の確認を図るための1次試験対策の答案練習です。
(配布のみ・解説講義なし・採点あり)

⬅OUTPUT➡

1次試験【2025年8月】

さらに! 「1次基本単科生」の教材付き!(配付のみ・解説講義なし)

◇基本テキスト(デジタル教材付)

◇講義サポートレジュメ

◇1次養成答練

◇トレーニング

◇1次過去問題集

開講予定月

◎企業経営理論/10月　◎財務・会計/10月　◎運営管理/10月　◎経済学・経済政策/10月
◎経営情報システム/10月　◎経営法務/11月　◎中小企業経営・政策/11月

学習メディア

教室講座　ビデオブース講座　Web通信講座

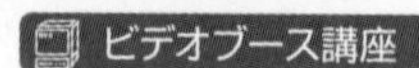

1科目から申込できます! ※詳細はホームページまたは資料をご請求ください。(右上参照)

(2024年2月現在)

書籍のご購入は

1 全国の書店、大学生協、ネット書店で

2 TAC各校の書籍コーナーで

資格の学校TACの校舎は全国に展開!
校舎のご確認はホームページにて

資格の学校TAC ホームページ
https://www.tac-school.co.jp

3 TAC出版書籍販売サイトで

TAC 出版 で 検索

24時間
ご注文
受付中

https://bookstore.tac-school.co.jp/

新刊情報を いち早くチェック!

たっぷり読める 立ち読み機能

学習お役立ちの 特設ページも充実!

TAC出版書籍販売サイト「サイバーブックストア」では、TAC出版および早稲田経営出版から刊行されている、すべての最新書籍をお取り扱いしています。
また、会員登録(無料)をしていただくことで、会員様限定キャンペーンのほか、送料無料サービス、メールマガジン配信サービス、マイページのご利用など、うれしい特典がたくさん受けられます。

サイバーブックストア会員は、特典がいっぱい!(一部抜粋)

通常、1万円(税込)未満のご注文につきましては、送料・手数料として500円(全国一律・税込)頂戴しておりますが、1冊から無料となります。

専用の「マイページ」は、「購入履歴・配送状況の確認」のほか、「ほしいものリスト」や「マイフォルダ」など、便利な機能が満載です。

メールマガジンでは、キャンペーンやおすすめ書籍、新刊情報のほか、「電子ブック版TACNEWS(ダイジェスト版)」をお届けします。

書籍の発売を、販売開始当日にメールにてお知らせします。これなら買い忘れの心配もありません。

書籍の正誤に関するご確認とお問合せについて

書籍の記載内容に誤りではないかと思われる箇所がございましたら、以下の手順にてご確認とお問合せをしてくださいますよう、お願い申し上げます。
なお、正誤のお問合せ以外の**書籍内容に関する解説および受験指導などは、一切行っておりません。**
そのようなお問合せにつきましては、お答えいたしかねますので、あらかじめご了承ください。

1 「Cyber Book Store」にて正誤表を確認する

TAC出版書籍販売サイト「Cyber Book Store」の
トップページ内「正誤表」コーナーにて、正誤表をご確認ください。

CYBER BOOK STORE TAC出版書籍販売サイト

URL:https://bookstore.tac-school.co.jp/

2 1の正誤表がない、あるいは正誤表に該当箇所の記載がない ⇒ 下記①、②のどちらかの方法で文書にて問合せをする

★ご注意ください★

お電話でのお問合せは、お受けいたしません。
①、②のどちらの方法でも、お問合せの際には、「お名前」とともに、
「対象の書籍名(○級・第○回対策も含む)およびその版数(第○版・○○年度版など)」
「お問合せ該当箇所の頁数と行数」
「誤りと思われる記載」
「正しいとお考えになる記載とその根拠」
を明記してください。
なお、回答までに1週間前後を要する場合もございます。あらかじめご了承ください。

① ウェブページ「Cyber Book Store」内の「お問合せフォーム」より問合せをする

【お問合せフォームアドレス】

https://bookstore.tac-school.co.jp/inquiry/

② メールにより問合せをする

【メール宛先　TAC出版】

syuppan-h@tac-school.co.jp

※土日祝日はお問合せ対応をおこなっておりません。
※正誤のお問合せ対応は、該当書籍の改訂版刊行月末日までといたします。

乱丁・落丁による交換は、該当書籍の改訂版刊行月末日までといたします。なお、書籍の在庫状況等により、お受けできない場合もございます。
また、各種本試験の実施の延期、中止を理由とした本書の返品はお受けいたしません。返金もいたしかねますので、あらかじめご了承くださいますようお願い申し上げます。

TACにおける個人情報の取り扱いについて
■お預かりした個人情報は、TAC(株)で管理させていただき、お問合せへの対応、当社の記録保管にのみ利用いたします。お客様の同意なしに業務委託先以外の第三者に開示、提供することはございません(法令等により開示を求められた場合を除く)。その他、個人情報保護管理者、お預かりした個人情報の開示等及びTAC(株)への個人情報の提供の任意性については、当社ホームページ(https://www.tac-school.co.jp)をご覧いただくか、個人情報に関するお問い合わせ窓口(E-mail:privacy@tac-school.co.jp)までお問合せください。

(2022年7月現在)